Ontdek
Zuid-Zweden

Inhoud

In vogelvlucht   6

In het hart van Scandinavië   8

Favorieten   10

Reisinformatie, adressen, websites

Informatie   14
Weer en reisseizoen   16
Rondreizen   18
Reizen naar en in Zuid-Zweden   22
Overnachten   25
Eten en drinken   27
Actieve vakantie, sport en wellness   29
Feesten en evenementen   32
Praktische informatie van A tot Z   34

Kennismaking – Feiten en cijfers, achtergronden

Zuid-Zweden in het kort   40
Jaartallenoverzicht   42
Van het ijs bevrijd – de geboorte van Zweden
uit vuur, ijs en water   46
Lynx, beer en wolf   49
Alternatieven voor emigratie –
de visfabrieken op Klädesholmen   51
De Vikingen – zeevaarders, ontdekkers, handelaars   52
Gustav III – leven en sterven van de 'theaterkoning'   54
Kapitaal voor een goede zaak – Alfred Nobel en zijn
prijs   56
Kinderboeken en meer – Astrid Lindgren verandert
de wereld   59
Design made in Sweden   61
Een bijzonder licht – het Scandinavische impressio-
nisme   64
ABBA of het Zweedse muziekwonder   66
De erfenis van Ingmar Bergman – film in Zweden   68

Onderweg in Zuid-Zweden

De kusten van Skåne en Halland 72
Kunst en plezier in het zuiden 74
Malmö 75
Lund 82
Landskrona en omgeving 86
Helsingborg 86
Schiereiland Kullen 90
Bjärehalvön 94
Laholm 96
Halmstad 98
Falkenberg 99
Varberg 99

Göteborg en Bohuslän 102
Maritieme flair in het westen 104
Göteborg 105
Tjörn en Orust 115
Lysekil 119
Uddevalla 121
Schiereiland Sotenäs 122
Tanum 124
Strömstad 126

Oost-Skåne en Blekinge 128
Trots erfgoed in het zuidoosten 130
Trelleborg en omgeving 130
Ystad 131
Simrishamn en omgeving 137
Nationalpark Stenshuvud 141
Kivik 142
Åhus 143
Kristianstad 143
Sölvesborg en omgeving 147
Karlshamn 148
Ronneby 150
Karlskrona 152

Småland en Öland 154
Woeste hoogvlakte, scheren en een zonnig eiland 156
Ljungby 157
Nationalpark Store Mosse 158
Möckeln 159
Växjö 159

Inhoud

Glasriket (Het Glasrijk) 161
Eksjö en omgeving 165
Vimmerby en omgeving 165
De kust van Småland 167
Öland 171

Vänern met Dalsland en Värmland 178
Land van meren in het westen 180
Trollhättan 181
Lidköping 184
Skara 187
Dalsland 188
Värmland 193

Vättern en het Götakanal met Sörmland 198
Cultuurland in het oosten 200
Jönköping 201
Gränna en omgeving 202
Omberg en omgeving 204
Vadstena 207
Askersund en omgeving 210
Götakanal 212
Norrköping 218
Sörmland (Södermanland) 222

Stockholm en omgeving 224
Stockholm 226
Kungsholmen 227
Gamla Stan (De oude stad) 227
Norrmalm-City 233
Skeppsholmen 235
Östermalm 238
Djurgården 238
Södermalm 242
Buiten het centrum 244
Dagtochten vanuit Stockholm 254

Mälardal en Uppland 256
Het hart van Zweden 258
Rondom Hjälmaren 259
Rondom Mälaren 262
Uppsala 270
Sigtuna 279

Toeristische woordenlijst 280
Culinaire woordenlijst 282
Register 284
Fotoverantwoording en colofon 288

Op ontdekkingsreis

Ven – eiland voor sterrenkijkers 84
Met Wallander door Ystad 132
Een reis door het Glasrijk 162
De elanden op het spoor – op de Hunneberg 182
Sluizentocht per fiets – langs het Götakanal 214
Risinge gamla kyrka –
    wat een oude kerk te vertellen heeft 220
Kunst onder de grond –
    de metrostations van Stockholm 236
Utö – leven op een schereneiland vroeger en nu 252
Een parel in de Oostzee – het eiland Gotland
    met Visby en Fårö 268
De natuur in met Carl Linnaeus 272

Kaarten en plattegronden

Malmö 76
Göteborg 106
Ystad 133
Stockholm 230
Uppsala 271

▶ Dit symbool verwijst naar de uitneembare kaart

In vogelvlucht

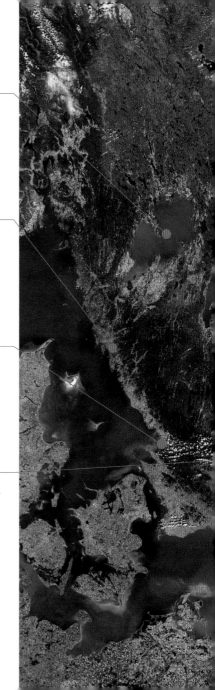

Vänern met Dalsland en Värmland
Contrasten in het West-Zweedse binnenland: ten westen van Vänern in Dalsland
en ten noorden van dat meer in Värmland
eenzaamheid en stilte te midden van de
natuur, langs de zuidelijke oevers echter
een oud cultuurlandschap met kerken en
kloosters. Blz. 178

Göteborg en Bohuslän
Maritieme flair, grootsteeds tumult en een
mondain nachtleven in de tweede stad
van Zweden, Göteborg, met de rotsachtige
kusten van Bohuslän voor de deur – een
droom van een vakantiebestemming voor
iedereen, die wat meer pit heeft. Blz. 102

De kusten van Skåne en Halland
De dynamiek van de grote stad in Malmö,
het gemoedelijke studentenleven in Lund,
zandstranden en scherpe rotsen, haven-
steden en vakwerkhuizen, uitstekende
hotels en restaurants in een toeristisch
goed ontsloten regio. Blz. 72

Oost-Skåne en Blekinge
In de sporen van zeelieden en ridders naar
burchten, geheimzinnige hunenbedden
en middeleeuwse steden, langs heerlijke
badstranden. Een reis vol contrasten biedt
de rafelige kust van Blekinge met de zuidelijkste scherenkust van Zweden. Blz. 128

Mälardal en Uppland

Een landschap vol geschiedenis, rijk aan kastelen, paleizen en niet in de laatste plaats de oude ijzerindustrie, die de grondslag vormde voor de welstand van het land. Wie zich alleen wil ontspannen: Overal nodigen eenzame baaien uit om te zwemmen en te picknicken. Blz. 256

Stockholm en omgeving

De Zweedse hoofdstad met een mix van cultuur, shopping en nachtleven – daarnaast een rijke natuur op 14 eilanden. In de onmiddellijke omgeving nog eens 24.000 eilanden in de scherenkust, ideaal voor de ontspanning. Blz. 224

Vättern en Götakanal met Sörmland

Spectaculaire rotswanden en een rijke geschiedenis in Östergötland, kloosters als die van Alvastra en Vadstena langs het Vättern. De beroemdste waterweg van Zweden, het Götakanal, de sierlijke industriestad Norrköping en het bezienswaardige Nyköping. Blz. 198

Småland en Öland

De zuidelijkste wildernis van Zweden, met meren, moerassen en eenzame bossen, de wieg van het Zweedse design – van meubels tot glas. Minder bekend: de scherenkust. Heel anders is het eiland Öland met kindvriendelijke stranden en een mediterraan aandoende natuur. Blz. 154

In het hart van Scandinavië

We zijn allemaal weleens in Zweden geweest – althans in gedachte. Hetzij in onze jonge jaren met Pettersson en Findus, met Pippi, Emil en de kinderen van Bolderburen of later in de bioscoop bij een Ingmar Bergmanfilm, misschien ook wel in een thriller met Martin Beck of Wallander. Zweedse producten drukken hun stempel op ons dagelijks leven, vaak nuttige en praktische zoals Tetrapak, knäckebröd en zelfbouwboekenkasten. We associëren ze met solide kwaliteit en design met eenvoudige, duidelijke vormen.

Ombudsman, mobiele telefoon, internet breedbandaansluiting voor iedereen – in Zweden wordt vaak geprobeerd, wat elders pas overmorgen een trend wordt. Dat bewijst niet alleen het al vaak doodverklaarde, maar nog verbazingwekkend levende 'Zweedse model', de verzorgingsstaat. Dat alles zorgt ervoor dat een beetje van de Zweedse levenscultuur uit het hart van Scandinavië over de grenzen naar de rest van Europa wordt gebracht.

En dan is er nog het landschap: een oneindig aantal grote en kleine meren, donkere, eindeloze bossen en mooie, maar ook ruige kustlijnen en een bijna ongerept lijkende natuur. Daar het land in vergelijking met West-Europa extreem dun bevolkt is en niet tot de favoriete bestemmingen van het massatoerisme behoort, is het altijd mogelijk volledig ongestoord van deze fantastische natuurlijke rijkdommen te genieten.

Op zijn tijd wat eenzaamheid

Doe het zoals de Zweden: Vergrendel de stadswoning en begeef u naar een zomerse vakantie-idylle, bijvoorbeeld op een klein eiland langs de scherenkust, zoals vader Melkerson en zijn gezin dat in Astrid Lindgrens verhaal *Samen op het eiland Zeekraai* doen.

Of de *sommarställe*, de zomerse vakantiedomicilie, zich nu op een eiland in de archipel van Stockholm, midden in de donkere bossen van Småland of langs de kust van Skåne bevindt, kenmerkend voor het ideale vakantiehuis is dat het

zo eenzaam mogelijk ligt. In de Zweedse vakantiehuiscatalogi wordt daarom niet alleen de afstand tot de dichtstbijzijnde winkel aangegeven, maar dikwijls ook de afstand tot de dichtstbijzijnde buur, en hoe groter deze is, hoe beter. Bij de perfecte idylle hoort ook water in de buurt – rivier, meer of zee – dat u met een boot kunt bevaren en waarin u kunt zwemmen en vissen.

Een plek om gelukkig te zijn ...

Smultronställe heten in het Zweeds de verborgen plekken waar de kleine, zoete bosaardbeien (*smultron*) groeien. Zo'n plek is de vervulling van een van de mooiste kinderwensen en hoort bij elke droomvakantie.

Ga gewoon op zoek naar uw *smultronställe*, naar uw eigen favoriete plek tussen Sont en Öland, tussen Uppsala en Skåne, langs het strand van de Oostzee of tussen de door de gletsjers in de ijstijd glad geschaafde kliffen van de westkust. Hang uw hangmat op: aan de rustige oever van een meer tussen de in het avond-licht oplichtende dennenstammen of tussen oude fruitbomen in de tuin van uw vakantiehuisje.

... en voor genieters

En als dat nietsdoen u te saai wordt: U kunt de rust van de natuur afwisse-len met een wandeling door een schil-derachtig stadje met zijn leuke houten huisjes en bochtige straatjes met kin-derkopjes, een shopping trip naar een factory outlet, waarvan er in elke regio wel een te vinden is – van een glasblaze-rij tot een linnenweverij. Of dompel u onder in een levendige stad met een flit-send nachtleven en een grote verschei-denheid aan restaurants.

Zweden zit vol verrassingen. Wist u bijvoorbeeld dat volgens Franse restau-rantrecensenten de beste fijnproever-restaurants van Scandinavië zijn te vin-den in Stockholm en Göteborg? Dat een glas wijn in een restaurant niet per se een fortuin hoeft te kosten en dat langs de westkust heerlijke kreeften worden gevangen?

Sfeervol licht langs de Öresund – de
vuurtoren Kullens fyr, blz. 92

De scherenkust reikt tot aan de einder
vanaf Tjörnehuvud, blz. 116

Favorieten

De reisgidsen van de ANWB worden
geschreven door auteurs die hun boek
voortdurend actualiseren en daarom
dezelfde plekken telkens opnieuw bezoeken.

Op enig moment ondekt iedere auteur zijn hoogst persoonlijke lievelings-
plekken. Dorpen, die buiten de toeristische mainstream liggen, een heel
bijzondere baai, plekken waar u zich
helemaal kunt ontspannen, een stukje
oorspronkelijke natuur – kortom, favoriete plekken waarheen u steeds wilt te-
rugkeren.

Beeldverhaal uit de oertijd: de
rotstekeningen bij Tisselskog, blz. 189

De geur van dennen in de neus, veenwater
op de huid – het strand Vitsand, blz. 208

Ga aan boord van het schip van mythen en legenden bij Ales stenar, blz. 138

Als bomen konden spreken – in het toverbos Trollskogen, Öland, blz. 174

Geniet van kunst in prins Eugens Villa Waldemarsudde, Stockholm, blz. 240

Niet alleen koffieleuten voelen zich thuis in Tant Bruns kaffestuga, Sigtuna, blz. 278

Reisinformatie, adressen, websites

Uit de talloze meren in Zuid-Zweden kan iedereen zijn 'eigen' meer kiezen

Informatie

Internet

Het internet is een uitstekende manier om uitgebreide informatie over de bestemming Zweden te verkrijgen, zowel voor als tijdens de reis. Accommodaties en restaurants, reisorganisaties, enzovoort, publiceren belangrijke informatie, zoals openingstijden en prijzen, op hun website of u kunt er online boeken. Wie op zoek is naar interessante informatie, vindt die ook op Nederlandstalige sites van en voor Zwedenfans.

www.kungahuset.se, www.royalcourt. se De officiële website van het Zweedse koningshuis met nieuws van het hof en praktische informatie voor het bezoeken van de koninklijke paleizen en kastelen.

www.sweden.se De officiële website van Zweden biedt (onder meer in het Nederlands) actuele informatie over het land en de mensen, kunst en cultuur, bedrijfsleven en politiek en veel nuttige links. De door het Zweedse Instituut (SI) uitgegeven folders (*faktablad*) over cultuur, economie en politiek kunnen in verschillende talen worden gedownload als pdf.

www.sverigeturism.se Een lijst van alle *turistbyråer* met hun contactgegevens per provincie gerangschikt.

www.visitsweden.com Dit fraaie met Flashanimaties vormgegeven portaal van het Zweedse verkeersbureau voor reizen en toerisme in de Nederlandse taal behandelt thema's die van belang zijn voor de reis, en bevat vele nuttige links. U kunt inspiratie opdoen voor uw eigen reis, een reisorganisatie vinden en nog veel meer.

www.zwedenforum.nl Op deze site wisselt een levendig forum van gedachten. U vindt er veel nuttige suggesties voor de praktische kant van het reizen, maar u kunt er ook informatie ontdekken voor emigranten en degenen die dat willen worden.

www.zwedenweb.com Overzichtelijk gepresenteerde, nuttige informatie over onderwerpen als werk en studie, reizen en vakanties. In het forum kunt u onder meer zoeken naar reispartners en u leest er interessante details uit het dagelijkse leven in Zweden of reisverslagen. Ook vindt u er informatie over de Zweedse cultuur: muziek, taal, eten en drinken.

zweden.startpagina.nl Een overzichtelijke site met links naar onder meer kranten, radiokanalen en tv-programma's die u via het internet kunt lezen, luisteren en bekijken. Biedt veel praktische reisinformatie, zij het nogal selectief. Veel gesponsorde links van reisorganisaties.

www.skandinavien.eu/schweden Een goed gestructureerde, Duitstalige site voor alle Scandinaviëfans die ook de thema's muziek, films of culinaire zaken niet vergeet. Met advertenties van onlinewinkels en aanbieders van vakantiehuisjes, specifiek gericht op deze doelgroep.

www.zweeds-nederlandse-vereniging. nl De Zweeds-Nederlandse vereniging organiseert bijeenkomsten en lezingen, viert typisch Zweedse feesten en herdenkt voor Zweden belangrijke gebeurtenissen. Leden van de vereniging ontvangen uitnodigingen voor haar activiteiten en krijgen *Sverige Kuriren* in de brievenbus.

Verkeersbureaus

Visit Sweden, hét informatiepunt voor reizen en toerisme in en naar Zweden, op verzoek worden regionale brochures en brochures over actieve vakanties en praktische reiszaken toegezonden.

Visit Sweden
Box 3030, S-103 61 Stockholm
Zweden, fax +46 8-789 10 31
www.visitsweden.com
In Nederland en België: tel. 0294-43 25 80 (Engels of Duits, lokaal tarief, bereikbaar tussen 8-17 uur).
office.nl@visitsweden.com

Informatie ter plaatse

In Zweden zijn twee soorten informatiekantoren (*turistbyrå*, mv. *turistbyråer*) te onderscheiden: Kantoren met een blauw-geel bord geven niet alleen informatie over de regio, maar over heel Zweden en u kunt er accommodatie boeken in het hele land. *Turistbyråer* met een groen bord helpen u met plaatselijke informatie en bemiddelen bij lokale accommodatie. De regionale verkeersbureaus bieden informatie via internet, bijna altijd in het Engels, soms ook in andere talen. Dat geldt ook voor de meeste lokale kantoren. Een lijst met adressen en links is te vinden onder www.sverigeturism.se. Schriftelijke informatie (soms in het Nederlands) bestelt u het best via e-mail.

Leestips

Jan Guillou, *De weg naar Jerazalem*, e. a. Houten 1999. Eerste deel van een historische trilogie over de kruistochtenperiode, waarin de omgeving en het klooster van Varnhem een belangrijke rol spelen.
Selma Lagerlöf, *Niels Holgerssons wonderbare reis*, Rotterdam 2003. Nog altijd de mooiste reisgids voor Zweden.

Stieg Larsson, *Mannen die vrouwen haten*, Utrecht 2011. Het eerste deel van de Millenniumtrilogie van de in 2004 overleden auteur. Tijdens een familiebijeenkomst verdwijnt een jonge vrouw; bij zijn onderzoek raakt een journalist verzeild in de duistere geschiedenis van de familie. De boeken zijn ook als film een groot succes.
Henning Mankell, *De vijfde vrouw*, Breda 2009; *Voor de vorst*, Breda 2011, e. a. De 12 thrillers (incl. *Voor de vorst*) over hoofdinspecteur Kurt Wallander in Ystad zijn goede stemmingmakers voor Zwedengangers die zich niet bang laten maken ... In de op een na laatste roman treedt de dochter van Kurt Wallander in zijn voetsporen. Met *De gekwelde man* werd de reeks afgesloten.
Liza Marklund, *Springstof* e. a., Breda 2008. De romans van de Zweedse 'Queen of Crime' spelen in het mediamilieu: tabloids en televisiestudio's vormen de achtergrond voor de spannende acties waar misdaadverslaggeefster Annika Bengtzon bij betrokken raakt.
Maj Sjöwall & Per Wahlöö, de tien romans met Martin Beck, Utrecht 2011/2012. De in de jaren 70 van de vorige eeuw geschreven reeks van tien misdaadromans beschrijft de Zweedse maatschappij van die tijd vanuit een zeer kritisch perspectief.
Kurt Tucholsky, *Slot Gripsholm*, Amsterdam 1981. De gelukkige herinneringen van Tucholsky aan zijn zomer in Zweden verlenen het boek magie en luchtigheid, ook al speelt het zich af tegen de achtergrond van de politieke gebeurtenissen in Duitsland in de jaren 30 van de vorige eeuw.

www.noordseliteratuur.nl
Informatie over alle in het Nederlands vertaalde auteurs uit Zweden en de andere Scandinavische landen.

Weer en reisseizoen

Koppig houdt men zich in de rest van Europa voor dat het altijd koud is in Zweden. Iedereen die het geluk heeft gehad om 's zomers met een stabiel oostelijk hogedrukgebied door het land te toeren, zal zich de lange, lichte en zwoele nachten herinneren. De gunstige zomertemperaturen zijn niet in de laatste plaats te danken aan de extreme daglengte, die het gevolg is van de noordelijke ligging van het land.

Klimaat

Aan de Golfstroom dankt Zweden, ondanks zijn noordelijke ligging – Stockholm ligt op dezelfde breedtegraad als de zuidpunt van Groenland – het gematigde klimaat. In het zuidwesten heeft het klimaat een maritieme invloed, met aangename zomers en milde winters. In de noordelijke en oostelijke delen van het land heerst een meer continentaal klimaat met de bijbehorende grote verschillen tussen zomer- en wintertemperaturen.

De neerslaghoeveelheden nemen van west naar oost af. De laagste waarden worden genoteerd op de eilanden Öland en Gotland, die daarom in de zomer vaak te lijden hebben van ernstige watertekorten.

Seizoenen

De verschillen tussen de seizoenen zijn in Zweden duidelijker dan op het continent. Van een echte zomer met temperaturen waarbij West-Europeanen het zouden wagen om in buitenwater te gaan zwemmen is gewoonlijk slechts sprake tussen half juni en eind augustus.

Prikkelend, vooral voor de wandelaars, is de herfst, als de loofbomen een ongelooflijke kleurenpracht ten toon spreiden en er meestal geen hinderlijke muggen meer zijn. De winter begint (afhankelijk van de regio) tussen half oktober en begin november en duurt vaak tot in april. De maanden februari en maart zijn erg populair bij wintersporters, pas dan ligt er in Zuid-Zweden meestal voldoende sneeuw en zijn de dagen alweer wat langer.

Een bijzondere belevenis is het begin van de lente in de eerste helft van mei. U krijgt het gevoel dat de natuur van de ene dag op de andere ontploft, wat resulteert in een ongeëvenaarde kleurenpracht. De lentebloemen staan in bloei, de berken lopen uit met hun eerste groene blaadjes, de lucht wordt zacht en warmt langzaam op, de mensen 'ontwaken uit hun winterslaap' en bereiden zich voor op hun eerste picknick in de vrije natuur.

Klimaatdiagram van Stockholm

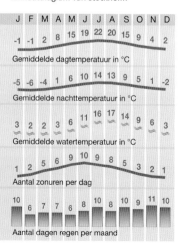

Middernachtszon

Het fenomeen van de middernachtszon is al te merken in Zuid-Zweden, ook al is ze alleen boven de poolcirkel in volle pracht te aanschouwen. In de regio Stockholm zijn de juni- en julinachten extreem kort: Het begint tegen elf uur 's avonds te schemeren en het is drie uur 's ochtends al weer licht. Niet alleen voor de Zweden betekent deze overmaat aan daglicht in de zomer een aanzienlijke toename van de levenskwaliteit: Het gehele sociale leven op het platteland en in de stad speelt zich buiten af. Ook wordt het in de winter niet helemaal donker – in Stockholm schijnt de zon tussen 9 uur 's ochtend en 3 uur 's middags.

De beste tijd

Het hoogseizoen duurt van *Midsommar* (het weekeinde, dat het dichtst bij 24 juni ligt) tot de tweede week van augustus. Buiten deze periode moet u zelfs in toeristische centra rekening houden met beperkte openingstijden. In de zes weken hoogseizoen is het niet altijd gemakkelijk budgetaccommodatie of een plek om uw camper te parkeren te vinden, omdat de Zweden die zelf met groot enthousiasme vakantie in eigen land vieren, dan ook onderweg zijn. Aan de andere kant bieden anders dure hotels juist in deze periode grote kortingen aan, daar de zakenlieden die er de rest van het jaar verblijven, in de vakantieperiode wegblijven.

Door de klimaatverandering laat de winter in veel jaren op zich wachten. Voor een wintervakantie bevelen we daarom februari en maart aan. Dan zijn de dagen ook al weer wat langer. Kalenderweken 7 tot 10 zijn *Sportlov*, sportvakantie. Gedurende deze tijd is het raadzaam om accommodatie in wintersportgebieden vooraf te reserveren.

Kleding en uitrusting

Naast goede muggen- en zonnebescherming heeft u 's zomers ook regenkleding, stevige wandelschoenen, eventueel laarzen en een warme jas of trui nodig. Verder bent u goed toegerust met normale outdoorkleding.

Het is raadzaam om beddengoed mee te nemen voor gebruik in particuliere vakantiewoningen, hostels, trekkershutten op campings en een aantal goedkope hotels – hier wordt gasten vaak een extra bedrag in rekening gebracht voor het gebruik van lakens en handdoeken. Ook het meebrengen van een kleine tent en eenvoudig kookgerei kan geen kwaad. Misschien vindt u onderweg uw persoonlijke favoriete plek, waar echter geen overnachtingsmogelijkheden zijn. Het Zweedse allemansrecht (zie blz. 35) staat u echter toe uw tent waar u maar wilt op te slaan op voorwaarde dat u de privacy van anderen niet stoort en niets beschadigt.

Picknickspullen zijn ook zeer nuttig – er gaat niets boven het inslaan van vis of andere zeevruchten bij een plaatselijke rokerij om deze op het strand of zittend op een rots met uitzicht op zee te verorberen.

Muggen – een lastig onderwerp

Vanaf half juni totdat de vorst invalt in september/oktober is het muggentijd, vooral in de schemering en op vochtige, windstille dagen. Een nat begin van de zomer leidt meestal tot een muggenplaag. Het is raadzaam om tijdens het wandelen kleding te dragen die gemaakt is van dikke stof en het hele lichaam bedekt. Muggenspray die het reukvermogen van de insecten verwarren, helpen slechts beperkt. Apotheken en supermarkten hebben geschikte middelen op voorraad.

Rondreizen

Rondreis 1: West-Zweden en de grote meren

Lengte en tijd: ongeveer 1032 km, 10 dagen, **met een omweg naar Stockholm** ongeveer 1428 km, 14 dagen.

Met de veerboot reist u van Kiel ('s nachts) of Frederikshavn naar **Göteborg**. Na een of twee dagen om deze metropool aan de westkust te bezoeken rijdt u door het dal van de rivier Göta älv richting **Trollhättan** (77 km via de E45). Een omweg naar de **Hunneberg**, de koninklijke elandenberg, is te overwegen, en daarna rijdt u verder naar **Lidköping** (61 km via weg 44) om te overnachten in het Kinnekullegebied aan de zuidelijke oever van het meer Vänern, een schitterende streek die rijk is aan natuur en cultuur.

De volgende dag kunt u van het prachtige cultuurlandschap langs het grootste meer van Zweden genieten, middeleeuwse kerken rond de tafelberg

Kinnekulle bezoeken of de porseleinfabriek van Rörstrand in Lidkoping onveilig maken, voordat u het schiereiland **Kålland** oprijdt, om het sprookjesachtige Läckö slott van dichtbij te bekijken en vis te eten in een rokerij in de haven van **Spiken** (ca. 48 km). Eventueel rijdt u al 's middags naar het oosten om rond te dwalen in het **Nationalpark Tiveden**. 's Avonds kunt u aan het noordelijke uiteinde van het meer Vättern, in de buurt van Askersund of bij **Örebro**, overnachten (Lidköping-Örebro 160 km).

Variant: Wie meer dan tien dagen tot zijn beschikking heeft, zou op dit punt een omweg via **Stockholm** kunnen overwegen alvorens terug te keren naar de westkust. Rijdend over de E20 langs de zuidoever van het meer Mälaren, via Eskilstuna met industriehistorische monumenten en het kleine stadje Mariefred met Gripsholm slott, zijn er voldoende aanleidingen voor andere tussenstops bij een of meer van de vele kastelen in het Mälardal. In Stockholm gunt u zich twee tot drie dagen om de stad te bekijken: Naast de bezienswaardigheden van de oude stad en de musea kunt u met de boot uitstapjes maken naar de scherenkust of via het Mälaren naar Drottningholm slott en Birka (omweg Örebro-Stockholm 396 km heen en terug).

Van Örebro leidt de E18 langs de noordelijke oever van het meer Vänern via Karlskoga en Karlstad (112 km) naar Värmland; van **Karlstad** volgt u het de Frykendal noordwaarts in de sporen van de schrijfster Selma Lagerlöf naar **Sunne** (134 km heen en terug), waar u op een tussenstop de wildernis en bossen van Värmland op u in kunt laten werken. Via de E45 gaat het terug naar de oever van het Vänern. Via **Säffle** gaat u richting **Mellerud** (119 km). Vlak voor de stad takt een aantrekkelijke, bochtige route parallel aan het Dalslands kanal af naar Dals Långed en Bengtsfors. U passeert het 19e-eeuwse technologische wonder van het aquaduct van Håverud. In Dalsland loont het de moeite een tussenstop in te lassen, misschien voor een kano- of boottocht (Mellerud-Bengtsfors 48 km).

Van **Bengtsfors** neemt u de wegen 172/164 naar het westen, die voorbij Ed door de waterrijke valleien van Dalsland naar de westkust leiden. Na het oversteken van het zich ongeveer 30 km in noord-zuidrichting uitstrekkende meer Bullaren, rijdt u verder via weg 163 en komt u uit in het gebied met rotstekeningen uit de bronstijd van **Tanumshede** (ongeveer 100 km).

Aan de westkust kunt u het best een overnachting inplannen, misschien om gerookte vis of garnalen te proeven in kustplaatsen als Grebbestad en Fjällbacka. Het loont de moeite een korte tocht te maken over de schilderachtige weg 160 over de eilanden Orust en Tjörn, eventueel met nog een overnachting op een van de eilanden, totdat u bij **Stenungsund** (ongeveer 144 km), de E6 en het vasteland weer bereikt. Van Stenungsund bent u via de E6 al snel weer in Göteborg. Vanuit de haven van die stad keert u met de veerboot weer terug richting huis (47 km).

Rondreis 2: Småland, Östergötland, Stockholm

Lengte en duur: 1535 km, 14-16 dagen (zonder Glasrijk en Öland).

Vanaf **Malmö** of **Trelleborg** verkent u het zuiden van de provincie Skåne met zijn zandstranden, kastelen en middeleeuwse stadjes, zoals **Ystad** (Malmö-Ystad langs de kust ongeveer 79 km). Verder naar het oosten langs de kust, weg 9 verlatend, is het de moeite waard te stoppen bij Kåseberga en de *skepps-*

Quick-Stop-Service voor campers en caravans

Voor mensen op doorreis bieden tal van campings een goedkope service aan: Wanneer u na 21 uur incheckt en voor 9 uur de volgende ochtend uitcheckt, krijgt u op een speciaal deel van de camping een korting van maximaal 35% op de overnachtingsprijs. Zonder andere gasten te storen, kunt u gebruikmaken van de sanitaire voorzieningen en staat u veilig. Ook in Zweden vonden in het hoogseizoen al overvallen plaats op campers en caravans die voor de nacht langs druk bereden routes stonden geparkeerd.

Welke campings deze quick-stopservice aanbieden, vindt u in de brochure van de campingorganisatie SCR of op haar website www.camping.se. De Camping Card Scandinavia is vereist (zie blz 26).

sättning **Ales stenar**, en een eerste overnachting in het oosten van Skåne ligt voor de hand, misschien ook wel een tweede of derde, met excursies naar het binnenland of een luie dag op de stranden van de Hanö Bukt bij **Åhus** (ca. 100 km); hotels, pensions en campings zijn er in overvloed.

Langs de kust van de provincie Blekinge gaat de reis naar **Karlskrona**, waar u een dag gebruikt voor de bezienswaardigheden en per boot excursies kunt maken in de ondiepe scherenkust (116 km). De route gaat nu via weg 28 naar het noorden het binnenland in en geleidelijk omhoog naar Småland, dan via weg 25 naar **Nybro** door het Glasrijk naar **Kalmar** aan de oostkust (ongeveer 132 km) – onderweg kunt u een tussenstop maken bij een van de vele befaamde glasblazerijen in deze regio. Van Kalmar met zijn beroemde kasteel kunt u over de brug een dagtocht naar het eiland **Öland** maken.

De volgende dag rijdt u van Kalmar over de E22 langs de scherenkust van Östergötland tot aan Norrköping en verder over de E4 naar **Trosa** in de buurt van Stockholm. Voorbij Västervik bij Loftahammar of uiterlijk bij **Sankt Annas Skärgård** kunt u overnachten (Kalmar-Stockholm 408 km). De volgende dag kunt u besteden aan het verkennen van de Zweedse hoofdstad **Stockholm** met zijn vele bezienswaardigheden en winkels.

Tot slot rijdt u langs de zuidoevers van het meer Mälaren over de E4 via **Södertälje** – misschien met een tussenstop bij de experimenteerfabriek Tom Tits – en **Norrköping** naar het **Göta-kanaal**, waar u een hele dag met de fiets of per boot lang kunt reizen (Stockholm-Linköping 200 km). Over weg 36 parallel aan het kanaal rijdt u van **Linköping** naar Motala. Daarvandaan gaat u verder over weg 50 naar de kloosterstad **Vadstena** aan de oevers van het meer Vättern, waar de kloosterkerk van de heilige Birgitta en de Vasaburcht uw aandacht verdienen. Van Vadstena rijdt u over de E4 naar het zuiden met een stop in Gränna, waar u de zuurstokfabriek kunt bekijken of een dagtocht naar het eilandje Visingsö kunt maken.

Verder gaat het via **Jönköping** (162 km) naar het grootste meer van Småland, **Bolmen** (125 km tot de Bolmsö), waar u nog een of twee dagen ontspannen kunt doorbrengen met vissen of kanoën, voordat u verder gaat naar **Varberg** (weg 27/153), **Helsingborg** of **Malmö** (E4) voor de terugreis via Denemarken en Duitsland.

Elk van deze veerhavens leent zich voor een tussenstop om de stad en omgeving wat beter te bekijken: Varberg heeft een imposante vesting met een interessant museum en mooie stranden, Helsingborg het openluchtmuseum Fredriksdal en het romantische Sofiero slott, terwijl Malmö aan te bevelen is voor een laatste shoppingronde voor design en mode alvorens naar huis terug te keren (Bolmen-Varberg ongeveer 120 km, 160 km naar Helsingborg, 217 km naar Malmö).

Kulturarvskort

Wie langer in Zweden wil verblijven en daarbij veel bezienswaardigheden bezoekt, doet er goed aan de Kulturarvskort aan te schaffen. Deze kost SEK 150 en is een jaar geldig (april-mei). De kaart geeft korting (meestal 50%) op de toegangsprijs en kortingen op aankopen in de museumwinkel en het café van ongeveer 300 openlucht- en andere musea in het hele land. Een lijst wordt bij de aankoop meegeleverd (of is in te zien op www.svenskkulturarv.se). U kunt de 'erfgoedkaart' bij een turistbyrå of in een van de deelnemende musea aanschaffen.

Rondreis 3: Met de trein naar Stockholm

Lengte en duur: circa 1622 km, 10-14 dagen. Het is aan te raden om in de Göteborg en Stockholm minstens twee overnachtingen in te plannen om genoeg tijd te hebben om alle bezienswaardigheden van deze twee grote steden te bekijken.

De comfortabelste manier om met de trein naar Zweden te reizen is met de ICE via Osnabrück naar Hamburg. Daar neemt u de Vogelfluglinie naar Kopenhagen, die via Puttgarden en de veerboot naar het Deense Rødby Havn rijdt. Daarvandaan rijden zeer frequent de treinen van de Öresundståg over de Öresundsbron naar **Malmö** (eerste tussenstation). Van Malmö rijdt de Öresundståg langs de westkust naar door naar Göteborg, met interessante tussenstops in **Helsingborg** en **Varberg**.

Na tussenstop met sightseeing en overnachting in **Göteborg** brengt de hogesnelheidstrein SJ2000 u in drie uur naar **Stockholm**. Wie niet zo'n haast heeft om naar de hoofdstad te reizen en is geïnteresseerd in het cultuurlandschap van Västergötland, stapt in Herrljunga over op de railbus naar **Lidköping**. Van daaruit gaat het ontspannen met de Kinnekulletåg langs de aan stranden en bezienswaardigheden zo rijke zuidoever van het meer Vänern naar **Laxå**, waar u weer terugkomt op de hoofdspoorlijn om via Katrineholm naar **Stockholm** door te reizen.

Na een verblijf in de hoofdstad en het verkennen van het Mälardal, inclusief Uppsala met het voortreffelijke OV-netwerk, gaat u met tussenstops via een andere route met de SJ2000 terug naar het zuiden: via Norrköping naar Linköping en verder via Nässjö naar **Alvesta**. Wie hier uitstapt en in de naburige 'hoofdstad' van het Glasrijk, **Växjö**, verder reist (frequente treinverbindingen), krijgt in de kathedraal en in het Länsmuseum inzicht in de geschiedenis van de glaskunst in Småland.

Vanuit Växjö kunt u een dagtocht maken naar diverse glasfabrieken – ook per trein is op zijn minst een kort bezoek aan het Glasrijk mogelijk: **Nybro** ligt aan de spoorlijn naar **Kalmar**. In plaats van te winkelen in het Glasrijk, kunt u de dag ook gebruiken voor een bezichtiging van Kalmar slott of een uitstapje naar Öland.

Na deze omweg naar het oosten rijdt u over de hoofdspoorlijn van Alvesta via Hässleholm vlot door naar het zuiden. Voor een tussenstop biedt Lund zich aan. In de gezellige dom- en universiteitsstad kunt u zich na een dagje sightseeing inkwartieren en er de laatste avond voor de terugreis doorbrengen. Met de Vogelfluglinie reist u vervolgens van Malmö en over de Sontbrug en de veerboot van Rødby Havn weer terug naar Puttgarden in Duitsland. U kunt ook via de Storebæltsbron en Odense (op Funen) en Jutland naar Hamburg rijden en daarna met de ICE naar huis.

Reizen naar en in Zuid-Zweden

Douane

Bij een verblijf van maximaal drie maanden is een geldig identiteitsbewijs voldoende. Ook kinderen onder de 16 jaar dienen een eigen identiteitsbewijs te hebben. Voor automobilisten is het meebrengen van een groene kaart aan te bevelen.

Voor alcohol en tabak gelden voor EU-burgers geen invoerbeperkingen voor privégebruik. Burgers van niet-EU-landen mogen 200 sigaretten of 250 gram tabak, 2 liter bier en 1 liter wijn in 1 liter sterke drank of 2 liter wijn invoeren. Vergunningen zijn, onder andere, verplicht voor de invoer van CB-radio's zonder CEPT-licentie, jachtwapens en munitie. Informatie: Tullverket, Box 12654, 11298 Stockholm, Tel 0771-52 05 20, fax 08-20 80 12 www.tullverket.se.

Honden (geen vechthonden) en katten mogen ingevoerd worden als ze kunnen worden geïdentificeerd door een tatoeage of microchip en aan andere eisen (vaccinaties, ontworming, etc.) voldaan is. Informatie: Statens Jordbruksverk, 55182 Jönköping, tel. 0771-223 223, fax 036-19 05 46, www.sjv.se.

Heenreis

Met auto en veerboot

De 16 km lange tolbrug over de Sont (Öresundsbron) maakt het gebruik van een veerboot weliswaar overbodig, maar een boottocht kan toch een leuk begin van de vakantie zijn en een nachtelijke overtocht kan zelfs een aanlokkelijk alternatief zijn. Informatie krijgt u bij uw reisbureau of bij de hieronder vermelde veerbootrederijen.

Veerdiensten: Kiel-Göteborg (ca. 13,5 uur), auto incl. alle pers. retour vanaf € 250 (hut € 65-200). Frederikshavn (DK)-Göteborg (2 resp. ca. 3,5 uur) of Grenå (DK)-Varberg (ca. 4 uur), auto incl. 5 pers. enkel vanaf ca. € 55 (vroegboeker) tot € 119. Stena Line BV, Stationsweg 10, 3151 HS Hoek van Holland, tel. 0174-389 333, +31 174 389 333 (vanuit het buitenland), www.stenaline.nl.

Travemünde-Trelleborg (7,5 uur) en Rostock-Trelleborg (ca. 5-7 uur), auto incl. 5 pers. retour vanaf € 215. TT-Line, Skandinavienkai, 23570 Lübeck-Travemünde, tel. + 49 4502 801 81, www. ttline.com/nl.

Travemünde-Malmö (ca. 9 uur), auto incl. 5 pers. enkel vanaf € 90. Finnlines, Einsiedelstr. 43-45, 23554 Lübeck, tel. + 49 451 150 74 43, www.finnlines.de.

Puttgarden-Rødby (45 min.) resp. Rostock-Gedser (ca. 2 uur), Helsingør-Helsingborg (25 min.), auto incl. max. 9 pers. als 'Schwedenticket' retour ca. € 170-300; Sassnitz-Trelleborg (3,5 uur) € 200-350; Rostock-Trelleborg (ca. 6 uur) € 200-350. Scandlines, tel. + 49 180 5 11 66 88 (14 ct./min.), www.scandlines.nl.

Het loont de moeite rekening te houden met de door rederijen aangeboden vroegboekkortingen en pakketaanbiedingen.

Met het vliegtuig

Met zo veel goedkope aanbiedingen is vliegen de goedkoopste en snelste manier om naar Zweden te reizen (ongeveer 2-2,5 uur). Als u buiten de steden flexibel wilt zijn, is een combinatie met een huurauto aan te bevelen – hoewel dat dan wel weer ten koste gaat van het prijsvoordeel.

Stockholm-Arlanda: Dagelijkse lijnvluchten door KLM, SAS en Norwegian vanaf Schiphol. SAS en Brussels Airlines vliegen vanaf Brussel.

Stockholm-Skavsta: Ryanair vanaf Eindhoven en Düsseldorf-Weeze.
Stockholm - Bromma: Lijnvlucht met Brussels Airlines vanaf Brussel.
Göteborg-Landvetter: Lijnvlucht met KLM en SAS.
Småland Airport/Växjö: Ryanair vanaf Düsseldorf-Weeze.

Vliegmaatschappijen op internet:
www.brusselsairlines.com
www.flysas.nl
www.klm.nl
www.norwegian.com
www.ryanair.com

Met de trein

Vanaf Amsterdam en Brussel kunt u per trein naar Hamburg, dan met de Vogel-fluglinie naar Kopenhagen (4,5 uur) en ten slotte over de Sont naar Malmö (45 min). Informatie, speciale aanbiedingen: www.b-europe.com, www.trein-reiswinkel.nl en www.nshispeed.nl.

Met de bus

Vanuit tal van steden in Nederland en België rijden regelmatig bussen naar Zweden, met halteplaatsen in onder meer Malmö, Jönköping, Göteborg en Stockholm. De reis is relatief goedkoop en er wordt 's nachts doorgereden. Informatie: Eurolines, www.eurolines.nl of www.eurolines.be.

Vervoer in Zweden

Trein

Een uitgebreid stelsel van kortingen en de comfortabele uitrusting van de treinen maken het reizen per spoor in Zweden tot een prettige manier om u te verplaatsen. Bijzonder gunstig zijn de lang vooraf geboekte Just-nu-tickets (online te boeken). Aanbiedingen en de dienstregeling van de staatsspoorwegen SJ: www.sj.se. Reisplanner voor bus en trein: www.resplus.se.

Of u nu een grote naar het vasteland of met een kleine veerboot naar een eiland in de scherenkust vaart, een bijzondere ervaring is deze vorm van reizen altijd

Bus

Routes in het hele land worden bestreken door de expressbussen van de Zweedse busondernemingen Swebus en Svenska Buss (onder meer van Malmö via Karlskrona en Göteborg via Jönköping naar Stockholm). Belangrijk: plaatsen in de Swebus-Expressbussen moeten gereserveerd worden.

Swebus: tel. 0771-21 82 18, www.swe busexpress.se.

Svenska Buss: tel. 0771-67 67 67, www. svenskabuss.se.

De regionale bussen van het streekvervoer (Länstrafik) bieden goede reismogelijkheden, vaak over lange afstanden. Belangrijk: In veel bussen is betaling vaak alleen mogelijk via een vooraf gekochte magneetkaart of per creditcard.

Huurauto's

De grote autoverhuurbedrijven zijn ook vertegenwoordigd met kantoren in Zweden. In de Zweedse zomervakantie, wanneer zakenlieden verdwijnen als klant, worden meestal betaalbare tarieven aangeboden tot SEK 2000 per week voor een personenauto. In combinatie met trein- en vliegreizen zijn er soms gunstige aanbiedingen.

Autorijden

De wegen in Zweden verkeren over het algemeen in goede staat. Er kan onderscheid gemaakt worden tussen snelwegen of Europawegen (E, groene borden) en rijks- of provinciale wegen (blauwe borden). Lang niet alle E-wegen zijn overigens snelwegen. Ongebruikelijk: De rijstrook naast de eigenlijke weg wordt gebruikt door degenen die langzamer willen rijden. Als er van achteren een snellere auto nadert, houdt u rechts aan en kan deze passeren. Dit wegtype is echter aan het verdwijnen ten faveure van driebaanswegen met een vangrail in het midden. Afwisselend zijn er per richting één of twee rijstroken beschikbaar, zodat langzamer verkeer gemakkelijk kan worden ingehaald.

Snelheden: Er geldt een snelheidsbeperking van 80-100 km/u buiten de bebouwde kom, 100-120 km/u op autosnelwegen, voor auto's met caravans max. 80 km/u. In steden 50 km/u, in woonwijken 30 km/u. Het gebruik van veiligheidsgordels is verplicht op alle zitplaatsen en voor kinderen tot en met zeven jaar zijn kinderzitjes verplicht.

De wettelijke **alcohollimiet** voor bestuurders is 0,2 promille. Overdag is het verplicht te rijden met **dimlicht**. In de winter zijn **winterbanden** zeer aan te bevelen, voor Zweedse auto's zijn ze verplicht van 1 december to 31 maart.

Bij **benzine** (*bensin*) wordt altijd het octaangetal aangegeven: normaal is 95 octaan, super is 98 octaan, diesel (*diesel*) is niet op alle benzinestations beschikbaar. LPG is slechts zelden te verkrijgen. Voor tankautomaten (*konto*) die gebruikelijk zijn in dunbevolkte gebieden, heeft u een creditcard nodig. De hoeveelheid die u dan kunt tanken, is vaak beperkt tot een waarde van SEK 500.

In sommige steden geschiedt het parkeren volgens een systeem dat *datoparkering* wordt genoemd: Op de even dagen van de maand wordt bijvoorbeeld aan de rechterkant geparkeerd en op de oneven dagen aan de linkerkant. Borden langs de straat geven aan welk systeem van toepassing is. Een stopverbod wordt aangegeven met een gele lijn langs de weg, een onderbroken of zigzaglijn geeft aan dat er beperkingen gelden.

Langs veel doorgaande wegen staan flitspalen, die echter vooraf worden aangekondigd. Ook worden er vaak snelheidscontroles gehouden. Houd er rekening mee dat de boetes voor te snel rijden flink hoger zijn dan bij ons.

Pechhulp: zie Alarm, blz. 36.

Wegcondities: Trafikverket, www.tra fikverket.se.

Overnachten

Boeken via internet

De STF-jeugdherbergen, alle hotelketens en het merendeel van de *turistbyråer* bieden een online boekingsservice. Veel *turistbyråer* in Zweden linken door naar een reserveringvenster, wanneer u klikt op het tabblad 'Boende' of 'Bo'. Bij het boeken heeft u altijd een creditcardnummer nodig, de reservering is dan bindend, annuleringen zijn meestal tot een dag voor aankomst zonder extra kosten mogelijk.

www.booking.com – Dit Nederlandstalige boekingsportaal is ook te gebruiken voor hotels in Zweden, buiten de grote steden is het aanbod echter dun.

www.hotelsinsweden.com – Zoek naar hotels in heel Zweden.

Hotels en pensions

Sinds 2004 worden hotels in Zweden met sterren geclassificeerd, maar veel maken er geen gebruik van, uitrusting en comfort zijn echter betrouwbaar goed. Vooral in de vakantieperiode zijn overnachtingen in de Zweedse hotels bijzonder voordelig, omdat ze in de weekeinden en tijdens de zomermaanden, wanneer de zakenlieden wegblijven, toeristen lokken met aantrekkelijke aanbiedingen. Dan kost een goede tweepersoonskamer met ontbijt vaak vanaf SEK 800. Een uitzondering vormen de echte vakantiehotels, bijvoorbeeld langs de westkust, die bijna uitsluitend toeristen tot hun klanten rekenen.

Een aantrekkelijk alternatief is accommodatie in pensions (*pensionat*), kleine, vaak liefdevol ouderwets ingerichte hotels met meestal een goed restaurant en redelijke tarieven.

Hotelvouchers

Prijsverlagingen bieden ook hotelvouchers van verschillende ketens, die via reisbureaus en touroperators vooraf aan te schaffen zijn. Het voordeel: U kunt vantevoren de overnachtingskosten berekenen; het nadeel: u bent beperkt tot een bepaalde keten en u kunt geen gebruikmaken van speciale aanbiedingen ter plaatse, die soms gunstiger zijn.

Vakantiehuizen

Vakantiehuizen zijn te huur via verhuurbureaus, het plaatselijke turistbyrå of particulieren. Inmiddels hebben ook veel Nederlanders een zomerhuis in Zweden dat ze graag een paar weken per jaar willen verhuren, let op de advertenties in de pers. De prijzen variëren sterk, afhankelijk van de locatie en de uitrusting van het huis en beginnen bij ongeveer € 200-300 per week. Voor meer informatie kunt u terecht bij reisbureaus of Visit Sweden (zie blz. 15), waar u ook vakantiehuiscatalogi van de Zweedse turistbyråer kunt bestellen. Of u vraagt bij de informatiecentra van de gewenste regio zulke catalogi aan. Vroeg boeken is aan te bevelen voor huizen langs de westkust, op Öland en Gotland (vergeet dan ook niet om de bootreis naar en van het eiland te boeken) en rond de grote steden.

Stedentrips

Voor de steden Stockholm en Göteborg, zijn er vakantiepakketten die huisvesting, toegang tot bezienswaardigheden en attracties en gebruik van het openbaar vervoer combineren (Nadere details in de reissectie van de steden).

Camping

Een verblijf op een van de ongeveer 650 campings, die bij de Zweedse camping-organisatie zijn aangesloten, vereist de Camping Card Scandinavia (CCS), die ook geldt in andere Europese landen, enkele kortingsaanbiedingen (veerboten, winkels, attracties) omvat en SEK 140 kost (te bestellen via SCR, zie hieronder).

Standplaatsen kosten tussen SEK 150 en 250, in de regel worden ook **trekkershutten** (*stuga*, mv. *stugor*) aangeboden, met kookgelegenheid en 2-4 bedden tussen SEK 300 en 500, comfortabelere hutten met douche/wc vanaf SEK 600. Let op: In Zweden wordt voor kookapparaten, lampen en kachels alleen propaan (*gasol*), geen butaan gebruikt.

Een catalogus met een selectie van de campings, die ook de ligging laat zien, is te verkrijgen via Visit Sweden of Sveriges Camping- och Stugföretagares Riksorganisation (SCR), Mässans gata 10, Box 5079, 402 22 Göteborg, www.camping.se, www.stuga.nu. De catalogus is ook online te raadplegen.

Reserveringen kunnen alleen telefonisch en rechtstreeks bij de camping worden geboekt, niet per e-mail.

Jeugdherbergen

De Zweedse jeugdherbergen (*vandrarhem*) kennen noch leeftijdsbeperkingen noch reusachtige slaapzalen. Bijna overal zijn er tweepersoons- en familiekamers, heel wat jeugdherbergen hebben zelfs geen stapelbedden meer en bieden echte matrassen in plaats van schuimrubbermatten. Een aantal jeugdherbergen is ondergebracht in bijzondere gebouwen: vuurtorenwachtershuisjes, uitgerangeerde spoorwegwagons, voormalige gevangenissen of fabrieksgebouwen.

Er zijn twee **jeugdherbergorganisaties:** STF (Svenska Turistföreningen), die samenwerkt met de Nederlandse Stayokay, en SVIF (Sveriges Vandrarhem i Förening), een kleinere, onafhankelijke organisatie.

Een Stayokay-card biedt voor een verblijf in een STF Vandrarhem voordeel, maar ook niet-leden zijn welkom (zij het tegen iets hogere prijzen). Daarnaast zijn er extra kosten per persoon voor het ontbijt (meestal SEK 50-70) en beddengoed en handdoeken (ongeveer SEK 60). U kunt ook gebruikmaken van eigen beddengoed en uw ontbijt zelf bereiden in de gemeenschappelijke keuken van de jeugdherberg. Inclusief alle kosten is een overnachting in een hostel vaak bijna net zo duur als een zeer scherp geprijsde hotelaccommodatie (vanaf ongeveer SEK 800 voor een tweepersoonskamer).

Svenska Turistföreningen
Box 25, 101 20 Stockholm
tel. 08 463 21 00
fax 08 678 19 58
www.svenskaturistforeningen.se
Sveriges Vandrarhem i Förening
Box 9, 450 43 Smögen
tel. 0413 55 34 50
www.svif.se

Bed & breakfast

www.bed-and-breakfast.se – Organisatie voor bed & breakfast bij particulieren in Malmö, Stockholm en Göteborg. www.bopalantgard.org – Accommodatie op het platteland, met naast kamers op boerderijen een uitgebreid ontbijt met vaak producten van de eigen boerderij (vanaf ongeveer SEK 250 per persoon, inclusief ontbijt), daarnaast worden vaak ook vakantiehuisjes aangeboden. Alleen de catalogus is te bestellen, de reservering wordt rechtstreeks bij de eigenaar gedaan.

Eten en drinken

Lokale gerechten

Traditionele Zweedse gerechten zijn meestal eenvoudig, stevig en voedzaam. Tot de populairste behoren onder meer gerechten zoals *Jansson frestelse*, een stoofschotel van aardappelen, uien, ansjovis en room, *pytt i panna*, een eenpansgerecht gebaseerd op restjes, met in blokjes gesneden aardappelen, ui en vlees, bekroond met een gebakken ei, *Biff à la Lindström*, rundvlees met rode biet en kappertjes, en natuurlijk de beroemde *köttbullar*, gekruide gehaktballetjes, die vaak worden opgediend met een zoet sausje van rode bosbessen (lingon).

Vis

De beroemde specialiteit *gravad lax*, gemarineerde zalm, is – net als veel andere culinaire hoogstandjes – in Scandinavië ontstaan om de opbrengst van een korte oogstperiode zo lang mogelijk te behouden.

Een andere typisch Zweedse lekkernij is de haring – de Oostzeeharing (*strömming*) is kleiner dan de Noordzeeharing (*sill*) en is goed geschikt als tussendoortje in de vorm van gebakken haring (*stekt strömming*). Door zijn zachtheid en het gebruik van allerlei kruiden kent de ingelegde Noordzeeharing, *inlagd sill* (zie blz. 51), veel liefhebbers. Wie wil genieten van de vele smaken, zou tijdens een reis langs de westkust eens enkele van de vele lokale variëteiten kunnen proberen.

Eveneens langs de kust hebben rokerijen (*rökerier*) een uitbundig aanbod aan schelpdieren, garnalen of kreeften, die net als zalm en forel vaak gerookt worden aangeboden.

Knäckebröd

Knäckebröd wordt beschouwd als het meest typische Zweedse brood, maar heeft al lang plaats gemaakt voor een aantal andere broden. Bij het ontbijtbuffet vindt u naast zachte sesam- of maanzaadbroodjes ook lichte ciabatta volgens Italiaans of donker roggebrood volgens Duits recept. Knäckebröd heeft in Scandinavië een traditie van meer dan 500 jaar. Boeren bakten een of twee keer per jaar van roggemeel, zout, wat gist of zuurdesem en water dunne plakken met een gat in het midden. Naast rogge werden ook mengsels van gerst, haver, tarwe en rogge gebruikt. Het afgewerkte platte brood werd op een houten paal 'geregen' en opgehangen om te drogen. Knäckebröd is – mits droog opgeslagen – zeer lang houdbaar.

Tunnbröd (dun brood) wordt op dezelfde wijze als knäckebröd bereid,

Gravad lax

Gravad lax kunt u gemakkelijk zelf maken: Een zalmfilet met huid wrijft u in met een mengsel van een eetlepel grof zout en een eetlepel suiker en een theelepel witte peper, aansluitend strooit u er fijngehakte verse dille over, daarna wikkelt u het strak in folie en bewaart u het 36-48 uur in de koelkast waarbij u het om de twaalf uur omkeert. Snijd de 'koud gegaarde' vis in dunne plakken en serveer het samen met *hovmästarsås*, een met honing gezoete mosterdsaus. Voor de saus neemt u twee eetlepels middelscherpe mosterd, een eetlepel suiker, een eetlepel wijnazijn en een eetlepel olie en u roert er op het laatst een bosje fijngehakte dille doorheen.

maar is veel dunner. Het smaakt vers het best als het direct uit de houtoven komt, waar het in twee tot drie minuten op een hete steen wordt gebakken. Ook tunnbröd is gedroogd zeer lang houdbaar.

Smörgåsbord

Het culinaire hoogtepunt van de Zweedse keuken is zeker het smörgåsbord, een buffet. Een 'boterhamtafel' – de letterlijke vertaling – bestaat uit verschillende haringgerechten, gemarineerde en gerookte zalm, garnalen (*räkor*), rode kaviaar (*löjrom*), salades, warme vlees- en visgerechten, zoals rosbief, en een selectie van desserts.

Dranken

Van uitstekende kwaliteit zijn de Zweedse zuivelproducten: naast melk (*mjölk*), die vaak ook bij het eten wordt gedronken, is het gefermenteerd melkproduct *fil*, waarvan de smaak ergens tussen zure melk en kefir ligt, aan te bevelen. Een ontbijt gemaakt met fil en granen of verkruimeld knäckebröd zit stevig en is erg lekker.

Over de kwaliteit van het alcoholarme bier (*lättöl*) zijn de meningen verdeeld, maar het is juist voor automobilisten, gezien het wettelijke maximale alcoholpromillage van 0,2 een goed alternatief.

Goedkope lunch

Voor de lunch is er meestal een compleet menu tegen een vaste prijs, dat naast het *dagens rätt* (dagschotel) bestaat uit brood, saladebuffet, frisdrank (water is meestal gratis bij het eten) en meestal ook een kopje koffie of thee achteraf.

Zweedse keuken

Tegenwoordig onderscheidt de goede Zweedse keuken zich doordat deze zich voornamelijk baseert op regionale en seizoensgebonden producten zoals vis en zeevruchten, paddenstoelen, bessen, wild als eland- en rendiervlees, en die zorgvuldig verwerkt. Daarbij worden de stevige Zweedse gerechten verfijnd door invloeden uit de Franse en met name de mediterrane keuken. In Stockholm en Göteborg werken de beste Scandinavische chef-koks, maar ook Skåne en Öland hebben een goede reputatie.

Eetgewoonten

De middagmaaltijd is de *lunch* en wordt meestal aangeboden tussen 11.30 en 14 uur. Het avondmaal, *middag*, bestaat gewoonlijk uit verschillende gangen en is uiteraard duurder, vooral als er wijn bij gedronken wordt.

Koffiedrinken heeft bijna een cultstatus in Zweden en wordt elk moment van de dag beoefend. In sommige cafés en restaurants kunt u gratis een tweede kopje koffie halen (*påtår*). Het assortiment omvat inmiddels het volledig palet van de Italiaanse koffietraditie.

Levensmiddelen inkopen

Mensen die zelf koken, vinden in de markthallen van de grote steden een breed assortiment en ook de supermarkten zijn goed gevuld en bieden in ieder seizoen verse groenten en fruit uit heel Europa en daarbuiten aan. Sommige producenten verkopen vers geoogste landbouwproducten, zoals aardbeien of tomaten, rechtstreeks van de boerderij, wat op borden langs de weg wordt aangegeven.

Actieve vakantie, sport en wellness

Met zijn prachtige natuur is Zweden de perfecte bestemming voor actieve vakantiegangers. Eigenlijk kunt u overal kanoën, kajakvaren, fietsen en wandelen, ongebruikelijke activiteiten zoals raften en ballonvaren zijn mogelijk in veel gebieden. Het lokale *turistbyrå* en Visit Sweden (zie blz. 15) geven gedetailleerde informatie over de verschillende activiteiten.

Vissen

Vissen zonder vergunning (*fiskekort*) is alleen toegestaan langs de kust, langs de grote meren Mälaren, Vänern, Vättern en Hjälmaren en ook in de wateren van sommige steden, zoals in Stockholm (waar u in de Strömmen kunt vissen). Een *fiskekort* kost SEK 60 tot 250 per dag, afhankelijk van welke vis er wordt gevangen. Al voor een twee weken durende visvakantie is een jaarkaart meestal voordeliger (vanaf 400 SEK).

Zwemmen

Verfrissend zwemmen kunt u in het waterrijke Zweden op veel plaatsen. Tot de mooiste plekken behoren de stranden van Halland, de rotsachtige kust van Bohuslän, de zandstranden langs de oostkust van Skåne, op het eiland Öland en natuurlijk de oevers van de vele meren. Aangewezen zwemgebieden (*badplats*), die worden onderhouden door de lokale autoriteiten, zijn vaak zeer goed: steigers voor een gemakkelijke toegang tot het water, kindvriendelijke stranden, toiletten en kleedhokjes. Vaak worden de faciliteiten gedeeld met een naburige camping. Voor honden zijn stranden verboden gebied!

Golf

Vooral Zuid-Zweden is met zijn schilderachtig gelegen, vaak uitdagende banen een paradijs voor gepassioneerde golfers. Daar golf is uitgegroeid tot bijna een nationale sport, ontbreekt de elitaire uitstraling die zo kenmerkend is voor veel West-Europese golfclubs. Op veel Zweedse banen kunt u zonder lidmaatschap terecht.

Kanovaren

Langs gemarkeerde kanoroutes kunnen de Zuid-Zweedse kanowateren ontspannen worden ontdekt. U dient wel rekening te houden met de regels van het Allemansrecht (zie blz. 35) en afstand te houden tot de nesten van watervogels. Veel eilanden zijn tijdens het broedseizoen niet toegankelijk, wat met borden wordt aangegeven.

De grote meren van Småland zijn geschikte kanogebieden voor beginners. Meer ervaren peddelaars kunnen met zeekajaks de scheren langs de westkust en de zuidelijke Oostzee verkennen.

Informatie en meer dan 350 kanoroutes met een korte beschrijving van de kanogebieden kunt u vinden op de website www.kanot.com (klik op het tabblad Kanotguiden, ook in het Nederlands). Op de website van de kanobond vindt u een lijst van erkende organisatoren van kanotochten: Svenska Kanotförbundet, Rosvalla, 611 62 Nyköping, tel. 0155 20 90 80, www.kanot.com.

Fietsen

Zweden biedt ideale mogelijkheden voor fietstochten. Door de duidelijk aangegeven fietspaden en verkeersluwe wegen worden lange en korte tochten een genot. Langs drukke wegen zijn vaak fietspaden aangelegd.

Door heel Zweden leidt van Helsingborg naar Karesuando de ongeveer 9500 km lange *Sverigeleden* (Zwedenroute). Ook in de afzonderlijke provincies zijn er gemarkeerde fietsroutes. Populaire routes zijn die langs de westkust van Halland en over de jaagpaden langs het Götakanal. Informatie en kaarten zijn verkrijgbaar bij het plaatselijke turistbyrå.

Vanaf de meeste stations is het mogelijk uw fiets in de trein mee te nemen; biljetten dienen 20 minuten voor vertrek te worden gekocht (info op www.sj.se).

Informatie over fietsen in Zweden bij de Zweedse wielerbond: www.svenskacykelsallskapet.se.

Paardrijden

Het aanbod van Zweedse maneges reikt van korte ritten tot meerdaagse tochten te paard en van paardrijcursussen tot speciale opleidingen. Ook boerderijen met paarden bieden soms ruitervakanties aan. Een lijst is te vinden op Bo på Lantgård (zie blz. 26): www.bopalantgard.org.

Watersport en zwemplezier – de meren bieden voor beide goede voorwaarden

Informatie over paardrijden in het algemeen: Svenska Ridsportsförbundet, Herrskogvägen 2, 730 40 Strömsholm, Tel 0220-456 00, fax 0220-456 70 www.ridsport.se.

Wandelen

Voor wandelingen in Zweden is een geschikte uitrusting nodig: trekking- of wandelschoenen met een stevig profiel, een warme trui, een regen- of windjack tegen de grillen van het weer. In bijna alle regio's kunt u over gemarkeerde paden (bijv. Kinnekulleleden) dichter bij de natuur komen, vaak zijn er onderweg hutten om in te overnachten zodat u meerdaagse tochten kunt ondernemen.

Tips en kaarten kunt u het best halen bij het lokale turistbyrå. Natuurreservaten en nationale parken zoals Stenshuvud en Tiveden worden ontsloten door goed gemarkeerde paden. Ook hier geldt echter: Zweden is dunbevolkt in vergelijking met West-Europa en u kunt er niet op rekenen een bewoond huis of zelfs maar andere wandelaars tegen te komen als u bent verdwaald. Onbegaanbare moerassen, grote keien en diepe kloven karakteriseren een groot deel van het land. Daarom is het beter om een gps, kaart, kompas en verrekijker mee te nemen en niet af te wijken van de gemarkeerde paden.

Watersport

Met zijn talrijke meren en rivieren en door de ligging tussen twee zeeën biedt Zweden fantastische mogelijkheden voor watersporters. Zeilers kunnen kiezen uit meer dan 450 jachthavens, een overzicht is gratis beschikbaar in de havens of tegen betaling per post te bestellen via www.gasthamnsguiden.se.

Surfers vinden de beste omstandigheden langs de stranden van de 'Zweedse Rivièra' in Halland, zoals langs Mellbystrand en Skummelövsstrand of bij Varberg.

Kanovaren: zie blz. 29.

Wellness

De belichaming van wellness is de sauna, in het Zweeds *bastu*. Afgezien daarvan, kunt u ook in Zweden een moderne wellnessaanbod vinden, zoals spa-hotels in kuuroorden als Ronneby of Söderköping, aan de westkust in Varberg en Strömstad of luxueuze landgoedhotels in een prachtige omgeving op het platteland.

Wintersport

Wintersport is van januari tot maart, op grotere hoogte tot en met mei mogelijk, echter, de klimaatverandering dwarsboomt wintersporters vaak in hun vakantieplanning. In Zuid-Zweden zijn de mogelijkheden in de meeste streken daardoor beperkt.

De infrastructuur reikt van geprepareerde en verlichte langlaufloipen tot het gebruik van sneeuwkanonnen om de natuurlijke sneeuw aan te vullen. *Sportlov* (week 7-10) is voor de Zweden de tijd voor hun wintervakantie, dan is het hoogseizoen in de wintersportgebieden van Midden- en Noord-Zweden.

Wandelkaarten

Wandelaars dienen topografische kaarten van de regio aan te schaffen. De *Terrängkarta* (schaal 1: 50.000) geeft bodemgesteldheid, hoogtes, wegen en paden aan. Ze zijn bij de boekhandel en het turistbyrå verkrijgbaar.

Feesten en evenementen

Feesten en tradities

Genieten

In Zweden houdt men ervan om feest te vieren – bijna altijd zijn er culinaire specialiteiten die verbonden zijn aan die feesten. Men verheugt zich zich vooral op de lange, lichte zomeravonden en het buiten genieten, met een dansje op de houten veranda of een barbecue op het strand.

Pasen

Tegen Pasen verkleden de kinderen zich als heksen en gaan op Witte Donderdag van deur tot deur om geld en snoep op te halen. De kleine heksen (*påskkärringar*) dragen bezems, een herinnering aan de heksen die ooit met Pasen op de bezem naar de duivel op de berg Blåkulla (de blauwe bult) vlogen. Hoewel er sinds de Reformatie geen vastentijd meer is, worden van Driekoningen tot Pasen *semlor*, zoete, gevulde broodjes gegeten die vroeger hielpen om de lange vastenperiode door te komen.

Walpurgisnacht

In de nacht van 30 april op 1 mei (*valborgsmässoafton*) worden vuren ontstoken om boze geesten en heksen af te schrikken, tegelijkertijd wordt de lente verwelkomt met saluutschoten. Traditioneel wordt dit feest bijzonder levendig in de universiteitssteden gevierd.

Midzomer

Een van de belangrijkste feesten in de jaarlijkse cyclus vieren de Zweden als de dagen het langst en de nachten het kortst zijn. Men plukt bloemen, verzamelt groene berkentakken en versiert de meiboom (*majstång*). De feestelijkheden worden vaak begeleid door volksmuziek en volksdansvoorstellingen.

Familie en vrienden treffen elkaar, buiten of in hun zomerhuis, om te genieten van de nieuwe Zweedse aardappelen, diverse haringgerechten, verse aardbeien en veel bier en sterke drank.

De midzomernacht is een magische nacht waarin men, als men de rituelen kent, van de *näck* – een watergeest – viool kan leren spelen. Partnerloze meisjes moeten deze nacht zwijgend op zeven verschillende weilanden zeven verschillende bloemen plukken en het bosje onder hun kussen leggen. Dan zien ze in hun dromen, wie hun toekomstige geliefde wordt.

Kreeften eten

De achtergrond van dit feest, dat met bijna rituele ijver in augustus wordt gevierd, zijn de in de 19e eeuw opgelegde vangstbeperkingen voor rivierkreeften. Die kunnen slechts gedurende twee maanden in het najaar worden gevangen. Nadat de Zweedse rivierkreeftbestanden bijna waren uitgeroeid, heeft men Amerikaanse rivierkreeften uitgezet. Die planten zich goed voort, maar hebben de inheemse soort nu vrijwel geheel verdrongen. De ruime vraag moet overigens worden gedekt door de invoer uit Turkije, Spanje en China. Bij een echte *kräftskiva* worden papieren lantaarns opgehangen, zet men kleine papieren hoedjes op, bindt men een slabbetje voor om te smullen van de heerlijke, met veel dille gekookte rivierkreeften, samen met aanzienlijke hoeveelheden aquavit en het geheel gaat gepaard met toostspreuken en -liedjes.

Lucia

De donkere winter wordt op 13 december verlicht door de in het wit geklede Lucia met de kaarsenkrans die ze op haar hoofd draagt. Ze brengt *lussekat-*

ter, een spiraalvormig, met saffraan op smaak gebracht en dus geel gebak met rozijnen. Traditioneel hoort er ook *glögg* bij, een soort glühwein. De drank is meestal alcoholvrij, zoet en fruitig en er drijven een paar rozijnen en amandelen in. Lucia wordt op haar weg naar scholen en openbare instellingen begeleid door twaalf meisjes in witte jurken (*tärnor*), soms jongens met sterren (*stjärngossar*) en andere figuren met peperkoekjes (*pepparkaksgubbor* of *-gummor*). In koor zingen ze het traditionele Lucialied om de kerstsfeer te verspreiden.

Kerstmis

Het kerstfeest (*jul*) wordt gevierd zoals in Nederland, maar met de nadruk op de dag voor Kerstmis (*julafton*, 24 december). Men eet in familieverband of in feestelijk versierde restaurants een *julbord*, een bijzonder uitgebreid *smörgåsbord* (zie blz. 28), waarbij ook een gerilde ham (*julskinka*) hoort, voordat de *tomten*, de Zweedse versie van de kerstman, met cadeaus komt.

Evenementen

Sportevenementen zoals volkslopen en fietsrally's, markten, oldtimermeetings en stadsfestivals zijn geweldige publiekstrekkers en voeren ook in Zweden de hele zomer de boventoon.

Daarnaast vindt er van mei tot oktober altijd wel ergens een muziekfestival in de open lucht plaats in zijn kastelen, theaters en kerken het decor voor opera- en klassieke muziekuitvoeringen. Een selectie van uitvoeringen is te vinden op www.musikfestivaler.se.

Festiviteiten en evenementen

April
Valborgmässoafton: 30 april.

Mei
Tjejtrampet: eind mei/begin juni, Västerås, wielerwedstrijd voor vrouwen.

Juni
Nationale feestdag: 6 juni, overal wordt gevlagd en maken stoomboten hun eerste tocht van het jaar.
Midsommar: een weekeinde in de periode tussen 20 en 26 juni.
Vättern runt: midden juni, wielerwedstrijd van meer dan 300 km rond Vättern.
Hultsfredsfestivalen: midden juni, Hultsfred/Småland, rockmuziek.

Juli
Power Big Meet: begin juli, Västerås, Oldtimermeeting.

Appelmarkt: midden juli, Kivik.
Verjaardag van kroonprinses Victoria: 14 juli, feest in Solliden, Öland.
Stockholm Jazzfestival: midden juli, Stockholm, internationale sterren.
Emmaboda Festival: eind juli/begin augustus, pop- en indiebands.

Augustus
Göteborgs Jazzfestival: begin augustus, Zweedse jazzartiesten.
Göteborgskalaset: midden augustus, Göteborg, cultureel stadsfeest.
Kulturfestivalen: midden augustus, Stockholm, cultureel stadsfeest.
Malmöfestivalen: eind augustus, Malmö. Hoogtepunt van het feest is een *kräftskiva*, het officiële kreeften eten op de markt.

December
Luciafest: 13 december.

Praktische informatie van A tot Z

Alcohol

Dranken met een alcoholgehalte van meer dan 3,5%, dat wil zeggen ook bieren die in West-Europa overal te koop zijn, zijn alleen te verkrijgen in de staatsslijterijen (*Systembolaget*). Daar zijn ook uitstekende geïmporteerde wijnen en (zwaar belaste) sterke drank te koop. De minimumleeftijd voor kopers is 20 jaar. De winkels zijn alleen te vinden in de grote steden.

Allemansrecht

Het Zweedse *Allemansrätt* garandeert dat alle mensen vrije toegang hebben tot de natuur. Toegestaan is het, vooropgesteld dat de natuur niet beschadigd wordt, zich overal te voet of op ski's te verplaatsen, wateren, ook particuliere, te bevaren, op stranden die duidelijk zichtbaar geen particulier terrein zijn te baden en voor een kortere periode, echter niet in de buurt van huizen, te kamperen. Vanzelfsprekend dient u, als u hem kunt vinden, de eigenaar van het terrein altijd om toestemming te vragen.

Verboden is alles wat de natuur schade toebrengt of de privacy van anderen verstoort. Off-roadrijden is net zo verboden als het uithalen van vogelnesten, het plukken van beschermde planten, boten aanleggen aan particuliere steigers of boeien of afval achterlaten in de natuur. Vissen en jagen is, op enkele uitzonderingen na, toegestaan met de juiste vergunning. Bij het kanoën dient u in het broedseizoen rekening te houden met op de oever broedende vogels. Op rotsen (die door de hitte zouden kunnen barsten) of in brandgevoelige omgevingen mag nooit vuur worden gemaakt.

Ambassades

Nederlandse ambassade
Götgatan 16A, 118 46 Stockholm
tel. 08 556 933 00, fax 08 556 933 11
zweden.nlambassade.org

Belgische ambassade
Kungsbroplan 2, 2 tr., 101 38 Stockholm
tel. 08 534 802 00, fax 08 534 802 07
www.diplomatie.be/stockholm

Apotheken

Een apotheek (*apotek*) is in alle grote plaatsen te vinden. Wie aangewezen is op een regelmatige medicatie, dient een eigen voorraad mee te nemen, want homeopathische producten, alsmede sterke geneesmiddelen op recept, kunnen in Zweden moeilijker verkrijgbaar zijn. In supermarkten zijn tegenwoordig vrij veel receptvrije medicijnen te koop.

Feestdagen

Er wordt niet gewerkt op 1 januari, 6 januari (Driekoningen), Goede Vrijdag, tweede paasdag, 1 mei, Hemelvaartsdag, 6 juni (nationale feestdag), Midzomer (het weekend vanaf vrijdag na 20 en vóór 26 juni), Allerheiligen (1 november), 24-26 en 31 december.

Fooien

Fooien zijn inbegrepen in het tarief van taxi's en de rekeningen van restaurants en hotels. Niettemin is het gebruikelijk om het te betalen bedrag naar boven af te ronden met ongeveer 10%.

Geld

Lokale munteenheid is de Zweedse kroon (SEK), 1 kroon bestaat uit 100 öre, kleinste munt is de eenkroonmunt, in winkels wordt afgerond op hele kronen. Gunstige wisselkoersen krijgt u bij de wisselkantoren van FOREX op de grote vliegvelden, in veerhavens en op treinstations.

Gangbare **creditcards** worden overal geaccepteerd en worden op grote schaal gebruikt als betaalmiddel, ook in winkels en supermarkten. Met een bankpas (met Maestrologo) en een pincode kunt u bij geldautomaten (*bankomat*) geld opnemen. Wisselkoers (jan. 2013): 100 SEK = € 11,70, 1 € = SEK 8,54.

Gezondheidszorg

Vrij gevestigde artsen zijn er weinig in Zweden. Bij acute gezondheidsproblemen gaat men naar de dichtstbijzijnde *akutmottagning, vårdcentral* of *hälsocentral*. Dat zijn gemeentelijke of provinciale (door het *Landsting* gefinancierde) instellingen voor de gezondheidszorg met huisartsen, specialisten en verpleegkundigen.

Nederland, België en Zweden hebben een verdrag inzake sociale zekerheid afgesloten, waardoor een Europese ziekteverzekeringskaart voldoende is. Een eigen reisverzekering ziektekosten is echter aan te bevelen. Deze vergoedt namelijk de behandelingskosten die iedere Zweed zelf moet dragen. Voor iedere behandeling geldt in elk geval een eigen risico van ongeveer SEK 200-300.

Voor kampeerders en wandelaars is een preventieve vaccinatie tegen de door de teken (*fästing*) overgedragen ziekte TBE (*Tick-Borne Encephalitis*, een virusinfectie) aan te bevelen, daar teken in toenemende mate in vrijwel alle Zweedse bossen voorkomen.

Honden

Honden zijn daar waar ze andere dieren of mensen kunnen storen, zoals op het strand, niet gewenst. In de periode tussen 1 maart en 20 augustus dienen ze – ook in het bos en elders in de vrije natuur – in het algemeen aangelijnd te zijn.

Internet

In nauwelijks enig ander land in de wereld hebben zo veel mensen toegang tot het internet, hoe geïsoleerd ze ook wonen: Of het nu gaat om de openbare bibliotheek, een groot station, vliegveld of hotellobby – gratis of tegen een kleine vergoeding kan bijna overal goed worden gesurfd. Internetcafés zijn zelfs in de kleinste dorpen te vinden, en in de meeste hotelkamers en op een toenemend aantal campings is het mogelijk om gratis of tegen een kleine vergoeding verbinding met een draadloos netwerk te maken.

Kinderen

Zweden behoort tot de kindvriendelijkste landen van de wereld. Overal is dat te zien aan de babyfaciliteiten, speelplaatsen en speelhoeken voor kinderen en de verzonken trottoirbanden. Ook voordelige aanbiedingen voor gezinnen staan op het programma, met gratis of goedkopere overnachtingen voor kinderen. Campinghutten zijn een goedkope plek om te overnachten en ook jeugdherbergen zijn op gezinnen ingericht.

De avontuurlijke natuur heeft eigenlijk al genoeg aantrekkingskracht voor jonge ontdekkingsreizigers. Daarnaast hebben musea kindvriendelijke aanbiedingen, vooral de vele openluchtmusea met boerderijdieren.

Kranten

Nederlandse en Belgische kranten zijn slecht verkrijgbaar in Zweden, met uitzondering van de grote steden. In het hoogseizoen zijn ze meestal een dag later beschikbaar. Datzelfde geldt voor andere buitenlandse kranten in het Frans, Duits of Engels. Sommige bibliotheken hebben buitenlandse kranten, die u in de leeszaal kunt raadplegen. Online raadplegen van de Nederlandse en Belgische pers kan daar eveneens.

Naturisme

Sommige stranden zijn expliciet aangegeven als naaktstrand (*naturistbad*, *nakenbad*), bijvoorbeeld langs de Kattegatkust bij Varberg en Mellbystrand. Naakt baden is vooral op afgelegen locaties goed mogelijk en gebruikelijk, maar op druk bezochte familiestranden wordt naakt recreëren doorgaans niet op prijs gesteld en is het dragen van zwemkleding aan te bevelen.

Noodgevallen

Politie, ambulance, brandweer: tel. 112; pechhulp (*Assistancekåren*): tel. 020 9129 12 (gratis, alleen binnen Zweden); noodnummer voor het blokkeren van bankpassen, creditcards en mobiele telefoons (ANWB Digikluis): +31 70 314 14 14 (24h).

Omgangsvormen

In Zweden tutoyeert men elkaar gewoonlijk. Die informele aanhef kan niet verhullen dat de Zweden prijs stellen op een bepaalde persoonlijke afstand en grote waarde hechten aan enkele beleefdheidsvormen. Als u bij Zweden thuis wordt uitgenodigd, dient u op de minuut nauwkeurig op tijd te komen en bij de voordeur uw schoenen uit te doen. Het meebrengen van geschikte schoenen voor binnen is heel gewoon.

Tack (dank u) wordt vaak gebruikt. Na het eten en altijd na een uitnodiging bedankt u gastheer en/of gastvrouw: *Tack för maten* (Bedankt voor de maaltijd) of *Tack för ikväll* (Bedankt voor vanavond). Ontmoet u uw gastheer weer, ook al is het na jaren, bedankt u hem nogmaals: *Tack för senast* (Bedankt voor de vorige keer).

In veel instellingen waar sprake kan zijn van wachtrijen, zijn er automaten waaruit u een nummer trekt en wacht u totdat het nummer op het display verschijnt.

Openingstijden

Banken: Ma.-vr. 9.30-15, do. tot 18, sommige tot 17.30 uur.
Winkels: Ma.-vr. 9.30-18, za. tot 14/16 uur. Supermarkten zijn ma.-za. tot 20 of 22, za. 12-16 uur, soms ook langer geopend. *Systembolaget*, de rijksslijterij, is ma.-wo. 9.30-18, do., vr. tot 19, za. 10-14 uur geopend.

Politie

De Zweedse politie, *polis*, komt u meestal in het verkeer tegen. Verkeersovertredingen worden met hoge boetes bestraft, bij snelheidsovertredingen met meer dan 30 km/u kan de auto in beslag worden genomen. Boetes moeten ter plaatse worden betaald, soms wordt betaling met creditcard geaccepteerd.

Post

Het versturen van brieven en pakjes wordt in Zweden in supermarkten of benzinestations met een Postcenter gedaan, te herkennen aan de gele posthoorn op een blauwe achtergrond. Postzegels worden ook verkocht in kiosken, supermarkten en het turistbyrå. Brieven en ansichtkaarten naar Nederland en België zijn ongeveer twee dagen onderweg.

Prijsniveau

De consumentenprijzen voor levensmiddelen zijn ongeveer 10-15% hoger dan in Nederland, met name die van vlees en vleesproducten. In de steden concurreren discountketens met elkaar wat de prijzen laag houdt. Benzine en diesel zijn iets goedkoper dan in Nederland.

Reizen met een handicap

Bij de behandeling van mensen met een handicap zijn de Scandinavische landen exemplarisch vergeleken met de rest van Europa – zowel wat betreft de toegankelijkheid van attracties, vervoer en accommodatie voor rolstoelgebruikers, als wat betreft de inrichting van hutten en kamers voor mensen met allergieën. Informatie (in het Zweeds en Engels): De Handikappades Riksförbund (DHR), Box 43, 123 21 Farsta, tel. 08 685 80 00, fax 08 645 65 41, www.dhr.se.

Roken

In Zweden is het vanzelfsprekend zich te houden aan het verbod op roken in restaurants, openbare gebouwen en openbaar vervoer. Wie dat niet doet, krijgt te maken met een uitgebreid systeem van sociale controle en uiteindelijk een flinke boete. In de meeste accommodaties is roken niet toegestaan.

Souvenirs

Glas, huishoudelijke artikelen, alles wat in grote lijnen onder het trefwoord Zweedse design valt, mag op geen enkel boodschappenlijstje ontbreken. Een pot *hjortronsylt* (steenbraamjam) en gerechten als elandsalami en gedroogd rendiervlees zijn andere souvenirs die veel plezier geven.

Telefoneren

Het gebruik van een mobiele telefoon is geheel ingeburgerd en de dekking is in Zuid-Zweden doorgaans toereikend. Er bestaan nog wel enkele telefooncellen (*telefonkiosk*) van de telefoonmaatschappij Telia, meestal in een oranje-rood design, waarin u met munten, telefoonkaarten of een creditcard kunt betalen en binnen een straal van 150 meter zelfs met uw laptop kunt surfen op het internet. In heel Zweden kunt u gebruikmaken van een 3G-netwerk, terwijl in de grote steden 4G al is uitgerold.

Voorkeuzen: voor Zweden 00 46, voor Nederland 00 31, voor België: 00 32.

Veiligheid

In principe is Zweden een veilig land, maar het hoogseizoen is ook het hoogseizoen voor dieven en oplichters, vooral in toeristische gebieden. Hoewel het toegestaan is om wild te kamperen, kunt u uit veiligheidsoverwegingen vooral in de nabijheid van typische 'toeristische routes' als de E6/E20 langs de westkust met tent, caravan en camper beter kiezen voor een camping of een voor korte overnachtingen bedoelde Quick stop (zie blz. 19). Waardevolle spullen moeten worden meegenomen uit de auto, ook als deze maar voor een kort periode wordt verlaten.

Kennismaking – feiten en cijfers, achtergronden

Rotswand op de achtergrond: Fjällbacka in Bohuslän langs de westkust

Zuid-Zweden in het kort

Feiten en cijfers

Oppervlakte: 449 964 km²
Inwoners: 9,4 miljoen, stijgende tendens
Hoofdstad: Stockholm (1,9 miljoen inwoners in Groot-Stockholm)
Grootste steden: Göteborg (879.000 inwoners), Malmö (604.000 inwoners)
Officiële talen: Zweeds (in het noorden ook Samisch, Fins en Meänkieli)
Tijdzone: MET met zomertijd
Voorkeuze: +46

Geografie en natuur

Zweden is grofweg te verdelen in vier vegetatiezones: in het zuiden is een smalle strook langs de kusten te vinden van de loofboszone, vergelijkbaar met die van Midden-Europa. Het grootste deel van Midden-Zweden wordt gevormd door de zuidelijke naaldboszone. Hier groeien uitgestrekte gemengde bossen van sparren, dennen, beuken, eiken, berken en essen. Een uitzondering vormen de Oostzee-eilanden Öland en Gotland met een kalkrijke bodem en weinig neerslag. In het Zuid-Zweedse hoogland liggen uitgestrekte moerassen die zijn ontstaan als gevolg van de relatief grote hoeveelheden neerslag die slecht kunnen worden afgevoerd.

Geschiedenis en cultuur

Tot het midden van de 17e eeuw stond het grootste deel van Zuid-Zweden nog onder Deense soevereiniteit. Met de opstand van Gustav Eriksson Vasa kwam in 1523 de eerste heerser uit het geslacht Vasa op de troon en was er voor het eerst sprake van een nationale eenheid, in combinatie met het (Lutherse) protestantisme. Bekend zijn de trotse Vasa-kastelen met hun ronde torens: Gripsholm, Örebro, Vadstena, Kalmar ... Zwedens rol als mogendheid in de Oostzeeregio eindigde met het fiasco van de agressieve expansie van Karel XII (1718). De culturele bloei tijdens de vrijheidstijd duurde bijna de hele 18e eeuw en bereikte onder Gustav III, die als 'theaterkoning' de cultuur stimuleerde, zijn hoogtepunt. De herindeling van Europa tijdens het Congres van Wenen liet Zweden nauwelijks nog enig bezit op het Europese continent, terwijl de Unie met Noorwegen in 1905 vreedzaam werd beëindigd. Sinds 1814 heeft Zweden geen oorlogen meer gevoerd, bleef neutraal in beide wereldoorlogen en is dat vandaag de dag nog steeds. Het land doet echter wel mee aan (vredes)missies van de VN.

Staat en politiek

Zweden is een constitutionele monarchie met een parlementaire regeringsvorm. Sinds 1973 is koning Carl XVI Gustaf staatshoofd, troonopvolger is zijn oudste dochter Victoria. De regering onder leiding van de premier (*statsminister*) wordt om de vier jaar gevormd na de verkiezingen voor het parlement (*riksdag*). Sinds 2006 heeft een burgerlijke alliantie de meerderheid in het parlement en heeft daarmee de sociaaldemocraten afgelost. Het buitenlands beleid van Zweden wordt gekenmerkt door de betrokkenheid bij de VN en het land is lid van de EU, maar behoort niet tot de Europese monetaire unie. De politieke cultuur van het land werd sinds

1932 gedomineerd door de sociaal-democraten, die Zweden hebben ontwikkeld tot een verzorgingsstaat die zijn voorbeeldfunctie zelfs in tijden van globalisering nog niet heeft verloren.

Het land is verdeeld in 21 provincies (*län*), die niet altijd samenvallen met de historische, soms gelijknamige gewesten (*landskap*): Zo is het gewest Småland verdeeld in de provincies Kalmar län, Jönköpings län en Kronobergs län. Het provinciebestuur (*Landsting*) wordt meestal ook tegelijk met het parlement gekozen en benoemt een gouverneur (*landshövding*). Belangrijke taken van de provincies zijn onder meer de gezondheidszorg en het regionale verkeer.

Economie en toerisme

Een groot deel van de Zweedse economische kracht komt voort uit de rijke natuurlijke bronnen: hout, ijzererts en water. Na een ernstige economische crisis in de vroege jaren 90 van de vorige eeuw heeft de Zweedse staatsbegroting nu een overschot, inflatie en werkloosheid (iets meer dan 5%) behoren tot de laagste in Europa.

Zweden is sterk afhankelijk van export, de belangrijkste handelspartners zijn Duitsland, het Verenigd Koninkrijk, de VS en Noorwegen. Uitgevoerd worden vooral producten van metaalverwerkende, chemische, hout-, cellulose- en papierindustrie en IT-technologie. Zweden heeft als doelstelling voor 2020 onafhankelijk te zijn van olie als energiebron, wat bijna onmogelijk is zonder gebruik van kernenergie. De beslissing na een referendum in 1980 om alle reactoren in 2010 stil te leggen werd door de burgerlijke regering teruggedraaid. Kansen ziet men in het gebruik van windenergie en biomassa, die nu goed zijn voor ongeveer 65% van de hernieuwbare energie. Het gebruik van waterkracht, waarvan het potentieel nog niet is uitgeput, is controversieel vanwege de negatieve effecten op het milieu.

Toerisme draagt ongeveer 2,8% bij aan het bruto binnenlands product en is stijgend. Deze sector levert ongeveer 140.000 fulltimebanen, vooral in restaurants. Traditioneel houden veel Zweden vakantie in eigen land, binnenlands toerisme is goed voor een aandeel van 76%. Van de buitenlandse toeristen vormen Nederlandse en Belgische bezoekers ongeveer 5%, respectievelijk 1%.

Bevolking en religie

Zuid- en Midden-Zweden met de hoofdstedelijke regio en het Mälardal zijn de dichtstbevolkte delen van Zweden: Hier wonen ongeveer 8,5 miljoen Zweden, dus meer dan 90% van de bevolking, op ongeveer een derde van het totale landoppervlak. 12% van de bevolking werd in het buitenland geboren.

Zo'n 75% van de bevolking behoort tot de *Svenska kyrkan* (Luthers, staatskerk tot 2000), daarnaast zijn er katholieken, moslims en joden. Zeer actief zijn de onafhankelijke kerken (*frikyrkor*), zoals baptisten en de pinkstergemeenschap.

Taal

Het Zweeds is een Noord-Germaanse taal en als zodanig nauw verwant aan het Nederlands. Met een beetje geduld is het niet zo moeilijk krantenteksten te ontcijferen. De uitspraak is een groter probleem dan de woordenschat en de grammatica (blz. 280).

Geschiedenis

Prehistorie

na ca. 12.000 v.Chr.	Oude steentijd: Nomadische jagers/verzamelaars leven na het einde van de laatste ijstijd in het huidige Zuid-Zweden.
na ca. 4000 v.Chr.	Jonge steentijd: Akkerbouw en veeteelt. Overleverd zijn talrijke staande stenen, gang- en steenkistgraven en keramiek.
ca. 1800- 500 v.Chr.	Bronstijd: De rotstekeningen ontstaan, er wordt handel gedreven met de rest van Europa (koper, tin), rijke grafcultuur (koningsgraf Kivik).
ca. 500 v.Chr.	Begin van de ijzertijd: De ijzerwinning uit ijzermoer wordt ontdekt.
98 n. Chr.	In de *Germania* van Tacitus worden voor het eerst de *Suiones* of *Svear* genoemd, die in het gebied rondom het meer Mälaren leven.
6-7e eeuw	Regionale koningen in Götaland en Svealand, de grafheuvels in Vendel en Valsgärde en de koningsheuvels van Gamla Uppsala ontstaan.

Vikingtijd

ca. 760	Vestiging van de handelsstad Birka op een eiland in Mälaren, handelscontacten tot in Arabië en China.
ca. 830, 853	De Frankische monnik Ansgar onderneemt missiereizen naar Birka.
862	Volgens de Nestorkroniek vestigen de Zweedse Vikingen (varjagen), Rurik en zijn broers, een handelspost bij het Ladogameer.
na ca. 1006	Kerstening van Götaland: Een Angelsaksische missionaris doopt Olof Skötkonung in Husaby, bisschopszetel in Skara (1015).
1164	De bisschopszetel van Sigtuna wordt verplaatst naar Gamla Uppsala.
na ca. 1250	Het rijk consolideert zich, het bestaat dan uit Finland en ongeveer het huidige Zweden, zonder Skåne, Blekinge, Halland en Bohuslän (die tot Denemarken, respectievelijk Noorwegen behoren).
1336	Magnus Eriksson wordt in Stockholm tot koning gekroond.
13e eeuw	Contacten met de handelslieden van de Hanzen, die een beslissende invloed krijgen op economie, politiek en cultuur.

Onder Deense heerschappij

1397	De Unie van Kalmar met Denemarken, Zweden en Noorwegen onder één kroon, onder leiding van de Deense koningin Margarete.

1434-1436	Opstand tegen de Denen in de mijnstreek Bergslagen onder leiding van Engelbrekt Engelbrektsson. Na strubbelingen tussen de opstandelingen wordt hij vermoord.
1520	Het bloedbad van Stockholm: De Deense koning Christian II laat de leidende adel van Zweden terechtstellen.

Vasadynastie

1523	Het land wordt zelfstandig als Gustav Vasa de macht overneemt en de staat hervormt.
1527	Gustav Vasa onteigent in feite de rooms-katholieke kerk en vormt onder protest van de provincies een centrale regering.
1561	Erik XIV Vasa verovert Reval (Tallinn) voor Zweden.
1630	Onder koning Gustav II Adolf wordt Zweden een grote mogendheid en gaat deelnemen aan de Dertigjarige Oorlog. In 1632 sneuvelt de koning bij de Slag van Lützen. Hij wordt opgevolgd door zijn zesjarige dochter Kristina, haar voogd wordt rijkskanselier Axel Oxenstierna.
1645-1648	Door de Vrede van Brömsebro, het Verdrag van Osnabrück en andere vredesverdragen krijgt Zweden ongeveer zijn huidige omvang.
1654	Koningin Kristina doet troonsafstand en bekeert zich tot het katholicisme. Ze wordt opgevolgd door haar neef Karel X Gustav (van Pfalz-Zweibrücken).

In Kalmar herinneren deze beelden aan de in 1397 gesloten 'Unie van Kalmar'

Gouden Eeuw

1650-1680   De in de Dertigjarige Oorlog rijk geworden adel haalt architecten en kunstenaars naar het land.

1680   Reductie: Koning Karel XI onteigent ter dekking van militaire en civiele staatsuitgaven deels de adel en verdeelt hun bezittingen opnieuw onder adel, staat en boeren.

1697-1718   Onder Karel XII voert Zweden oorlogen tegen Rusland, Polen en Denemarken. Het resultaat is dat Zweden zijn positie als grote mogendheid verliest.

Vrijheidstijd en het begin van de Bernadottedynastie

1719/20   Een herziening van de grondwet vesterkt de macht van de *riksdag*.

1771-1786   Vergeefse pogingen van de koning om de macht van de *riksdag* te beperken en zijn macht uit te breiden; economie en cultuur bloeien.

1792   Aanslag op de 'theaterkoning': Gustav III wordt op een gemaskerd bal neergeschoten en sterft enkele weken later.

1818   Dynastiewissel: Jean-Baptiste Bernadotte, een maarschalk van Napoleon, wordt door de *riksdag* gekozen tot koning Karl XIV Johan.

1856   Bij Örebro wordt de eerste spoorweg in gebruik genomen.

1856/66   Een tweekamerparlement vervangt het standenparlement.

1889   Oprichting van de sociaal-democratische partij.

19e eeuw   Sterke bevolkingsgroei en verschillende emigratiegolven. Rond 1900 leven er meer dan 5,1 miljoen mensen in Zweden.

1905   De Unie met Noorwegen wordt op verzoek van Noorwegen opgeheven. Vreedzame oplossing van het conflict van Zweedse zijde.

1907   Algemeen kiesrecht voor mannen (voor de Tweede Kamer).

1909   Een grote staking eindigt met een nederlaag voor de vakbonden.

1914-1918   Eerste Wereldoorlog. Het neutrale Zweden beleeft een economische opleving door de wereldwijde export van industriële producten als ijzer, staal, lucifers en kogellagers.

1919   Kiesrecht voor vrouwen (voor de Tweede Kamer).

Sociaal-democratie en welvaartsstaat

1920-1932 De sociaal-democraat Hjalmar Branting wordt minister-president. De crisis treft Zweden hard.

1932-1946 Onder de sociaal-democraat Per Albin Hansson ontwikkelt Zweden zich tot een sociaal-democratische modelstaat.

1939-1945 In de Tweede Wereldoorlog blijft Zweden neutraal, maar staat Duitse transporten naar het bezette Noorwegen toe. Gelijktijdig is Zweden actief op humanitair vlak en neemt talrijke vluchtelingen op.

1946 Tage Erlander neemt de leiding over bij de sociaal-democraten.

1961 De Zweedse secretaris-generaal van de VN Dag Hammarskjöld komt om bij een vliegtuigongeluk tijdens een vredesmissie in Congo.

1968-1970 De VS bevriezen de diplomatieke betrekkingen wegens de Zweedse afwijzing van de Amerikaanse militaire operaties in Vietnam.

1969 Olof Palme wordt na de dood van Tage Erlander premier.

1973 Kroning van Carl XVI Gustaf tot koning.

1986 Premier Olof Palme wordt in Stockholm op straat vermoord.

1994 Na drie jaar conservatieve regeringen vormen de sociaal-democraten een door een groene partij gedoogde minderheidsregering.

Zweden in de Europese Unie

1995 Treedt toe tot de EU na een krappe meerderheid in een referendum.

1996 Het sociale budget wordt gekort om de staatsschulden te verminderen.

2000 Opening van de brug over de Sont.

2003 Afwijzing in een referendum van de euro als valuta; enkele dagen daarvoor wordt de Zweedse minister van Buitenlandse Zaken Anna Lindh vermoord.

2006 Regeringswissel: Na twaalf jaar sociaal-democratie regeert een alliantie van burgerlijke partijen onder Fredrik Reinfeldt, die na de verkiezingen van 2010 opnieuw een burgerlijke regering vormt.

2012 Kroonprinses Victoria brengt haar eerste kind ter wereld; na de kroonprinses is prinses Estelle nummer twee in de troonopvolging.

Overal in Zweden ontmoet u sporen van de geologische geschiedenis: glad geslepen rotsen langs de westkust of rotsblokken in het oerbos van nationalpark Tiveden, tafelbergen zoals de eigenaardige Kinnekulle in Västergötland of de bizar gevormde *raukar* op het eiland Gotland.

Meer dan 600 miljoen jaar geleden vormden vulkaanuitbarstingen het moderne Scandinavië. Afgekoelde magmastromen uit de diepten van de aarde werden graniet, dat samen met gneis

De sporen van de ijstijd

Meer dan wat ook hebben de laatste ijstijden hun sporen achtergelaten in het Zweedse landschap. In ten minste drie opeenvolgende golven – elk onderbroken door warme periodes – groeiden ongeveer 100.000 jaar geleden vanuit de bergstreken in Noorwegen en Noord-Zweden de gletsjertongen als gevolg van de klimaatveranderingen naar alle kanten tot diep in Midden-Europa.

15.000 jaar geleden lag Scandinavië opnieuw onder een 2-3 km dikke ijslaag,

Van het ijs bevrijd – de geboorte van Zweden uit vuur, ijs en water

het harde 'fundament' van het land vormt. Deze door erosie in de loop van miljoenen jaren, bijna plat afgesleten sokkel met oergesteente komt nog op veel plekken als kale rots aan de oppervlakte.

Tropische koraalriffen

Een paar honderd miljoen jaar later verdween het land onder een tropische, door mangrovebossen omzoomde oerzee, waarvan de sedimenten onder hoge druk werden samengeperst tot zandsteen, kalksteen en leisteen. De dikke kalksokkel van de eilanden Öland en Gotland en de tafelbergen ten zuiden van het meer Vänern getuigen in het verder kalkarme Zweden van dit tijdperk in de geschiedenis van de aarde, toen Scandinavië op de evenaar lag; de bizar gevormde *raukar* langs de kust van Gotland zijn zelfs resten van koraalriffen.

die met een immens gewicht op het land drukte. Daaronder wervelde en kolkte het gletsjerwater, dat de karakteristieke patronen in het oergesteente van graniet en gneis sneed: gletsjermolens (*jättegrytor*) die met rondtollende stenen (*löparstenar*) door het water werden uitgehold en machtige kloven zijn bewijzen van de kracht van het water.

Ongeveer 12.000 jaar geleden begonnen de ijskappen vanuit het zuidwesten te smelten. Waar dit proces tijdelijk tot stilstand kwam, zette het smeltwater langs de rand van de gletsjer morenen af, liet zwerfkeien achter en kilometerlange stuwwallen, eskers en rolsteenvelden (*klapperstensåsar*). Sprekende voorbeelden zijn de ver in het Vänern stekende smalle landtong Hindens rev en zijn tegenhanger aan de andere kant van het meer in Värmland, Hjortens udde. Ook de heuvelruggen in Skåne zijn door

Rotsen, die de geschiedenis van de aarde vertellen: de scherenkust van Stockholm

Markant: Hovs hallar in Skåne

gen scheidden het meer van de latere Noordzee, zo was er een verbinding tussen het huidige Deense eiland Seeland en Skåne. Ten slotte verdween – met het terugtrekken van het ijs in het noorden en het stijgen van het water – het hele huidige Midden-Zweden onder de watermassa's van de zogenoemde Yoldiazee. De naam is afgeleid van een klein schelpdier, waarvan de schelpen het vaakst in de sedimenten te vinden zijn. Zeedieren konden naar het oosten trekken – de leem- en kleiafzettingen op de bodem van de Yoldiazee zorgden voor de grote vruchtbaarheid van de bodem van de Midden-Zweedse laagvlakte, waardoor de Mälarregio al vroeg bewoond kon worden en tot op de dag van vandaag een hoge bevolkingsdichtheid kent.

de terugtrekkende gletsjers gevormd.
Het smeltwater verzamelt zich in een reusachtig ijsmeer. Deze voorloper van de huidige Oostzee was aanvankelijk een zoetwatermeer. Landbrug-

Landstijging

Het van het gewicht van het ijs bevrijde land stijgt nog steeds, met als gevolg dat bijvoorbeeld de scherenkust van Stockholm steeds uitgestrekter wordt en er nieuwe landbruggen ontstaan. Verder naar het zuiden is de stijging minder sterk en in het uiterste zuiden, in Skåne, daalt het land in een soort van kantelbeweging zelfs weer – met ongeveer 1 mm per jaar. De opwarming van de aarde, het smelten van de poolkappen, en de daarmee verbonden wereldwijde stijging van de zeespiegel zal er waarschijnlijk voor zorgen dat de landstijging in Midden-Zweden de komende 100 jaar nauwelijks merkbaar of zeer laag zal zijn. Maar in tegenstelling tot de bewoners van vlakke eilanden of de lage kusten van Nederland, België en Denemarken, zijn de meeste Zweden dankzij de landstijging in ieder geval veilig bij overstromingen als gevolg van de stijgende zeespiegel.

Feiten en cijfers

Het laagste punt van Zweden: Nosabyviken bij Kristianstad in het Vattenriket (Skåne) met 2,40 m onder zeeniveau
Het hoogste punt van Zweden: Kebnekaise (Lapland) 2097 m (noordtop zonder gletsjer), 2104 m (zuidtop met gletsjer)
Landstijging: Skåne 0 tot - 1 mm, Stockholm + 4 mm, Noord-Zweden + 7 mm per jaar
Lengte van de kust: in totaal 3218 km
Eilanden: ca. 150.000
Meren: Vänern 5585 km² (op twee na grootste meer van Europa), Vättern 1914 km², Mälaren 1409 km² (ter vergelijking IJsselmeer: 1100 km²)

Lynx, beer en wolf

Zelfs al zijn ze zeldzaam in de rest van Europa: elanden en beren zijn niet in Zweden beschermd. Op de Rode Lijst staat daarentegen de lynx, maar die komt u – net als wolven en beren – vrijwel nooit tegen in het zuiden van Zweden, en in het wild alleen in Värmland en ten noorden van Stockholm. In Noord-Zweden zijn ze wat talrijker. In het algemeen hebben de bestanden van de ooit bijna uitgestorven roofdieren zich wat hersteld. In Värmland trekken iedere winter jagers eropuit om te jagen op in aanmerking komende dieren.

Schuwe lynx

In het Zweeds heet hij *lodjur* – de lynx, met zijn karakteristieke oren met kwastjes en zwarte, stompe staart, is de grootste Europese wilde kat. Bijna 1500 van deze solitair levende roofdieren heeft men in Zweden geteld, waarbij de immense territoriumgrootte en de reislust van de dieren een nauwkeurige schatting van de populatieomvang moeilijk maken. De lynx leeft verborgen in het bos, met zijn zachtbehaarde poten is hij goed toegerust om zich op een gesloten sneeuwdek geruisloos voort te bewegen. Een goede gelegenheid om de in zijn voortbestaan bedreigde wilde kat van nabij te bekijken is een bezoek aan het dierenpark Nordens Ark (blz. 123).

Spookbeeld wolf

De laatste winters gingen de jagers in Värmland er weer op uit voor de jacht op de wolf. Ook wolven zijn zwervers tussen twee werelden, vooral langs de

Geen knuffeldier: de bruine beer

Nationale parken

Zweden heeft als eerste land in Europa nationale parken ingericht: in 1909 waren dat er niet minder dan negen, vooral in het noorden, onder andere Abisko en Sarek, maar ook Gotska Sandön en Ängsö in de scherenkust van Stockholm. Samen vormen de nationale parken en natuurreservaten ongeveer 10% van het land. Van de 29 nationale parken in Zweden liggen er ongeveer een dozijn in het zuiden, meestal betreft het kleine gebieden. De grootste gebieden vormen de nationale parken in Lapland, echte wildernisgebieden. In 2009 werd het eerste mariene nationale park van Zweden ingewijd: Kosterhavets National Park, bij de Kostereilanden aan de westkust, dat grenst aan het Noors nationaal park Ytre Hvaler.

grens met Noorwegen. Hun populatie overtreft nauwelijks een paar honderd exemplaren, maar kent een stijgende tendens. Dat ze nog steeds worden bejaagd, heeft te maken met de rivaliteit tussen mens en dier. Wolven worden beschouwd als uitstekende elandjagers. De menselijk belangstellenden voor deze prooi rekenen regelmatig voor dat een roedel wolven per jaar 100 elanden te grazen neemt. Even fel op de wolf zijn de rendierhoudende Samen in Noord-Zweden, die zich in hun levensonderhoud bedreigd voelen door aanvallen van wolven op hun rendierkuddes. Kanovaarders in met name Värmland worden zelden geconfronteerd met een wolf, maar deze houden zich 's winter wel degelijk op in het zuiden en het westen van Zweden. In Skånes Djurpark in Höör (zie blz. 146) en in Kolmårdens Djurpark bij Norrköping (zie blz. 219) kunt u 's nachts de wolven horen huilen.

De beer is los

Zuid-Zweden is niet echt de juiste omgeving om in het wild op zoek te gaan naar beren. Verder naar het noorden, in Dalarna, Härjedalen en Jämtland, komt de beer in toenemende mate voor: De bestanden groeien, zodat in 2012 ongeveer 320 beren mochten worden afgeschoten tijdens de jaarlijkse berenjacht van eind augustus tot half oktober.

De tot 300 kilo zware bruine beer ontwikt ontmoetingen met mensen in het algemeen, maar verstoorde, gewonde uit hun winterslaap opgeschrikte dieren en vrouwtjes met jongen kunnen mensen aanvallen. Wie ten noorden van Stockholm naar het noordelijke uiteinde van het Siljanmeer wil reizen, vindt in Grönklitts Björnpark bij Orsa een van de mooiste berenparken van Europa.

Alternatieven voor emigratie – de visfabrieken op Klädesholmen

Het kleine, voor Tjörn gelegen eiland Klädesholmen: glad gepolijste rotsen, witstenen huisjes, kleine houten hutten, een steiger waaraan boten liggen afgemeerd. Daarachter zouden conservenfabrieken verborgen liggen? Moeilijk voor te stellen, maar het is wel waar. De kleine hallen, die naadloos opgaan in de idylle, verbergen volledig gerationaliseerde ondernemingen waar de productieprocessen zijn onderworpen aan een strikte werkverdeling.

Voorheen werden de haringen gevangen door lokale vissers en direct op het strand – waar tegenwoordig de boten liggen – gekaakt en gefileerd alvorens te worden ingelegd en ten slotte verpakt; het afval verdween gewoon in het zeewater.

Vandaag de dag is het proces internationaler en rationeler: de vis komt van Noorse of Deense visgronden, waarbij de Noorse vetter is, de kruiden daarom beter opneemt en daardoor populairder is. De Klädesholmer fabrikanten leveren de vissers hun – natuurlijk geheime – kruidenmengsels, die deze dan samen met de gefileerde haring in grote tonnen vullen. Opdat de vis de kruiden goed opneemt en gelijkmatig rijpt, moeten de tonnen regelmatig bewogen, dat wil zeggen gerold, worden. Het hele proces duurt enkele maanden. Als het rijpingsproces voltooid is, worden de vistonnen afgeleverd bij de Klädesholmener fabrieken waar de vis gesneden, in blikken of potten afgevuld en met pekel bedekt wordt.

In de plaatselijke winkel kunt u de lokaal geproduceerde waren voordelig inkopen. Voor *Midsommar* schieten de verkoopcijfers in de hoogte, want ingelegde *matjessill* met nieuwe aardappelen en zure room zijn de onmisbare ingredienten voor een echt feest.

Visconserven tegenwoordig

In 1950 waren er 25 conservenfabrieken op Klädesholmen en ongeveer 150 vissers. Tegenwoordig zijn er na een fusie van drie van de vier overgebleven producenten in 2002 nog twee fabrieken over. Ondanks de geautomatiseerde productie zijn er nog steeds 100 mensen werkzaam in de *sill*productie. Verbazingwekkend: Het marktaandeel van de Klädesholmer haringconservenindustrie is gegroeid – ongeveer 50% van alle Zweedse *matjessill* komt van hier.

Bijna twee eeuwen hielden de Vikingen het christelijke Europa in spanning: De verwoestende aanvallen op kloosters en steden, waarbij de zeevarende Noord-Europeanen rijke buit maakten, vormen tot op de dag van vandaag het beeld van de Vikingen als gewelddadige barbaren.

christelijke kroniekschrijvers. Vaak waren dat missionarissen; de Vikingen verzetten zich heftig tegen de bekeringspogingen en de kloosters werden beroofd en in brand gestoken. Dat de verhalen van degenen die rechtstreeks waren getroffen door de aanslagen, niet onpartijdig waren, is begrijpelijk.

De Vikingen – zeevaarders, ontdekkers, handelaars

Als begin van de Vikingtijd geldt het in de kronieken vermelde jaar 793, toen het klooster van Lindisfarne langs de kust van Noordoost-Engeland werd aangevallen. In 834 bereikten de invallen van de Vikingen Dorestad, in 844 Sevilla, 845 Parijs en Hamburg, 860 Constantinopel, 881 Keulen, Mainz, Worms en Aken. De verslagen van de aanvallen zijn in de eerste plaats afkomstig van de

Waar u onderweg meer over de Vikingen te weten komt

Foteviken bij Malmö: Nagebouwd vikingdorp, bewoond door eigentijdse 'Vikingen', 's zomers met verschillende activiteiten (zie blz. 82).
Eketorp op Öland: Nagebouwde burcht, het dagelijks leven in de vikingtijd, museum, activiteiten, rondleidingen in de zomer (zie blz. 175).
Birka: Handelsplaats van de Vikingen op een eiland in Mälaren, 's zomer rondleidingen langs de opgravingen, museum (zie blz. 254).
Historiska Museet, Stockholm: Goede vaste tentoonstelling met een uitstekend overzicht over de vikingtijd (zie blz. 238).

Handelaren en zeelieden

Arabische bronnen berichtten over de vaardigheden van de Vikingen als handelaren en politici. Ze stichtten bloeiende handelscentra zoals Birka in Mälaren (zie blz. 254) of Hedeby bij het huidige Sleeswijk, dat door een Moorse gezant tegen het einde van de 10e eeuw werd omschreven als de rijkste stad van het noorden. In de reusachtige haven werden goederen overgeslagen en voorbereid voor verder transport. Kooplieden uit de hele wereld ontmoetten elkaar voor de winstgevende uitwisseling van goederen – ze handelden in slaven uit wat nu Ierland en Oost-Europa is, zout uit Frankrijk, zijde uit het Oosten, luxegoederen uit Byzantium, tin uit Engeland en elandgeweien uit Lapland. Er werd betaald in zilver.

Ontdekkers van Amerika

In de scheepsbouw waren de Noord-Europeanen veel beter dan hun tijdgenoten en ze ontwikkelden schepen voor verschillende toepassingen. De zeilschepen konden indien nodig worden geroeid en hadden bovendien een extreem

De strijd van toen in scène gezet tijdens een van de vele vikingfestivals in het land

vlakke kiel, waardoor ze gemakkelijk en snel op het strand konden aanleggen. De Vikingen bezeilden met snelle, zeewaardige zeilschepen de Noord- en de Oostzee en de grote rivieren van Midden- en Oost-Europa. Vikingen uit het huidige Noorwegen en Denemarken vestigden zich in Ierland en Schotland stichtten in het noorden van Engeland het koninkrijk Danelaw, ontdekten IJsland (874) en Groenland (986) en bedreven vanaf daar handel. Lang voordat Christoffel Columbus naar de Nieuwe Wereld zeilde, vestigden ze zich in Newfoundland. Vikingen uit Zweden, varjagen genaamd, trokken naar het zuiden en oosten, dreven handel, verhuurden zich als lijfwachten in Byzantium en stichtten steden, waaronder de huidige hoofdstad van Oekraïne, Kiev. Terwijl de mannen 'op viking' waren, zorgden de vrouwen met de hulp van slaven voor de boerderijen thuis.

Kunst van de vikingen

Talrijke runenstenen vertellen over de reizen van de Vikingen en zijn daarme belangrijke historische bronnen. De in runenschrift geschreven tekst is vaak geïntegreerd met een sterk gestileerde, lintvormige dierafbeelding. De hoge kwaliteit van metaalbewerking is vooral te zien in de zilveren sieraden die werden gevonden in graven of als begraven zilverschatten. Deze werden, evenals wapens en gebruiksvoorwerpen, gedecoreerd met geometrische ornamenten, vlechtwerk en dierlijke motieven. In de 11e eeuw kwam er een einde aan de de invallen door de Vikingen en vikingtochten, waarschijnlijk omdat de koninkrijken zich hadden geconsolideerd en ze de aanvallen beter konden weerstaan. Want de aanvallen van de Vikingen waren zo succesvol, omdat ze gebruikmaakten van politieke instabiliteit.

Gustav III is een van de meest intrigerende figuren uit de Zweedse geschiedenis: een op macht beluste heerser, die niettemin sympathiseerde met de ideeën van de Franse Verlichting. De schone kunsten fascineerden hem en hij bevorderde het geestelijk leven in het arme, agrarische Zweden zoals geen ander dat voor hem deed. Bijgevolg werd een heel tijdperk 'Gustaviansk' genoemd, naar deze neef van Frederik de Grote.

Academie voor Muziek, in 1773 de Academie voor Schone Kunsten, in 1786 de Zweedse Academie en in 1787 het Nationaal Theater. In de kastelen Drottningholm en Gripsholm liet hij theaters inrichten, die grotendeels in oorspronkelijk staat bewaard zijn gebleven.

De gustaviaanse periode bracht grote kunstenaars als de schilders Carl Gustaf Pilo en Alexander Roslin voort, bovendien de beeldhouwer Johan Tobias Sergel, van wie het standbeeld van Gustav

Gustav III – leven en sterven van de 'theaterkoning'

Op 19 augustus van 1772 beëindigde Gustav III (1746-1792) door de arrestatie van de Rijksraad de bijna 50 jaar durende vrijheidstijd, waarin het begin van een meerpartijensysteem was ontstaan en de vorst gedegradeerd was tot een louter ceremonieel staatshoofd. Gustav III verhief zich tot de absolute macht, maar voerde ook hervormingen door, zoals de bevestiging van de persvrijheid, de humanisering van het strafrechtelijk systeem en de vrijheid van godsdienst voor buitenlanders. In een tweede 'staatsgreep van boven' beperkte hij in 1786 belangrijke adelijke privileges en werd hij een absolute alleenheerser.

Bevorderde de kunsten

Zoals zo veel andere Europese heersers van die tijd bevorderde Gustav III culturele instellingen. Hij beval de bouw van een Opera in 1772, waarvoor hij zelf, als zeer getalenteerde toneelschrijver, een libretto schreef. In 1771 stichtte hij de

III vóór het Koninklijk Slot in Stockholm is. Er werd een groot aantal landhuizen gebouwd – ontworpen en ingericht door Zweedse interieurontwerpers en ambachtslieden.

Gewelddadige dood

Op 16 maart 1792, een half jaar nadat hij was betrokken bij een reddingspoging van de Franse koning Lodewijk XVI en koningin Marie-Antoinette, werd de bij de adel niet erg populaire vorst neergeschoten tijdens een gemaskerd bal in zijn 'eigen' Opera van Stockholm, 13 dagen later stierf hij op 46-jarige leeftijd aan zijn verwondingen. De moord leverde de historische achtergrond voor Verdi's 'Un ballo in maschera' (Een gemaskerd bal) – een passende nagedachtenis en cultureel monument voor een liefhebber van de schone kunsten.

Kunstzinnige heerser: Gustav III

Kapitaal voor een goede zaak – Alfred Nobel en zijn prijs

Elk najaar is zijn naam in het nieuws, en een paar weken later, op 10 december, ziet de wereld toe als in Stockholm de koning van Zweden tijdens een ceremonie in het Konserthuset de Nobelprijzen uitdeelt. Maar wie was de oprichter van deze beroemde, zeer hoog gedoteerde prijzen?

Alfred Nobel, in 1833 geboren in Stockholm, was een uitvinder en chemicus. De inventieve geest en de belangstelling voor chemie zaten duidelijk in de familie: Zijn vader was de uitvinder van zee- en landmijnen, zijn oudere broer maakte een fortuin met de ontsluiting van de olievelden van Bakoe. Als uitvinder van dynamiet, waarvoor hij in 1867 het octrooi verwierf – een van de 355 die hij bezat – en als eigenaar van een we-reldwijd zakenimperium rijk geworden, was Alfred Nobel echter niet gelukkig. Hij werd door vrienden, zoals de latere vredesactiviste Bertha von Suttner, om-schreven als misanthroop en melancho-liek. In tegenstelling tot hen was Alfred Nobel ervan overtuigd dat de mensheid door de afschrikkende werking van de explosieve wapens op een dag tot inkeer zou komen en dat dat tot de wereldvrede zou leiden.

Nobels erfenis

Zijn fortuin doneren aan een goed doel, dat was de wens van de – na een romance met Bertha von Suttner – ongehuwd en kinderloos gebleven industrieel, een van de rijkste mannen van zijn tijd. Hij liet in zijn testament vastleggen dat de jaarlijkse rente van zijn enorme fortuin, dat hij verwierf met de vervaardiging van explosieven, ieder jaar zou worden verdeeld in vijf delen om daarmee prestaties op het gebied van natuurkunde, scheikunde, geneeskunde en literatuur te belonen. Het vijfde deel moest gaan naar degene 'die zich het meest of het best heeft ingezet voor de bevordering van de broederschap tussen de naties en de afschaffing of vermindering van staande legers en de vorming en bevordering van vredecongressen.' Deze prijs wordt nu de Nobelprijs voor de Vrede genoemd.

In 1901 werden de eerste Nobelprijzen uitgereikt, zoals tot nu toe op de sterfdag van Alfred Nobel, de 10e december. Nog altijd wordt de bekendmaking van de winnaars ieder jaar met spanning afgewacht. De beslissing is aan een comité dat bestaat uit leden van de Zweedse Academie van Kunsten, respectievelijk Wetenschappen, met uitzondering van de Nobelprijs voor de Vrede. Een prijs voor de economie was was overigens niet voorzien door Nobel – deze werd in 1968 door de Zweedse Bank in het leven geroepen en wordt ook door deze instelling gefinancierd.

Prijsuitreiking in Oslo

De Nobelprijs voor de Vrede lag de oprichter na aan het hart. Dat hij wordt uitgereikt in Oslo en niet, zoals de andere prijzen, in Stockholm is te danken aan de tot 1905 bestaande unie tussen Zweden en Noorwegen. Die bestond nog toen Nobel zijn testament schreef. Daarin beschikte hij dat vijf leden van het Noorse parlement, Stortinget, moesten bepalen wie de Nobelprijs voor de Vrede kreeg. De vreedzame ontbinding van de Zweeds-Noorse unie in 1905 was geheel in de geest van Alfred Nobel.

De alternatieve Nobelprijs (Right Livelihood Award)

Een nieuwe Nobelprijs – voor ecologische en sociale projecten – wilde de Zweedse politicus en filantroop Jakob von Uexkull stichten. Het Nobelcomité wees dit echter af. Dus organiseerde Uexkull de prijs zelf. Gefinancierd werd de sinds 1980 verleende Right Livelihood Award (Prijs voor goed leefgedrag), ook terloops wel de 'alternatieve Nobelprijs' genoemd, aanvankelijk door de opbrengst van von Uexkulls postzegelverzameling. De prijs wordt meestal verleend aan vier winnaars. Hij gaat naar organisaties of bewegingen, vaak uit ontwikkelingslanden, die zich inzetten voor het ontwikkelen van modellen voor een menswaardig bestaan. Astrid Lindgren, die de prijs won in 1994, is waarschijnlijk nog steeds de bekendste winnaar.

Bijna ieder kind kent Pippi Lang-kous en velen ook haar 'geestelijke moeder', Astrid Lindgren. In 1945 ver-scheen het eerste deel van de Pippi Langkousserie. Het verhaal van het eigenzinnige, anarchistische, auto-nome en sterke meisje ontketende in eerste instantie een storm van pro-test, onder meer van de kant van de onderwijsvakbond. De in totaal meer dan 100 boeken van de schrijfster zijn tot nu toe vertaald in meer dan 70 ta-len.

Geen perfecte kinderboekenwereld

Belangrijkste kenmerken van de kinder- en jeugdboeken van Astrid Lindgren zijn het emancipatorische karakter en het respect voor de autonomie van het

mogelijkheid bieden daarmee te leren omgaan.

Politiek engagement

Ook door politieke uitspraken trad As-trid Lindgren op de voorgrond. In 1976 verscheen in een boulevardkrant 'Pom-peripossa i Monismania'. De satire over een schrijver die 102% belasting moest betalen, droeg in niet geringe mate bij aan de val van de sociaal-democratische regering. In de jaren 80 van de vorige eeuw beïnvloedde Astrid Lindgren door tal van artikelen in Zweedse kranten de publieke opinie over dierenwelzijn aan-zienlijk. Toen in 1988 een nieuwe die-renbeschermingswet werd aangeno-men, noemde men die in het algemeen de 'Lex Lindgren'.

In 1994 verleende Jakob von Uex-

Kinderboeken en meer – Astrid Lindgren verandert de wereld

kind. Astrid Lindgren beschrijft sterke en onafhankelijke kinderen in een we-reld die zowel echte als fantastische trekken heeft. Daarbij sluit ze existen-tiële ervaringen zoals de dood, de schei-ding van de ouders en het kwaad bewust niet uit, zoals blijkt uit boeken als 'De gebroeders Leeuwenhart' en 'Ronja de roversdochter'. Astrid Lindgrend was al-tijd van mening, en dat was lang voor-dat deze visie populair werd in de jaren 80 van de vorige eeuw, dat kinderen zeer wel opgewassen zijn tegen dergelijke er-varingen en dat verhalen en boeken een

kull, de stichter van de Right Liveli-hood Award (zie blz. 57), Astrid Lind-gren deze alternatieve Nobelprijs. Ge-eerd werd daarmee haar inzet voor het recht van kinderen op liefde en het res-pecteren van van hun individuele per-soonlijkheid, haar inzet tegen dieren-mishandeling, haar 'engagement voor gerechtigheid, geweldloosheid en be-grip voor minderheden' en haar 'liefde voor en betrokkenheid bij de natuur'. De Nobelprijs voor de Literatuur heeft Astrid Lindgren – hoewel verschillende keren genomineerd – echter nooit ont-vangen. Inmiddels is er wel een literaire prijs ter ere van de schrijfster: in 2002 gesticht door de Zweedse regering, ter

Pippi en haar 'moeder' Astrid Lindgren

Als uit haar kinderboeken: Geboorte- en woonhuis van Astrid Lindgren

waarde van een half miljoen euro, de *Litteraturpriset till Astrid Lindgrens minne* voor kinder- en jeugdliteratuur.

Korte biografie

Astrid Lindgren werd geboren op 14 november 1907 op een boerderij in Småland. Haar carrière als schrijver begon ze als een lokale verslaggever in Vimmerby. Ze werd zwanger, bracht haar zoon tijdelijk onder bij een pleeggezin en trok als jonge, ongehuwde moeder naar Stockholm om in haar levensonderhoud te voorzien. Tussen 1946 en 1970 werkte ze als redacteur bij Rabén & Sjögren, de grootste Zweedse kinderboekenuitgever, die ook haar werken publiceerde. Op 28 januari 2002 overleed Astrid Lindgren in haar appartement in de Dalagatan in Stockholm.

Astrid Lindgrens Småland

De roem van Astrid Lindgren heeft haar eigen Småland op de toeristische landkaart gezet. Het wemelt er van toeristen die op zoek zijn naar de plaatsen uit de verhalen over de ontdeugende Emil uit Lönneberga (die in de Nederlandse versie overigens on-Zweeds Michiel heet), over de kinderen van Bolderburen en meester-detective Kalle Blomkwist. Op weg naar het geboortehuis van Astrid Lindgren in Näs bij Vimmerby (zie blz. 166) of het themapark *Astrid Lindgrens Värld* (Astrid Lindgrens Wereld) komen ze naar Småland en vinden in het beboste landschap met bloemrijke weiden, kleine dorpjes, oude stenen muren en afgelegen boerderijen daadwerkelijk iets dat lijkt op die idylle uit hun kinderjaren – als uit een boek van Astrid Lindgren.

Design, made in Sweden

Terecht wordt vaak benadrukt dat design in een tijdperk van globalisering niet meer nationaal, maar internationaal is. Toch: Sinds in 1845 de Svenska Slöjdföreningen – tegenwoordig Svensk Form – werd opgericht, wereldwijd de oudste vereniging in haar soort, is Scandinavisch design een klasse apart.

In de Zweedse taal worden ontwerpers aangeduid als *formgivare*. De term 'vormgever' omschrijft de designtaak eigenlijk heel precies: een alledaags voorwerp of een industrieel product een juiste vorm geven. Want functionaliteit is niet alles, de mooie vorm maakt een product

pas echt af. Daarnaast ging het sinds de *Stockholmsutställningen* van de Svenska Slöjdförening in 1930 in het sociaal-democratische Zweden ook om het sociale aspect. Hier gold het principe: mooie dingen mogen geen voorrecht van de rijken zijn. Dus de productontwikkelaars hebben altijd geprobeerd om door middel van een efficiënte productie en het gebruik van voordelige materialen de producten zo betaalbaar mogelijk te maken, waardoor ze bereikbaar zijn voor iedere beurs. Het duidelijkste voorbeeld daarvan wordt geleverd door het meubelwarenhuis Ikea, waarvan de klanten – zoals de bedrijfsfilosofie luidt – 'meer smaak dan geld' hebben.

Altijd een blikvanger: Zweeds design – hier in een meubelzaak in Stockholm

Classicisme versus functionalisme

Carl Malmsten en Bruno Mathsson vertegenwoordigen de twee polen, die op de maatgevende tentoonstelling van de Svenska Slöjdförening van 1930 in Stockholm tegenover elkaar stonden: Het classicisme van de jaren 20 van de vorige eeuw, ook wel *Swedish grace* genoemd, aan de ene kant en het meer moderne functionalisme – in het Zweeds vaak afgekort tot *funkis* – aan de andere kant.

De naam Carl Malmsten (1888-1972) staat nog steeds voor comfortabele stoelen. De *Malmstenbutiken* verkoopt alles waarop u kunt zitten, van leunstoelen als de *Morfar* (opa) en *Jättepaddan* (reuzenschildpad) tot de eenvoudigweg geniale keukenstoel die in de jaren 50 en 60 van de vorige eeuw in miljoenen exemplaren zijn weg vond naar de Europese keukens. Ze worden meestal vervaardigd in Småland, het centrum van de Zweedse meubelindustrie.

Radicaal en eenvoudig daarentegen zijn de gebogen organische vormen van de stoelen van Bruno Mathsson (1907-1988). Zijn eerste stoel van gelamineerd beukenhout en een bekleding van zeildoek ontstond in 1931 en heette *Gräshoppan* (sprinkhaan). De zoon van een timmerman uit Värnamo in Småland won verschillende prijzen op tentoonstellingen. Hij maakte de meubels in de werkplaats van zijn vader en nam de marketing en uitlevering van zijn producten in het begin zelf ter hand.

Op de tentoonstelling van 1930 in Stockholm stond het moderne, door de Duitse Bauhausstijl beïnvloede functionalisme recht tegenover het classicisme, vertegenwoordigd door onder meer Carl Malmsten. Het functionalisme is gestoeld op het idee dat design en architectuur een sociale verplichting hebben – ze zouden moeten helpen om de samenleving te veranderen, om betere levensomstandigheden en voorspoed voor iedereen te creëren. Bruno Mathssons minimalisme was symptomatisch voor het moderne Zweedse design: een combinatie van eenvoudige vormen, voordelige materialen en lage productiekosten.

Zweedse glaskunst

Småland is niet alleen de 'meubelfabriek' van Zweden, hier is ook het beroemde Glasrijk (zie blz. 161) te vinden. Boheemse immigranten brachten de glasindustrie al in de 17e eeuw naar het land. Sinds 1925, toen Simon Gate op de Parijse Wereldtentoonstelling prijzen won met zijn met een speciale techniek geproduceerde vazen, komen uit de glasblazerijen in Småland hoogwaardige designobjecten. Orrefors, Kosta-Boda, Pukeberg en Bergdala heten de beroemdste glasblazerijen. Hun producten gaan voor hoge prijzen weg – voor de goede bedoelingen met maatschappelijk aanvaardbare prijzen voor mooie dingen wordt hier een uitzondering gemaakt. De grenzen naar de kunst zijn vloeiend, bijvoorbeeld bij Bertil Valliens 'glazen boten' of de producten van Transjö Hytta (www.transjohytta.com).

Designadressen

Bruno Mathsson Center: Värnamo, www.bruno-mathsson-int.se
Carl Malmsten: Strandvägen, Stockholm, www.c.malmsten.se
Design House Stockholm: Smålandsgatan, Stockholm, www.designhousestockholm.com
Klässbols Linneväveri: Tafellinnen naar traditionele patronen (z. blz. 197)
Röhsska museet: in Göteborg, het belangrijkste kunstnijverheidsmuseum van Zweden (z. blz. 110)

Een lange traditie van vakmanschap en design – een combinatie die de Zweedse glaskunst onderscheidt en wereldberoemd heeft gemaakt

Lifestyle met agrarische wortels

Het Zweedse design heeft zijn wortels in de landelijke, ambachtelijke tradities van de 19e eeuw, toen Zweden een zeer arm land was en spaarzaamheid een noodzaak was, alleen de natuur leverde geschikte materialen in overvloed, vooral hout. De kunstenaars van de *Nationalromantik*, de periode rond het begin van de 20e eeuw, stonden achter de ontwikkeling van de Zweedse interieurstijl, in het bijzonder Carl en Karin Larsson. Hun door het eenvoudige boerenleven geïnspireerde minimalisme kwam al overeen met wat later breed geassocieerd werd met Zweeds design: heldere, lichte interieuren, slanke vormen. De textielpatronen van Karin Larsson, die ontleend zijn aan de boerentradities,

domineren nog steeds de Zweedse textielkunst. 'Traditionalisme' kenmerkt vaak ook de materiaalkeuze: Zo worden uit inheems vlas gewonnen vezels gebruikt, bijvoorbeeld bij de linnenweverij in Klässbol in Värmland.

Internet

www.svenskform.se – Zweedse kunstnijverheidsorganisatie, nieuws over tentoonstellingen, beurzen en anderen evenementen.
www.mobelriket.se, **www.lammhult. com** – Designoutlet in Lammhult, Småland.
www.glasriket.se – Samenwerkingsverband van ongeveer 15 glasblazerijen tussen Växjö en Nybro in het zuidoosten van Småland, zie blz. 161 en 162.

Kort voor het begin van de 20e eeuw ontstond in Scandinavië een nieuwe schilderstraditie: het Scandinavische impressionisme. Veel kunstenaars van deze stroming hadden tijdelijk in Frankrijk gewoond, waar ze kennis maakten met het impressionisme. De tweede belangrijke voorwaarde voor hun werk vonden ze thuis: het zeer speciale licht van het noorden, dat de natuur en de voorwerpen een eigenzinnige gloed geeft.

Varberger school

Het speciale licht van het noorden op het doek te krijgen en op hetzelfde moment het levensgevoel van de Scandinaviërs over te brengen, daarin slaagden de schilders van Varberger school. Karl

Terug naar het landschap

Andere belangrijke impulsen kwamen voor veel kunstenaars uit de volkskunst, uit de verbinding met de natuur en het Zweedse landschap – *nationalromantik* is het sleutelwoord. Ze verlieten de stad en gingen naar het platteland om daar een eenvoudig leven te leiden. De in Stockholm geboren Carl Larsson (1853-1919), die samen met zijn vrouw Karin een tijdje behoorde tot de Zweedse kolonie in het Franse Grèz-sur-Loing, schilderde portretten en landschappen. Het bekendst is zijn in 1899 in boekvorm gepubliceerde aquarelreeks *Ett Hem* (Huize Zonnegloren). De afbeeldingen tonen ook kamers van zijn huis Sundborn in Dalarna. De textielontwerpster Karin Larsson (1859-1928) had het met zelf ontworpen behang, tapijten

Een bijzonder licht – het Scandinavische impressionisme

Nordström, Nils Kreuger en Richard Bergh – ze werkten allemaal vanaf 1893 in de omgeving van het ten zuiden van Göteborg gelegen vestingstadje Varberg.

Het Scandinavische impressionisme mist de onbezorgde lichtheid van hun Franse voorbeelden, ze stonden dichter bij de kunstenaar Gauguin en de late impressionisten. Richard Bergh (1858-1919) had altijd een Bretons landschap van Paul Gauguin voor ogen, dat hij in 1892 in Kopenhagen had gekocht. De stap naar het expressionisme laat zich al vermoeden: melancholie en zwaarmoedige gedachten kenmerken de schilderijen, zoals Berghs *Nordisk sommarkväll* (Noordse zomeravond).

en meubels ingericht. Larsson was een van de meest opgewekte schilders van het Scandinavische impressionisme. Dat is misschien wel een van de redenen waarom zijn schilderijen – vaak gebruikt voor kalenderfoto's, prenten en briefkaarten – ook vandaag de dag nog steeds zo ongelooflijk populair zijn.

De Larssons waren goed bevriend met de ook in Dalarna wonende schilder Anders Zorn (1860-1920). Hij richtte op het erf van zijn grootouders in Mora een atelier in en stelde dat beschikbaar aan anderen. Zorn schilderde voornamelijk portretten, naakten en genretaferelen, die worden gekenmerkt door een spannend samenspel van licht en schaduw. Beroemd zijn zijn meisjesfiguren,

In dramatisch licht gedoopt zag prins Eugen de 'Hoek van Örgården' (1922)

boerenmeisjes uit Dalarna, vol energie en vitaliteit. Zorn werd beschouwd als de ster van de Zweedse schilders van die tijd, en ook tegenwoordig brengen zijn schilderijen op veilingen de hoogste prijzen op. Zijn tijdgenoot Bruno Liljefors (1860-1939) maakte school als natuurschilder, vooral van vogels.

De schilderende prins en de natuur

Een van de beste landschapsschilders van Zweden was de jongste zoon van koning Oscar II, prins Eugen (1865-1947). Zijn monumentale beelden sieren onder andere de *Prinsens galleri* van het Stockholmse Stadshus, de Opera en het theater Dramaten. Iets kleiner is het schilderij *Molnet* (De wolk). Het ontstond op zijn landhuis bij Tyresö ten zuiden van Stockholm, waar hij 's zomers verbleef om te schilderen. Prins Eugens Waldemarsudde, de prinselijke villa op Djurgården, is nu een van de beste plaatsen om een breed overzicht te krijgen van het Scandinavische impressionisme.

Noordelijk licht in het museum

Een van de belangrijkste schilderijen is Richard Berghs *Nordisk sommarkväll*, dat te zien is in het **Konstmuseum** in **Göteborg** (zie blz. 109). Dit museum bezit een van de beste verzamelingen van Scandinavische schilderkunst van omstreeks 1900. In Stockholm is **Prins Eugens Waldemarsudde** (zie blz. 240) van de schilderende prins Eugen: De prins schilderde niet alleen, hij verzamelde ook werken van zijn schildercollega's en tijdgenoten.

ABBA of het Zweedse muziekwonder

De legendarische popgroep uit Zweden is zelfs meer dan 35 jaar na de start van hun komeetachtige carrière nog niet vergeten. De unieke naam van de cultband uit de jaren 70 van de vorige eeuw werd gevormd door de initialen van de voornamen van Agnetha Fältskog, Björn Ulvaeus, Benny Andersson en Anni-Frid Lyngstad. De vier muzikanten straalden in 1974 als winnaars van het Eurovisiesongfestival in Brighton, hun bijdrage heette 'Waterloo' – een ware overwinning en een verrassende greep naar de macht.

De ABBA-sound

Wat was het recept voor het succes van het kwartet uit het hoge noorden? Muzikaal was het de harmonieuze zang van blonde Agnetha en de brunette Anni-Frid en de pakkende melodieën die Benny en Björn in lange sessies componeerden op een eenzaam schereneiland – net zo lang tot alles precies goed was voor de beste dancehallsound. Bijna alle nummers bewezen zich als 'klassiekers': Na 'Waterloo' volgden 'Money, Money, Money', 'Fernando', 'SOS', 'Dancing Queen', enzovoort.

Glitter en glamour

Niet alleen hun geluid, ook hun uiterlijk was een mijlpaal in de popcultuur: Als een van de eerste bands presenteerde ABBA zich in opzichtige kostuums op het podium – ongeëvenaard in hun originaliteit. Glitter en glamour: hun plateauzolen en strokenrokken waren uniek. Ook vernieuwend voor de jaren zeventig: ABBA bracht bij de songs ook muziekvideo's uit. Na de Beatles is de groep de succesvolste band in de wereld: bijna 400 miljoen geluidsdragers werden verkocht – en nog dagelijks worden dat er meer.

Succesvolle marketing

ABBA is ook het verhaal van een succesvolle marketingstrategie: Toen 'ABBA – The Movie' uitkwam, rinkelden de kassa's. En toen de Zweedse koning Carl XVI Gustaf in de zomer van 1976 zijn Silvia Sommerlath naar het altaar leidde, lieten de vier van ABBA zich de kans niet ontnemen om in barokke kostuums een nieuw lied in de voor hen typische discosound op te nemen: 'Dancing Queen'. Mede dankzij deze 'reclamecampagne' werd dit de titel van een van de grootste ABBA-hits ooit.

Over en voorbij

Blunders en persoonlijke geschillen – de echtparen Agnetha en Björn en Anni-Frid en Benny waren al enige tijd gescheiden – maakten in 1982 een einde aan de succesvolle carrière van de groep, hoewel er officieel slechts sprake was van een pauze. De roddelbladen werden vervolgens gevuld met details over het privéleven van de vier, zoals de vliegangstaanvallen van Agnetha, echtscheidingsstrijd en financiële onrust.

ABBA – en wat komt daarna?

En tegenwoordig? De leden van de band ging gingen na 1982 niet op hun lauweren rusten. Björn en Benny schreven bijvoorbeeld de musical 'Mamma Mia', die

in heel Europa een succes werd, Benny groeide uit tot een succesvol hotel- en theatereigenaar in Stockholm. ABBA-nummers werden door Nils Landgren verjazzt, door talloze anderen gecoverd en door tribute bands in de hele wereld uitgevoerd. Samen opgetreden hebben de vier ABBA-leden nooit meer, hoewel er altijd geruchten over een hereniging zijn. Ook het plan voor een ABBA-museum is van de baan. Hoe dan ook: ABBA-fans kunnen in de Zweedse hoofdstad op zoek gaan naar sporen vn de band, tijdens een rondleiding of op eigen houtje met een speciale plattegrond, die verkrijgbaar is in Stockholms stadsmuseum (zie blz. 242).

Polar Music Prize – Nobelprijs voor Muziek

Stig 'Stikkan' Anderson (1931-1997), die met zijn platenmaatschappij Polar Music ABBA onder contract had, stichtte in 1989 de Polar Music Prize. Deze internationale muziekprijs wordt toegekend aan personen, groepen of instellingen die een bijzondere bijdrage aan het muziekleven hebben geleverd. Elk jaar wordt een popmuzikant en een uitvoerder van klassieke muziek bekroond. De prijs wordt ook wel de Nobelprijs voor Muziek genoemd en wordt toegekend door de Koninklijke Zweedse Muziekacademie. Hij wordt uitgereikt in de maand mei in Stockholm, in aanwezigheid van koning Carl XVI Gustaf.

ABBA op internet
www.abbasite.com – Officiële website van de band, natuurlijk met muziek en video's.
www.abbaworld.com – Informatie over de ABBA-tentoonstelling, die tot nader bericht op wereldtournee is.

Wie aan de Zweedse cinema denkt, denkt vooral aan Ingmar Bergman. Maar de overweldigende veteraan is niet de enige Zweedse regisseur die van zich doet spreken. Het is dus interessant om na te gaan waarom er juist in Zweden zoveel goede films worden gemaakt.

ook wel bekend als 'Trollywood', produceert Film i Väst in voormalige loodsen van de autoindustrie naast tal van Zweedse ook internationale films, zoals *Dancer in the Dark* (2000), *Dogville* (2003) en *Anticrist* (2009) van de Deense regisseur Lars von Trier. Naast een ander centrum in Umeå heeft zich een derde be-

De erfenis van Ingmar Bergman – film in Zweden

Filmfabriek Trollywood

Een unieke regeling zorgt er sinds 1963 in Zweden voor dat binnenlandse filmproducties een kans hebben: Van de opbrengst van elk bioscoopkaartje gaat 10% naar het ook nog door de staat gesubsidieerde Svenska Filminstitutet, het Zweedse filminstituut. Dit heeft als taak om de Zweedse film te ondersteunen – op deze manier sponsort Hollywood dus indirect de Zweedse filmmakers. In de filmstudio's van Trollhättan,

langrijke pijler van de filmindustrie in Ystad gevestigd: Film i Skåne. Hier worden de Wallanderfilms gemaakt, eerst de 10 naar de boeken met Rolf Lassgård in de hoofdrol, vervolgens 26 naar speciaal voor de films geschreven scripts met Krister Hensriksson als Wallander. De BBC verfilmde Henning Mankells romans in de studio's op het voormalige kazerneterrein in Ystad met Kenneth Branagh als Wallander.

Ingmar Bergman

Plaatsen & evenementen
Bezichtiging van de filmsudio's in Ystad: z. blz. 136.

Filmfestival Stockholm: In november, internationale films, www.filmfestiva len.se.
Filmfestival in Göteborg: Begin februari, niet alleen Scandinavische films, www.giff.se.
Buff Filmfestival: Midden maart in Malmö, kinder- en jeugdfilms, www. buff.se.
Overigens: In Zweden worden buitenlandse films niet genasynchroniseerd, maar ondertiteld.

Ingmar Bergman (1918-2007) was een regisseur van wereldfaam, die de film al in de jaren 50 van de vorige eeuw, de periode van het neorealisme, een nieuwe richting gaf en een uitdagende auteurscinema creëerde. Geboren in 1918 als zoon van een predikant in Uppsala, maakte hij in 1956 in Cannes furore met *Glimlach van een zomernacht*. Zijn films verkennen de diepten van de menselijke ziel, meedogenloos leggen ze de afgronden in relaties bloot, zoals in *De grote stilte* (1963) en in *Scènes uit een huwelijk* (1973), meesterlijk geënsceneerd door de dramatische belichtingstechniek van cameraman Sven Nykvist.

Films maken en toneelstukken regisseren – beide waren belangrijk voor Bergman. Zo werkte hij sinds 1960 voor het Dramaten in Stockholm en in 1976-1985 in München. Uitstekende acteurs bracht hij van het podium naar het doek, waaronder Liv Ullmann, Erland Josephson, Bibi Andersson en Max von Sydow.

Bergman won vier Oscars alleen al voor zijn laatste grote, in zijn woonplaats Uppsala gedraaide film *Fanny en Alexander* (1982) – typisch Zweeds door het contrast tussen vrolijke, zomerse levensvreugde en de overweldigende protestantse strengheid. Na deze film kondigde Bergman in 1983 zijn afscheid van de film aan. Hij leefde ten slotte teruggetrokken op het schrale eiland Fårö bij Gotland.

Veelbelovende navolgers

Ingmar Bergman weerstond de verlokkingen van Hollywood – Lasse Hallström (1946) niet, die er sinds zijn bioscoophits *Chocolat* (2000) en *Casanova* (2005) internationale successen viert. Met *ABBA – The Movie* brak Hallström in 1977 door, met de kinderfilm *Mijn leven als hond* liet hij in 1985 zien hoe veelzijdig hij was. Een regisseur van formaat is Lukas Moodysson (geb. 1969), wiens *Fuckin'Åmål* (1999) en *Tillsammans* (2001) ook in Nederland grote successen waren. In *Lilja-4ever* (2002) vertelde hij een tragisch verhaal. De laatste jaren worden vooral bestsellers met succes verfilmd, zoals Stieg Larssons Millenniumtrilogie.

Met de camera onderzocht hij de menselijke ziel: Regisseur Ingmar Bergman

Onderweg in Zuid-Zweden

Ideaal om Zweden individueel te ontdekken: op reis met een camper

De kusten van Halland en Skåne

Hoogtepunt ✳

Malmö: De stad aan de Öresund geldt als een kunst- en genotsmetropool: Hypermoderne architectuur in de westelijke haven, lommerrijke groene parken langs rustige grachten, aantrekkelijke vakwerkhuizen met een middeleeuwse sfeer in de oude stad en een uitgebreid winkelgebied laten u geen tijd voor verveling. Blz. 75

Op ontdekkingsreis

Ven – eiland voor sterrenkijkers: Op mooie zomerdagen is het 4,5 x 2,4 km grote eiland een ideale bestemming in de Öresund: bos, akkers en weiden, kliffen en duinen. Maar dat is niet alles: Het kleine eiland schreef wetenschappelijke geschiedenis, want van hier greep Tycho Brahe, de heer van het eiland en astronoom, naar de sterren. Blz. 84

Varberg
Kattegat
Halmstad
golfen
Mellbystrand
Skummelövstrand
Mölle *klimmen op de Kullaberg*
Höganäs *Flickorna Lundgren*
Sofiero slott **Helsingborg**
Vallåkra
Ven – eiland voor sterrenkijkers
Lund
Malmös Västra Hamnen **Malmö**

Bezienswaardigheden

Kulturen in Lund: In het openluchtmuseum komt de Zuid-Zweedse levenscultuur van weleer tot leven. Blz. 83

Sofiero slott: In het rododendronpark ligt een koninklijk slot met terrassen, waar u het liefst meteen zou willen intrekken. Blz. 89

Aardewerk: Aardewerkfabrieken en pottenbakkersstudio's zijn te vinden in Vallåkra en Höganäs bij Helsingborg. Blz. 89, 91

Actief en creatief

Klimmen op de Kullaberg: Grotten of steile rotswanden – de uitdagingen zijn heel verschillend. Blz. 91

Eindeloos strand: Zand in Mellbystrand en Skummelövstrand of rotsen in Varberg. S. 97, 100

Golfen: Halmstad is het Walhalla voor golfers. Blz. 98

Sfeervol genieten

Malmös Västra Hamnen: Een wandeling langs de waterkant met de elegante wolkenkrabber Turning Torso en kijken naar Kopenhagen is een must, ook zijn hier enkele van de beste restaurants van Malmö te vinden. Blz. 78

Flickorna Lundgren: Een heerlijk zomercafé met uitzicht op de zee voor koffie of vruchtensap en zelfgebakken koekjes. Blz. 94

Uitgaan

De grote steden Malmö, Lund en Helsingborg zijn niet de enige hot spots voor het nachtleven. Overal in de badplaatsen langs de Zweedse westkust viert men de korte zomernachten zeer uitbundig.

Kunst en plezier in het zuiden – charmante steden, mooie stranden

Het landschap van de provincie Skåne, die tot 1658 tot Denemarken behoorde, herinnert aan het zuidelijke buurland. Zachtglooiende heuvels, fruitbomen, felgele koolzaadvelden, kleine dorpjes met vakwerkhuizen, een regio die met het Deense woord *hyggelig*, gezellig, goed gekarakteriseerd wordt. De

INFO

Toeristische informatie

Region Skåne: tel. 040 623 98 00, www.skane.com.
Region Halland: tel. 035 10 95 60, www.halland.se.

Vervoer

Info over het openbaar vervoer: voor Skåne www.skanetrafiken.se, voor Halland www.hallandstrafiken.se.
Het dichtbewoonde West-Skåne kan goed met trein en bus verkend worden. **Let op:** Er dient meestal betaald te worden met een magneetkaart die vooraf opgeladen moet worden. Aan beide zijden van de Öresund tussen Malmö, Kopenhagen en Helsingborg geldt het **Öresund-rundt-ticket** (voorwaarde: een traject over de Öresundbrug en eenmaal per veerboot Helsingør-Helsingborg) voor 249 SEK/48 uur.; incl. kortingen bij attracties. 's Zomers (midden juni-midden aug.) reist u voordelig met de **JojoSommar**dagkaarten voor de afzonderlijke regio's van Skåne (www.skanetrafiken.se).

Festiviteiten

Konstrundan in het paasweekeinde met open kunstenaarsateliers in Skåne.

provinciale vlag, een geel kruis op een rode achtergrond, kan worden gezien als een synthese van de nationale vlaggen van Zweden en Denemarken. Langs de gehele westkust van Zweden zijn imposante vestingwerken te zien die nog getuigen van de lange periode waarin beide provincies betwist werden door de heersers van Denemarken en Zweden.

Veel kuststeden aan de Oostzee kenden een eerste bloeiperiode in de middeleeuwen, toen de vissers in opdracht van de Hanzekooplieden de hier voorbijtrekkende grote scholen haring aan land brachten. De haring werd geconserveerd met het door de Hanze beschikbaar gestelde zout en verkocht in Midden-Europa als voedsel voor de vastentijd. Ook de scheepsbouw profiteerde van deze handel.

Tegenwoordig lokken de vrijwel eindeloze stranden, voornamelijk met fijn zand en lieflijk in het zuiden, rotsachtig en soms dramatisch en ruig in het noorden. In de zomer worden de stranden bij Tylösand en Mellbystrand goed bezocht en het etiket 'Zweedse Rivièra' past nog steeds.

De Hallandsås, een heuvelrug van glaciaal puin dat in de laatste ijstijd door smeltwater onder het ijs van de gletsjers getransporteerd en later gedeponeerd werd, markeert de grens tussen de provincies Skåne en Halland, dat eveneens lang (tot 1645) tot Denemarken behoorde. De Deense invloed is vandaag de dag nog te zien in de bakstenen vakwerkhuizen, de noordelijke vakwerkgrens loopt door deze provincie. Buiten de drukte van het strand vindt u er eenzame natuur en culturele hoogtepunten.

Malmö ✳ ▶ C/D 15

De Zweden beschrijven Stockholm vaak als het hoofd, Göteborg als het hart (de Gotenburgers worden beschouwd als hartelijk en open-minded) en Malmö als de buik van Zweden. Die karakterisering is niet helemaal verkeerd, want de op twee na grootste stad van het land ligt in de provincie Skåne en staat bekend om het lekkere eten en een verzorgde leefwijze.

Malmö was aan het begin van de 16e eeuw de op een na grootste stad van Noord-Europa. Door de aansluiting van Skåne bij Zweden in 1658 lag de stad ineens niet meer in het midden, maar aan de rand van het rijk en stagneerde in zijn ontwikkeling. In de loop van de eeuwen zijn de verbindingen met de Deense buren echter intact gebleven. Tegenwoordig is dat cruciaal voor het economische optimisme van de stad. Kopenhagen is gemakkelijk te bereiken via de Sontbrug en beide steden vormen belangrijke economische en culturele metropolen in Noord-Europa, die steeds dichter naar elkaar toegroeien. Zo heeft de ondergrondse spoorlijn van Malmö, Citytunneln, een verbinding met de Öresundståg via de Sontbrug naar Kopenhagen die een hoge frequentie kent.

De bezienswaardigheden zijn geconcentreerd in het centrum en ze liggen alle op loopafstand.

Centrum

Stortorget

Een rondwandeling begint het beste op Stortorget bij het ruiterstandbeeld van Karl X Gustav, tijdens wiens regering Skåne aan Zweden kwam. Zijn naam, grote markt, heeft het door imposante bouwwerken omzoomde Stortorget werkelijk verdiend, want het behoort zonder twijfel tot de grootste pleinen van Noord-Europa.

Jörgen Kocks gård of **Kockska huset 1** is waarschijnlijk het oudste huis van de stad. Het werd in 1522-1524 gebouwd door Jörgen Kock, de burgemeester van Malmö en eveneens muntmeester van de Deense koning. Kock gaf ook opdracht voor de bouw van het raadhuis en was al met al een zeer bedrijvig man, die van groot belang is geweest voor de ontwikkeling van de stad. In het Kockska huset zou in 1524 Gustav Vasa hebben overnacht, toen hij de Deense koning ontmoette voor vredesonderhandelingen. Tegenwoordig huisvest de begane grond een van de beste restaurants van de stad, Årstiderna (zie blz. 79).

Residenset 2, de zetel van de gouverneur, bestaat uit twee oorspronkelijk afzonderlijke huizen, die in jaren 20 van de 18e eeuw met elkaar verbonden werden tot een neorenaissancistisch gebouw. Het raadhuis, **Rådhuset 3** ontstond in 1546, maar werd verschillende keren verbouwd. In de oorspronkelijke keldergewelven bevindt zich tegenwoordig een restaurant.

Lilla Torget

Het met kasseien geplaveide Lilla Torg is met zijn vakwerkgebouwen en de rondom gelegen restaurants en cafés het mooiste plein van de stad. Zodra de temperatuur dat toelaat, stromen de terrassen vol, waardoor een bijna mediterrane sfeer ontstaat. In de kleine stegen rondom het plein verlokken winkels u tot het uitegeven van geld; hier zijn sieraden, stoffen en mooie Scandinavische designartikelen te koop. Lilla Torget werd in 1591 aangelegd, toen het Stortorget te klein geworden was voor het groeiend aantal handelaren.

Liefhebbers van Zweeds design moeten beslist een kijkje nemen in het **Form/Design Center 4** (www.form

designcenter.com, di.-za. 11-17, zo. 12-16 uur) in de historische **Hedmanska Gården** (begin 17e eeuw). De tentoonstellingen zijn vooral gewijd aan eigentijdse Zweedse kunstnijverheid en design.

Sankt Petri kyrka en de Sankt Gertrudwijk

De toren van de **Sankt Petri kyrka** , die in de 14e eeuw naar het voorbeeld van de Lübeckse Mariakerk en waarschijnlijk door bouwmeesters uit die Hanzestad gebouwd werd, is een mooi voorbeeld van de rond de Oostzee veel voorkomende baksteengotiek. Bovendien is de kerk het oudste bouwwerk van de stad. Bezienswaardig zijn de kalkschilderingen van het einde van de 15e en het begin van de 16e eeuw in de Krämarekapell. Het in 1611 ingewijde houten altaarstuk is met een hoogte van 15 m het grootste van Noord-Europa.

Ten oosten van de kerk ligt de **Sankt Gertrudwijk** met zijn geel gesausde, lage huizen uit de 16e eeuw. Er tegenover staat het **Thottska huset** , het oudste vakwerkhuis van de stad (1558), waarin zich tegenwoordig een hotel-restaurant bevindt.

Moderna Museet Malmö

Gasverksgatan 22, www.modernamuseet.se, di.-zo. 11-18 uur, SEK 50
Het Moderna Museet in Stockholm toont een deel van zijn verzameling in Malmö – in een tot een moderne tentoonstellingsruimte gerenoveerd architectonisch juweeltje uit de vroege 20e eeuw aan de zuidelijke rand van de oude stad, een voormalige elektriciteitscentrale (1901).

Malmöhus slott en omgeving

Malmöhus

www.malmo.se/museer, juni-aug. dag. 10-16, sept.-mei mo.-vr. 10-16, za./zo. 12-16 uur, vanaf 20 jaar SEK 40

Malmö

Bezienswaardigheden
1 Kockska huset
2 Residenset
3 Rådhuset
4 Form/Design Center
5 Sankt Petri kyrka
6 Thottska huset
7 Moderna Museet Malmö
8 Malmöhus
9 Teknikens och sjöfartens hus (Huis van de techniek en de zeevaart)
10 Fiskehoddorna
11 Slottsmöllan
12 Turning Torso

Overnachten
1 Hotel Kramer
2 Astoria Hotel
3 Grand Hotel Garden
4 Baltzar Hotell
5 STF Vandrarhem Malmö City

Eten en drinken
1 Johan P.
2 Mrs Brown
3 Salt & Brygga
4 Patisserie David

Winkelen
1 Formargruppen
2 Chokladfabriken

Actief en creatief
1 Steiger rondvaartboot Rundan
2 Waterfietsverhuur
3 Badstrand Ribersborg

Uitgaan
1 Hipp
2 Kulturbolaget
3 Malmö Opera

Parallel aan de gracht, die het hele centrum omgeeft, loopt u via Adelgatan, Västergatan en Malmöhusvägen naar het slot. De geschiedenis van Malmöhus, de voormalige munt van het Deense koninkrijk, is gevarieerd en niet altijd glorieus. In 1434 liet Erik van Pommeren een burcht aanleggen om zich te verdedigen tegen de aanvallen van de Hanze, die in 1370 zuidwestelijk Skåne hadden veroverd en er tot 1395 de macht hadden. Kristian III liet in 1536-1542 op dit punt een kasteel bouwen, omgeven door een brede gracht. In de 16e eeuw werden hier heksenprocessen gehouden. Het kasteel diende lange tijd als gevangenis – van 1568 tot 1573 zat Lord Bothwell hier, de derde echtgenoot van Maria I Stuart – totdat het in 1870 zwaar beschadigd werd tijdens een gevangenenopstand.

Musea in en rond het slot

Malmöhus huisvest tegenwoordig talrijke musea, waaronder het **kunstmuseum** met een grote verzameling eigentijdse, Scandinavische kunst, een **stadsmuseum** en een natuurhistorisch museum met tropicarium en aquarium. Tot de hoogtepunten van het **Teknikens och sjöfartens hus** 9 (openingstijden als Malmöhus) in het gebouw ertegenover behoort het 'Tivoli van de kennis', waar de geschiedenis van techniek en natuurwetenschap aan de hand van voorbeelden en experimenten wordt verklaard.

Tegenover Malmöhus slott liggen de voormalige woonhuizen en werkplaatsen van vissers, **Fiskehoddorna** 10, waar u di.-za. 6.30-13 uur verse vis kunt kopen.

Rondrit met de historische tram

In zomerse weekeinden (www.mss.se, za./zo. juni-sept. 12-16 uur) rijdt tussen Malmöhus en de stadsbibliotheek een historische tram. Gedurende de nostalgische rit met de tot wel 100 jaar oude, met veel hout en messing uitgeruste trams zult u merken dat Malmö een stad van parken is. Vooral het Slottsparken met de Hollandse molen **Slottsmöllan** 11 is een geliefde groene oase in het centrum.

Vroeger dwangburcht, plaats van heksenprocessen, gevangenis – nu een museum: Malmöhus

Västra Hamnen (westelijke haven)

In de westelijke haven, het voormalige terrein van de scheepswerf Kockums in Malmö is een compleet nieuwe wijk verrezen, waarvan de energiebehoefte wordt verzorgd door hernieuwbare energiebronnen zoals wind, zon en water; zo bevindt zich buiten de stad in de Öresund, een windmolenpark. De voor de Bo01, de Zweedse woningbouwtentoonstelling in 2001, gebouwde hui-

zen werden richtingbepalend voor de moderne woonarchitectuur. In de wijk kwamen bovendien parken, promenades met trendy bars en restaurants.

De Västra Hamnen wordt gedomineerd door het zinnebeeld van de structuuromslag van Malmö, de in het jaar 2005 gereedgekomen wolkenkrabber met woningen **Turning Torso** 12. Naar voorbeeld van een beeldhouwwerk ontwikkelde de Spaanse architect Santiago Calatrava het 190 m hoge gebouw: Het bestaat uit negen blokken van vijf ver-

Luxueus hotel midden in het centrum, elegante ambiance met kroonluchters en de flair van omstreeks 1900.

Onspannen sfeer – **Astoria Hotel 2**: Gråbrödergatan 7, tel. 040 786 60, www.astoriahotel.se, vanaf 1000 SEK/2-pk en 700 SEK/1-pk (weekeinde), anders vanaf 1395 SEK. Vriendelijk, klein hotel met een centrale, maar rustige ligging aan een binnentuin nabij het Lilla Torg, vrolijk, bont design binnen oude muren.

Centraal – **Grand Hotel Garden 3**: Baltzarsgatan 20, tel. 040 665 60 00, www.grandhotelgarden.se, vanaf 900 SEK/2-pk. Centrale ligging in de binnenstad, fraaie daktuin, de meeste van de 170 kamers kijken uit op het groen.

Gedegen – **Baltzar Hotell 4**: Södergatan 20, tel. 040 665 57 00 www.baltzarhotel.se, vanaf 950 SEK/2-pk. Centraal gelegen in een hoekhuis in het voetgangersgebied, 41 met echt parket en stijlmeubelen ingerichte kamers.

Spaart de reiskassa – **STF Vandrarhem Malmö City 5**: Rönngatan 1, tel. 040 611 62 20, malmo.city@stfturist.se, vanaf 510 SEK/1-pk, vanaf 570 SEK/2-pk zonder ontbijt en beddengoed. Het budgethotel in de theaterwijk Davidshall biedt een hoge standaard voor weinig geld. Veel kamers hebben douche/wc.

diepingen die draaien naargelang ze hoger gaan; het hoogste is negentig graden gedraaid ten opzichte van het laagste.

Overnachten

Hotelkamers boekt u het best vooraf via tel. 040 10 92 10 of via www.malmotown.com.

Elegant – **Hotel Kramer 1**: Stortorget 7, tel. 040 693 54 00, www.scandic-hotels.com/kramer, vanaf 1900 SEK/2-pk.

Eten en drinken

Op Lilla Torg vindt u vooral de reeds lang gevestigde restaurants. Daarnaast heeft de wijk Davidshall naam gemaakt met trendy restaurants en bars.

Topklasse – **Årstiderna i Kockska huset 1**: Frans Suellsgatan 3, tel. 040 23 09 10, www.arstiderna.se, ma.-vr. 11.30-24, za. 17-24 uur (juli-begin aug. gesl.), Lunch 89-115 SEK, hoofdgerecht 150-300 SEK, 4-gangenmenu 495 SEK. Gourmetrestaurant, vooral wild- en visgerechten.

Lekkere vis – **Restaurang Johan P.** **1**: Landbygatan 5, tel. 040 97 18 18, www. johanp.nu, ma.-za. 11.30-1 (keuken sluit om 23 uur), zo. 13-23 uur. Excellente visgerechten, bistrosfeer, lunch (ma.-vr.) 100 SEK, hoofdgerechten 165-300 SEK.

Trendy en regionaal – **Mrs Brown** **2**: Storgatan 26, tel. 040 97 22 50, www. mrsbrown.nu, ma. 16-23, di.-do. 16-24, vr. 16-1, za. 12.30-1 uur. De kinderboekfiguur Tant Brun stond model voor de naam – en die kookt moderne, regionale gerechten uit Skåne, met een Frans randje. Belang hecht men aan de herkomst van de producten van boerderijen in de regio. Aanbevelenswaardig is het lunchaanbod (ma.-vr. 12-15 uur) 75-140 SEK, hoofdgerechten verder ca. 200-250 SEK. Uitstekende ecologische wijnen.

Slow food langs de Sont – **Salt & Brygga** **3**: Sundspromenaden 7, Västra Hamnen, tel. 040 611 59 40, www. saltobrygga.se, ma.-vr. 11.30-15, 17-21, za. 12.30-21 uur. Consequent ecologisch: De ingrediënten stammen uit de regio. De inrichting komt koel en trendy over, maar is puur natuur. Driegangenmenu 395 SEK, vis, vlees en vegetarisch, vers en creatief gekruid. Voordelige lunch (99-169 SEK): Het overvloedige saladebuffet en eigengebakken brood zijn inclusief; à la carte 195-295 SEK.

Bakwerk à la française – **Patisserie David** **4**: Östergatan 7, tel. 040 630 80 80, www.sanktgertrud.se. Lunch ma.-vr. 11-14.30, café ma.-vr. 8-17, za. 10-16 uur. In het huizenblok van de historische Sankt Gertrudwijk zit u gezellig aan tafels in de binnentuin aan de voortreffelijke soep en belegde broodjes of bij een kopje koffie met *éclairs* of *pain au chocolat* – de patissier heeft zijn vak immers in Parijs geleerd.

Badend in het warme avondlicht ligt de promenade langs de Öresund, waar in de Västra Hamnen een geheel nieuwe wijk met moderne woningarchitectuur is ontwikkeld

Winkelen

Zweeds design – **Formargruppen** `1`: Engelbrektsgatan 8, www.formargrup pen.se, ma.-vr. 11-18, za. 10-16 uur. Winkel en kunstgalerie.

Zoet – **Chokladfabriken** `2`: Bergsgatan 33, www.malmochokladfabrik.se, ma.-vr. 12-18, za. 10-14 uur. De trendy wijk rondom de Bergsgatan is vernoemd naar de voormalige chocoladefabriek Mazetti die hier was gevestigd. In de verlaten fabriek uit 1888 (ook museum en café) kunt u wel chocolade kopen.

Actief en creatief

Sightseeing per boot – **Rundan** `1`: www.rundan.se. Rondvaart door de grachten van Malmö van 50 minuten, vertrek ieder uur tussen 11-16 uur vanaf de steiger tegenover het station.

Zelf sturen – **Waterfiets** `2`: www.city boats.se. Verhuur bij de Amiralsbron (niet ver van het Gustav Adolfs Torg).

Vlak bij het centrum – **Badstrand Ribersborg** `3`: Het zandstrand ligt op enkele minuten gaans van het centrum.

Uitgaan

Rondom het Lilla Torg vindt u cafés, kroegen en restaurants, bij mooi weer worden de terrassen volgezet met tafels en stoelen. Daarnaast kunnen nachtbrakers een rondje maken langs de kroegen in de wijken Möllevång (Bergsgatan) en Davidshall.

Historische ambiance – **Hipp** `1`: Kalendegatan 12, www.hipp.se, vr./za. Nachtclub 23-3 uur. Twee bars en een dancefloor in een voormalig cirkus (Hippodrom). Gourmetrestaurant.

Rockmusik – **Kulturbolaget** `2`: Bergsgatan 18, www.kulturbolaget.se. Rockclub, iedere week liveconcerten.

Veelvoud – **Bryggeriet**: Bergsgatan 33, www.chokladfabrik.se. Pub in Chokladfabriken `2`, de voormalige Mazetti-chocoladefabriek. Concerten op za.-avond, soms ook vr., club nights, dans.

Voor operaliefhebbers – **Malmö Opera** `3`: Östra Rönneholmsvägen 20, www.malmoopera.se. Gerenommeerd opera- en muziektheater.

Info en evenementen

Toeristische informatie

Malmö Turistbyrå: Börshuset (tegenover het station), Skeppsbron 2, 211 20 Malmö, tel. 040 34 12 00, www.malmo town.com. Een tweede informatielocatie, **Skånegården,** bevindt zich bij de laatste afslag vóór de Sontbrug.

Evenementen

Malmöfestivalen (in aug.): groot feest met *kräftskiva* (kreeften eten) op het Stortorget, eettentjes, openluchttheater, drakenbootwedstrijden en nog veel meer.

Vervoer

Stadsvervoer: De bezienswaardigheden in de stad zijn gemakkelijk te voet te bezoeken; stadsbussen onder meer naar Västra Hamnen (nr. 2); kaartjes zijn te koop op de stations Centralen en Triangeln (geen contante verkoop op de bus, zie. blz. 74).

Trein: onder meer naar Stockholm, Lund/Eslöv, Ystad en Karlskrona. De Öresundståg gaat naar Kopenhagen en Helsingborg-Göteborg. Een tweede Citytunnelstation naast Centralen is Triangeln in het zuiden van de stad.

Bus: naar Kopenhagen, Trelleborg, Skanör-Falsterbo, Ystad, Lund en Jönköping.

Vliegtuig: vanaf het 30 km zuidoostelijk gelegen vliegveld Sturup vluchten naar Stockholm en Göteborg (bus naar het vliegveld), het dichtstbijgelegen internationale vliegveld is Kastrup bij Kopenhagen (via Öresundståget).

Veerboot: naar Travemünde met Finnlines (zie blz. 22)

Uitstapje naar Höllviken

▶ C 15

Bärnstensmuseet (barnsteenmuseum)

Södra Mariavägen 4, Kämpinge, www.brost.se, juli-midden aug. dag. 10-18, midden mei-juni, midden aug.-okt. 11-17, nov.-midden mei za./zo. 11-15 uur, 20 SEK

Op het schiereiland Falsterbo, het zuidwestelijke puntje van Zweden, komen niet alleen elk voorjaar de eerste trekvogels uit het zuiden aan, de stranden behoren ook tot de rijkste aan barnsteen in de Oostzee. In het Bärnstensmuseet worden mooie exemplaren van deze fossiele edelsteen tentoongesteld, die geen steen is, maar uit de hars bestaat die 30-50 miljoen jaar geleden in zee droop, toen de kusten van de Oostzee omzoomd waren door dichte bossen. Bijzonder waardevol zijn stukken met insluitsels, zoals insecten of plantendelen. Het kleine museum heeft ook tijdelijke tentoonstellingen over de regio, die in de prehistorie dicht bevolkt was.

Vikingdorp Foteviken

Museivägen 24, Höllviken, www.fotevikensmuseum.se, mei-midden sept.

Malmökortet

Met de kortingskaart 'Malmökortet', verkrijgbaar bij het turistbyrå, kunt u tegen korting een sightseeingtocht maken, de stadsbussen gebruiken en parkeren op bepaalde parkeerplaatsen, naast toegang tot enkele van de musea.

di.-vr., juni-aug. dag. 10-16 uur, volw. 80 SEK, gezin 200 SEK

Een met palissades versterkt dorp bewoond door langharige, bebaarde mannen in ruwe wollen kleding, met speren in hun handen? Dergelijke vikingromantiek treft u aan in Höllviken. De vikinghaven, die hier 1000 jaar geleden was, werd beschermd door een barrière van boomstammen tegen aanvallen vanaf zee. Nu wonen er weer ongeveer een dozijn overtuigde 'Vikingen' in de 20 huizen en tenten. Op uitnodiging van mooie vrouwen in de nederige hutten, waar het haardvuur brandt, kunt u tijdens een rondleiding beleven hoe het dagelijks leven 1000 jaar geleden was. Af en toe, wanneer handwerkslieden op bezoek zijn, kunnen de bezoekers meedoen aan het smeden of boogschieten.

Lund ▶ D 14

Belangrijkste bezienswaardigheid van de gezellige universiteitsstad (101 300 inwoners), die – oorspronkelijk Deens – een van de oudste steden van Zweden is, is de romaanse kathedraal. Lund is sinds 1103 aartsbisdom en was lang het spirituele en culturele centrum van het noorden, tot steden als Uppsala en Stockholm de stad voorbij streefden. In de 14e eeuw waren er in Lund 27 kerken en zeven kloosters. Ten oosten van de kathedraal liggen mooie wijken en met kasseien geplaveide straten, lage oude huizen, cafés en talrijke leuke winkeltjes.

Bezienswaardigheden

Dom en universiteit

De bouw van de kathedraal begon rond 1080 en eindigde in 1145 met de inwijding van de kerk. Het oudste deel is de

1123 ingewijde crypte met een plafond dat wordt ondersteund door gebeeldhouwde pilaren. Een stelt de reus Finn voor, die volgens de legende de kerk ooit voor de heilige Laurentius (Lars) gebouwd zou moeten hebben. De beste tijd voor een bezoek aan de imposante kathedraal is rond de middag of in de vroege namiddaguren, als het astronomische uurwerk uit de 14e eeuw in beweging komt (ma.-za. 12 en 15, zo. 13 en 15 uur).

De bij Zweedse en buitenlandse studenten in gelijke mate populaire **universiteit** is de grootste van Noord-Europa. Ze werd in 1668, tien jaar nadat Skåne in Zweedse handen was gekomen, opgericht om de regio te versterken en beter te kunnen 'verzweedsen'. Het hoofdgebouw is in 1880 gebouwd, de afzonderlijke faculteiten zijn over de stad verspreid. Tussen het centrale universiteitsgebouw en de Dom ligt de Lundagård, een park met mooie oude bomen.

Openluchtmuseum Kulturen

www.kulturen.com, mei-aug. dag. 10-17, verder di.-zo. 12-16 uur, 90 SEK
Ook in de buurt van de kathedraal ligt op Tegnérplatsen het openluchtmuseum Kulturen. Het in in 1892 geopende, uitzonderlijk goed toegeruste openluchtmuseum toont in aanvulling op tijdelijke tentoonstellingen in het moderne museumgebouw vooral alledaagse geschiedenis van vroeger: meubels, kunstnijverheid en archeologische vondsten uit het middeleeuwse Lund. Ze worden gepresenteerd in ongeveer 30 gebouwen, die deels uit andere delen van Skåne naar hier werden overgebracht.

Veel kon ook op dezelfde plek blijven staan, zoals de huizen in enkele oude steegjes, evenals een paar straathoeken verderop **Hökeriet** (hoek Sankt Annegatan/Tomegapsgatan), een winkel met een inrichting uit 1906 en een bijpassend assortiment (za., zo. 12-16 uur, toegang gratis).

Skissernas Museum

Finngatan 2, www.adk.lu.se, di., do.-zo. 12-17, wo. 12-21 uur, 50 SEK; toegang beeldentuin gratis
Sinds 1934 verzamelt het museum materiaal over de kunst in de openbare ruimte in Zweden. Maar ook schetsen, studies en modellen voor de werken van Henry Moore, Mexicaanse wandschilderingen uit de jaren 20 van de vorige eeuw en de kleurrijke schilderijen van de Franse kunstenares Sonia Delaunay zijn er te zien. Bezoekers krijgen een blik op het creatieve proces en kunnen als het ware 'in het hoofd' van de kunstenaars kijken.

Overnachten

Verzorgd – **Hotel Concordia:** Stålbrogatan 1, tel. 046 13 50 50, www.concordia.se, 995-1995 SEK/2-pk. Zeer fraai historisch gebouw in een rustige zijstraat.
Origineel, maar eenvoudig – **STF Vandrarhem Tåget:** Vävaregatan 22, Bjeredsparken, tel. 046 14 28 20, www.trainhostel.com, vanaf 180 SEK /pers. in 2- of 4-bedskamers in een uitgerangeerde trein, voor mensen die niet veel ruimte nodig hebben – zeer smalle britsen.

Eten en drinken

Trendy keuken op een zijspoor – **Godset:** Bangatan 3-5, tel. 046 12 16 10, www.godset.se, ma.-vr. 11-23, za. 12-24, zo. 12-22 uur, burgers en nachos ca. 100-140 SEK, lunch (ma.-vr.) 79 SEK. Trendy 'stationscafetaria' in de stijl van een Amerikaanse diner.   ▷ blz. 86

Ven – eiland voor sterrenkijkers

Op mooie zomerdagen is het 7,5 km² grote eiland in de Öresund een geweldige bestemming: bos, akkers en weiden, kliffen en duinen. Maar dat is nog niet alles. Op het eiland werd wetenschappelijke geschiedenis geschreven: Vanaf hier deed Tycho Brahe, de heer van het eiland en astronoom, een greep naar de sterren. Zonder telescoop ontdekte hij in 1572 een supernova in het sterrenbeeld Cassiopeia en deed hij baanbrekende ontdekkingen over de bewegingen van de planeten.

Kaart: ▶ C 14

Info: www.tychobrahe.com; Tycho-Brahe-Museum apr.-midzomer, derde week aug.-sept. dag. 10-16, midzomer-derde week aug. 10-18, okt. za./zo. 10-16 uur, 60 SEK (met klankbeeldshow Stjärneborg).

Reizen naar Ven: Veerboten vanaf Landskrona (ca. 30 min., tel. 0418 47 34 73, www.ventrafiken.se), 's zomers ook boten vanaf Helsingborg (Rååbåtarna), Kopenhagen (Spar Shipping), Helsingør (DK; Harald Blåtand). Bussen op de hoofdwegen van Ven. Fietsverhuur.

Of het nu met de bus of met de fiets is, de weg van de veerboot omhoog naar het midden van het eiland leidt direct naar de spaarzame fundamenten van **Uraniborg slott**. De heer van het eiland, Tycho Brahe (1546-1601), liet het vanaf 1576 op het hoogste punt van het eiland 45 meter boven de zee bouwen. Hij was een telg van een invloedrijke adellijke familie in het toen nog bij Denemarken behorende Zuid-Zweden. Als 14-jarige raakte hij onder de indruk van een zonsverduistering en schreef zich in als student sterrenkunde aan de universiteit van Kopenhagen. De Deense koning waardeerde hem ook als astroloog en gaf hem Ven voor het leven, verzekerde hem de opbrengsten van andere landgoederen en bevorderde – overeenkomstig de ambitie van een wereldmacht – een wetenschappelijk onderzoeksprogramma. Tycho Brahe bleef 21 jaar op het eiland Ven. Toen hij meer ruimte voor zijn observatieapparatuur nodig had, liet Brahe naast het kasteel het ondergrondse observatorium Stjärneborg bouwen. In de crypte toont een klankbeeldshow de bezoekers op indrukwekkende wijze de nachtelijke hemel zoals Tycho Brahe die zag.

Kwadratuur van de cirkel

Uraniborg slott was omgeven door een renaissancetuin, waarvan de symmetrische vorm het zinnebeeld was voor de goedgeordende kosmos, de aarde dacht men zich als een vierkant, de hemel als een cirkel. Op de vier hoeken van het vierkant waren poorten en de tuin werd omgeven door een hoge aarden wal. Inmiddels is de kasteeltuin gereconstrueerd. In de bloembedden groeien sierplanten en kruiden, die in de 16e eeuw in Europese tuinen gebruikt werden. Midden op het terrein staat een meer dan levensgroot, grijs standbeeld van Tycho Brahe, de astronoom met de kanten kraag.

Kerkschat en calorieën

De middeleeuwse trapgevelkerk **Sankt Ibb** aan de westkant van het eiland heeft herinneringen aan Tycho Brahe: onder meer een door hem geschonken altaarstuk uit 1578 en zijn portret – een geschenk ter gelegenheid van zijn 300e geboortedag in 1846. Beneden in de haven **Kyrkbacken** kunt u de inwendige mens versterken in het restaurant Hamnkrogen of in de rokerij (alleen 's zomers).

Astronomie in beeld

De hoge toren in de buurt van Uraniborg markeert de laatste stop van de rondrit: In de voormalige parochiekerk Allhelgonakyrkan werd in 2005 het **Tycho Brahe Museum** ingericht. Brahes wetenschappelijke instrumenten, een stalen kwadrant en een astronomische sextant – gereconstrueerd door deskundigen uit Tsjechië – behoren tot de belangrijkste voorwerpen. Met films, archeologische vondsten, modellen en beelden wordt het leven en werk van de wereldberoemde wetenschapper gedocumenteerd. Tycho Brahe werkte vanaf 1597 in Praag als hofastronoom van keizer Rudolf II en gaf zijn kennis van de bewegingen van de planeten door aan zijn leerling Johannes Kepler – die op zijn beurt de basis legde voor de huidige ruimtevaartprogramma's.

'Pad van de planeten'

Uitgaande van een model van de zon voor het museum voert de **Planetstigen** (pad van de planeten) terug naar de haven Bäckviken. Langs de route zijn de planeten in hun verhouding tot de zon en overeenkomstig hun grootte op verschillende stations geplaatst. In deze wandeling door ons zonnestelsel worden hun afmetingen duidelijk. Niet alle planeten passen op het kleine eiland: de buitenste planeten, Uranus en Neptunus, hadden dan midden in de Öresund moeten worden geplaatst.

Studentenvoer – **Ariman:** Kungsgatan 2, www.ariman,se, ma.-do. 11-0/1, vr./za. 11-3, zo. 13-23 uur. Lichte kost, niet alleen vegetarisch, onder meer soepen en *paj*, ca. 50 SEK. Vr./za. club nights.

Uitgaan

In het park – **Café Mejeriet:** Stora Södergatan 64, tel. 0708 78 85 26, www. kulturmejeriet.se. Regelmatig livemuziek, film, theater, za. jazzbrunch.

Informatie

Toeristische informatie

Lunds Turistbyrå: Botulfsgatan 1A (bij Stortorget), 221 00 Lund, tel. 046 35 50 40, www.lund.se/turism.

Vervoer

Trein: naar Stockholm, Göteborg, Malmö, Helsingborg, Eslöv, Landskrona, Karlskrona.
Bus: naar Malmö, Kopenhagen en Jönköping.

Landskrona en omgeving ▶ C 14

Rust straalt Landskrona uit, waarvan de bezienswaardige, halverwege de 16e eeuw opgetrokken **citadel** (www.cita dellet.com, eind juni-derde week van aug. di.-zo. driemaal per dag rondleidingen, 60 SEK) een van de bestbewaarde van de vele vestingwerken langs de westkust is.

In het **Haijiska huset** (Kungsgatan 13) tegenover Hotel Öresund woonde in 1885-1897 Selma Lagerlöf, die hier les gaf op een meisjesschool en er het boek *Niels Holgerssons wonderbare reis* schreef.

Langs de weg van Landskrona naar Råå en Helsingborg krijgt u vanaf een heuvel vlak voor Glumslöv een prachtig uitzicht terug over Landskrona en het eiland Ven (zie Op ontdekkingsreis, blz. 84). Via het pittoreske vissersdorpje Råå, van waaruit 's zomers boten naar Ven vertrekken, komt u in Helsingborg.

Info

Toeristische informatie

Landskrona & Vens Turistbyrå: Regeringsgatan 13 (stadsbibliotheek), 261 36 Landskrona, Tel. 0418 47 30 00, www. landskrona.se/turist.

Vervoer

Trein: Landskrona ligt aan het traject Kopenhagen-Malmö-Göteborg van de Öresundståg.
Veerboot: naar Ven, zie. blz. 84.

Helsingborg ▶ C 14

Helsingborg (121.500 inwoners) ligt op het smalste punt van de Öresund, op 20 minuten met de veerboot van het Deense Helsingør. Het uitzicht over de Öresund reikt tot aan Kronborg slot, onder de naam Elsinore bekend als schouwtoneel in Shakespeares *Hamlet*.

De stad Helsingborg werd al in 1085 vermeld in documenten en was ooit een van de felst betwiste steden in Zweden, niet verwonderlijk met deze strategische ligging. In de 17e eeuw getroostte Zweden zich aanzienlijke inspanningen om de stad, die deel uitmaakte van het Deense grondgebied, te annexeren. Zes keer veroverden ze Helsingborg, maar verloren de stad telkens weer aan de Denen. Uiteindelijk was de Zweedse heerschappij pas in 1710 verzekerd na een zeer heftige strijd, die wordt beschouwd als de bloedigste op Zweedse bodem.

Helsingborg toont nu tamelijk chic, zelfs deftig. De met moderne woon- en kantoorgebouwen bebouwde industriegebieden van de noordelijke haven geven de stad een ultramoderne, frisse indruk.

Bezienswaardigheden

Dunkers Kulturhus

Kungsgatan 11/Sundstorget, www. dunkerskulturhus.se, di.-wo., vr. 10-18, do. 10-20, za./zo. 10-17 uur, 70 SEK (tentoonstellingen)

Het in 2002 geopende Dunkers Kulturhus heeft zeer goede tentoonstellingen van hedendaagse kunst en het stadsmuseum maakt met een multimediapresentatie van de door de Öresund beinvloede geschiedenis van Helsingborg indruk. Het moderne gebouw biedt ook onderdak aan theater- en concertzalen, een goed gesorteerde designwinkel, het turistbyrå en een restaurant – dat alles met uitzicht door grote glazen ramen op de Öresund en het reilen en zeilen in de jachthaven.

Stortorget en omgeving

Op **Stortorget**, de grote markt, naast het stadhuis uit 1897 herinnert het standbeeld van Magnus Stenbock aan de bloedige strijd van 1710 tegen de Denen. Op de markt begint een van de oudste voetgangersgebieden van Zweden, **Kullagatan**, met mode- en andere winkels.

In de tegenovergestelde richting bereikt u de **Sankta Maria kyrka** in de Södra Storgata (ma.-za. 8-16, zo. 9-16 uur). Deze kleine bakstenen kerk gaat terug op een romaanse zandstenen kerk uit de 12e eeuw, die in de 15e eeuw door de huidige gotische werd vervangen.

In de Norra Storgatan ten noorden van het Stortorget staan enkele fraaie vakwerkhuizen, zoals **Jacob Hansens hus** (nr. 21), het oudste woonhuis van de stad (1641); de oude, gebeeldhouwde

fontein ertegenover herinnert aan Tycho Brahe (z. blz. 84).

Kärnan

Apr.-mei, sept. di.-vr. 9-16, za./zo. 11-16, okt.-mrt. di.-zo. 11-15, juni-aug. dag. 10-18 uur, 40 SEK

Overheerst wordt de stad door de 34 m hoge vestingtoren Kärnan uit de 14e eeuw. De vele traptreden zijn de moeite waard om te beklimmen: Van boven opent zich, bij helder weer, een fantastisch uitzicht over de Öresund tot aan Denemarken en zijn Deense tegenhanger, Kronborg slot.

Openluchtmuseum Fredriksdal

Gisela Trapps väg, ca. 1,5 km ten oosten van het centrum, www.fredriks dal.se, apr., sept. dag. 11-17, mei-aug. 10-18, okt.-mrt. 11-16 uur, 80 SEK

Een mooie uitstapje, vooral voor gezinnen met kinderen en tuinliefhebbers, gaat naar het openluchtmuseum Fredriksdal. Naast het landgoed uit de 18e eeuw behoort een typische boerderij uit Skåne en stadsstraatje met een drukkerij, waarvan de machines af en toe nog in bedrijf zijn, tot het openluchtmuseum. Pronkstukken zijn de rozentuin en een volgens de ideeën van Carl Linnacus aangelegde botanische tuin. Wie geïnteresseerd is in oude variëteiten van groenten, zou eens rond moeten kijken in de moestuin. Uitstekend zomercafé – exploitant is het restaurant Gastro (zie Eten en drinken, blz. 89).

Overnachten

Doelmatig en centraal – **Cityvandrarhemmet:** Järnvägsgatan 39, tel. 042 14 58 50, www.cityvandrarhemmet.com, 2 pk vanaf 595 SEK incl. ontbijt (douche en WC op de gang, beddengoed 55 SEK extra). De absoluut gunstige ligging direct bij het station en de veerterminal is

het grote voordeel van dit budgethotel; keuken voor de gasten.

Zeer geliefd – **Råå Vallar**: Kustgatan, tel. 042 18 26 00, www.nordiccamping. se, hele jaar., standplaats vanaf 190 SEK. Grote camping 500 m van Råå (5 km ten zuiden van Helsingborg) langs het zandstrand (met naaktstrand), busverbinding, ook trekkershutten (vanaf 650 SEK).

Eten en drinken

Adressen van eetgelegenheden op www. destinationhelsingborg.se.

Gourmetkeuken – **Restaurang Gastro**: Södra Storgatan 11-13, www.gastro.nu, tel. 042 24 28 70, wo.-za. 18-24 uur. Bistrogerechten in Bistro G 100-285 SEK, 3-gangenmenu 595 SEK. Het toprestaurant van Per en Sara Dahlberg behoort tot de tien beste van heel Zweden.

Verse vis – **Roy's Fisk & Servering**: Kajpromenaden 21 (aan de noordelijke haven), tel. 042 13 31 31. Vishandel en -restaurant, voordelig, zonder pretenties en goed. Lunch 75 SEK (ma.-vr. 11.30-14), à la carte 195-225 SEK. 's Zondags haringbuffet met zeven soorten haring 159 SEK (vanaf 12 uur).

Info

Toeristische informatie

Turistbyrå Helsingborg: Dunkers kulturhus, Kungsgatan 11, 252 21 Helsingborg, tel. 042 10 43 50, www.helsing borg.se.

Vervoer

Trein: naar Stockholm, Lund, Landskrona, Kristianstad en Karlskrona. Hel-

singborg ligt langs het traject Kopenhagen- Malmö-Göteborg (Öresundståg). **Bus**: onder meer naar Höganäs, Lund, Halmstad en Ängelholm. **Veerboot**: naar Helsingør (DK).

Omgeving van Helsingborg

Sofiero slott ▶ C 14

ca. 5 km ten noorden van de stad, www.sofiero.se, paleis apr.-eind sept. dag. 11-18 uur, park 10-18 uur, 80 SEK Het idyllisch te midden van oude bomen aan de Öresund gelegen paleis werd in 1864 gebouwd voor kroonprins Oscar als zomerverblijf voor zichzelf en zijn vrouw Sophia – vandaar de naam Sofiero. Later werd het eigendom van koning Gustaf VI Adolf, die hier in de zomer regeringsvergaderingen hield en met premier Tage Erlander in het park overlegde – een zinnebeeld voor de overeenkomst tussen de monarchie en de sociaal-democratische partij, die in die tijd nog steeds de roep om de oprichting van de republiek in het partijprogramma had staan. In het paleis, dat vanaf de terrassen uitkijkt over de Öresund, worden kunsttentoonstellingen gehouden, waarbij ook het park wordt betrokken. Naast bloembedden en meer dan 10.000 rododendrons zijn er sculpturen, een totempaal en een doolhof voor kinderen.

Wallåkra Stenkärlsfabrik ▶ C 14

Vallåkra, 15 km ten zuidoosten van Helsingborg, www.wallakra.com, Mi-vr., za. 10-16, eind juni-midden aug. dag. 11-17, adventstijd 12-16 uur In de in 1864 opgerichte fabriek in het kleine stadje Vallåkra werd keramiek geproduceerd volgens historische recepten van in de regio gedolven klei: voorraadpotten, kruiken en rustiek vaatwerk met het typische zoutglazuur.

Ingesloten in hemelsblauw: het neogotische raadhuis van Helsingborg

U kunt kijken als de pottenbakkers aan het werk zijn, in de fabriekswinkel rondkijken of tafelen in het café-restaurant met een ambitieuze keuken. Fraai is ook een wandeling in het aangrenzende, beschermde dal van de rivier Råå.

Eten en drinken

Koninklijk genieten – **Sofiero Slottsrestaurang:** Sofiero slott, www.sofieroslottsrestaurang.se, tel. 042 14 04 40, ma.-vr. 12-14, di.-za. 18-22, zo. Brunch 11.30-16 uur, lunch 165-325 SEK (1-3 gangen). Vanaf de glazen veranda heeft u een prachtig uitzicht op de Öresund, in de elegante eetzaal lokken koninklijke geneugten onder kroonluchters. Het restaurant behoort tot de twaalf beste van Zweden.

Schiereiland Kullen

▶ C 13/14

'Want het is zo gesteld, dat de Kullaberg niet op het land staat met vlakten en dalen om zich heen, zoals andere bergen, maar hij is zover in zee gelopen, als hij maar komen kan. Geen enkel strookje land ligt er voor de berg om hem tegen de golven van de zee te beschermen. Die komen tot vlak bij de bergwand, en kunnen die afronden en vervormen naar hun welbehagen. Daarom zijn de berghellingen er zo sierlijk, zoals de zee en haar handlangers, de winden, ze hebben toegetakeld. Er zijn ruwe, diep in de bergwand ingesneden kloven en zwarte, uitstekende rotsen, die onder de constante zweepslagen van de zee zijn gladgeschuurd.' Treffender dan Selma Lagerlöf kan men het noordwestelijke puntje van het schiereiland Kullen niet beschrijven, dat zeker tot de mooiste delen van Skåne behoort, ook al omdat de berg

wordt bekroond door een hoog berkenbos, waarvan de bodem in het voorjaar bedekt is met bloemen: er staan onder meer anemonen, viooltjes en leverbloempjes. Ook om die reden is de Kullaberg een populaire bestemming en in het weekend meestal druk.

Mölle ▶ C 13/14

Rond de badplaats Mölle hangt de sfeer van een kuuroord en boven de jachthaven torent stijlvol het Grand Hôtel uit. Tot het uitbreken van de Eerste Wereldoorlog vierden hier vooral Denen en Duitsers vakantie, de Duitse keizer had die eer in 1907. Tegenwoordig vormen de Zweden het merendeel van de gasten. Aan het begin van de 20e eeuw schokte de bouw van een eerste gemeenschappelijk zwembad voor mannen en vrouwen de gemoederen heftig. Gevreesd werd voor een volledig verval van de zeden.

Krapperups slott

Bij Nyhamnsläge, www.krapperup.se, Café en winkel apr., mei, sept. za./zo., feestd. 11-17, juni-midden aug. dag. 11-17 uur, park hele jaar dag., toegang gratis

Het kasteelpark ten zuiden van Mölle bewijst dat men niet alleen in Engeland weet hoe een tuin moet worden aangelegd. Er horen ook een café en een winkel bij. Het particulier bewoonde kasteel van de ooit invloedrijke familie Gyllenstierna vormt af en toe het kader voor tentoonstellingen van hedendaagse kunst (www.krapperupskonsthall.se). De witte ster in de gevel van het bakstenen kasteel uit 1790 verwijst naar de familienaam. 'Guildenstern' is bij Shakespearekenners bekend uit *Hamlet*.

Kullabergs Naturum

www.kullabergsnatur.se, juni-aug. tgl. 10-17, sonst 10 bzw. 11-16 uur

Sinds 1561 wijst Kullens fyr, de hoogste en krachtigste vuurtoren van Zweden, op het puntje van het schiereiland Kullen zeelieden de weg door de moeilijke wateren (geopend midden feb.-nov. dag. 11-16 uur, 20 SEK, zie Favorieten, blz. 92). Aan de voet van de toren werd in de zomer van 2009 een Naturum geopend, dat bezoekers dichter bij de unieke natuur en cultuur van het natuurreservaat brengt. Hier beginnen ook gegidste wandelingen naar de vele grotten in de Kullaberg.

Klimmen op de Kullaberg

▶ C 14

Het terrein van Kullaberg is een populair oefenterrein voor klimmers; beginners dienen voorzichtig te zijn en kunnen zich beter beperken tot de gemarkeerde routes. Dat geldt ook voor de afdaling naar de in totaal 24 grotten, die overwegend aan de noordzijde van het schiereiland zijn te vinden en in de steentijd deels werden bewoond. De grootste van de twee Josephinelustgrotten (Större Josefinelustgrottan) is uitgerust met tafels en banken. In de buurt zijn vier andere grotten die gemakkelijk toegankelijk en voor beginners relatief veilig zijn. Aanbevolen worden de klimtochten onder leiding van een gids, die ook geschikt zijn voor gezinnen met kinderen (vanaf 7 jaar), kaarten en informatie over begeleide tochten in het Naturum.

Höganäs ▶ C 14

Een bezoek aan de aardewerkfabriek **Höganäs Saltglaserat** (tegenover de brandweerkazerne in het centrum van de stad, www.saltglaserat.com, vr. 10-16, za./zo. 11-15, juni-aug. ma.-vr. 10-18, za. 11-16 uur) gunt u een kijkje in de ovens en u kunt er fraai zoutglazuurkeramiek kopen, dat sinds het begin van de 19e eeuw in noordwestelijke Skåne wordt geproduceerd. Veel pottenbakkers die werkzaam zijn in deze regio, stellen hun ateliers open voor bezoekers. Höganäs Keramiskt Centrum is een tentoonstellingsforum (www.keramisktcenter.se, in de Design Outlet, Norregatan 4).

Overnachten

Uitzicht – **Grand Hôtel i Mölle:** Bökebolsvägen 11, tel. 042 36 22 30, www.grand-molle.se, vanaf 1200 SEK/2-pk, kamers met balkon en uitzicht op zee vanaf 1780 SEK/2-pk. Traditioneel en schilderachtig op de Kullaberg gelegen, met gourmetrestaurant.

Golfhotel – **Kullagårdens Wärdshus:** www.kullagardenswardshus.se, tel. 042 34 74 20. Op het golfterrein in het natuurreservaat Kullaberg, uitstekende keuken, speciale aanbiedingen, bijv. golfpakket of weekendpakket, ca. 2000 SEK/pers. in 2-pk met volpension.

Voordelig – **STF Vandrarhem Jonstorp:** Gamla Södåkravägen 127, Jonstorp, tel. 042 12 14 13, vandrarhem@jonstorp.com, vanaf 490 SEK/2-pk. Kleine herberg buiten de stad; 45 bedden met goede matrassen (geen stapelbedden) in 2- en 4-bedskamers, fietsverhuur.

Meer en heide – **First Camp Mölle:** www.firstcamp.se/molle, tel. 042 34 73 84, fax 042 34 77 29, apr.-midden nov., standplaats 225-315 SEK. Bij het natuurreservaat Möllehässle.

Eten en drinken

Deftig – **Tunneberga Gästgivaregård:** Jonstorpsvägen 16, Jonstorp, www.tunneberga.se, tel. 042 36 74 81. Hoofdgerechten vanaf 220 SEK. Dit gezellige restaurant in een typisch ▷ blz. 94

Favoriet

Kullens fyr – licht langs de Sont
▶ C 13

Vuurtorens hebben iets geruststellends: Vast en veilig staat ook Kullens fyr op een hoog punt op de Kullaberg. Zijn licht schijnt over de Öresund, een van de drukst bevaren scheepvaartroutes ter wereld. Vanaf de top van de meer dan 100 jaar oude vuurtoren, die de bezoeker via een smeedijzeren wenteltrap kunnen beklimmen, is het uitzicht fenomenaal. Er is ook een vuurtorenwachter – maar hij komt er tegenwoordig alleen nog maar om de handgeslepen prisma's van de lens te reinigen. Die bundelt het licht voor de signalen die Kullens fyr over de Öresund stuurt.

Tip

Cafetaria met traditles ▶ C 14

Zelfs toenmalige koning Oscar II nam graag een koffiepauze in Café Flickorna Lundgren langs de weg naar Jonstorp als hij voorbij kwam met zijn koets. Tot op de dag van vandaag wordt het café bestierd door afstammelingen van de 'Lundgrenmeisjes', die koffie in koperen potten en zelfgebakken koekjes en brood serveren. De grote tuin is op mooie zomerdagen druk. Op eenvoudige houten tafels onder de fruitbomen maakt u het zich gemakkelijk met een *kaffe med dopp*, koffie met koekjes, met goede boter gebakken! Speciaal aanbevolen: vanilleharten, ooit koning Oscars favorieten, of een *skånering* van bladerdeeg met kardemom. Een brede selectie van vruchtensappen (Skäret, www.fl-lundgren. se, mei-midden sept. dag.).

Skåns vakwerkhuis met lage plafonds ligt midden in het dorp: Er worden regionale gerechten geserveerd, zoals *äggakaka* of *köttbullar* (lunch 95 SEK), Cafetaria met uitzicht – Ellens Café: Kullen, tel. 042 34 76 66, www.ransvik. se, apr., sept. vr.-ma., juli-aug. dag. 11-17 uur. De afdaling naar de baai is de moeite waard! Heerlijke koffie, wafels, gebak en lunchgerechten (50-150 SEK), terrastuin boven de rotsachtige baai met uitzicht op Mölle.

Actief en creatief

Vooral zand – **Stranden:** Zandstrand tussen Viken en Nyhamnsläge, kliffen in Mölle, Kullen en Arild. Vejbystrand: mooi, 5 km lang zandstrand in de baai Skälderviken (noordelijk, bij Ängelholm).

Info

Toeristische informatie

Höganäs & Kullahalvöns Turistbyrå: Centralgatan 20, 263 82 Höganäs, tel. 042 33 77 74, www.hoganas.se, www. kullabergsnatur.se, www.kullen.se.

Bjärehalvön ▶ C 13

Het Bjärehalvön nodigt uit met goede badstranden en jachthavens. Langs de noordwestelijke rand duiken bij Hovs hallar bizarre rotsformaties dramatisch op uit zee. Hier zijn de schaakscènes uit Ingmar Bergmans *Het Zevende Zegel* gefilmd.

Båstad ▶ C 13

De belangrijkste stad (14.000 inwoners) van het schiereiland langs de Laholmsbukten, vooral bekend als locatie van een groot tennistoernooi en als vestigingsplaats van het Zweedse Tennisgymnasium, waar beroemde spelers hun vak leerden. In het stadion langs de zee vinden sinds het midden van de jaren 20 van de vorige eeuw ieder jaar de open Zweedse tenniskampioenschappen plaats, waaraan koning Gustaf V van 1930-1945 deelnam onder het pseudoniem Mr G; naar hem is de Mr G.'s väg langs het tennisstadion genoemd.

De oudste bouwwerken in Båstad zijn de huizen in de Agardhsgatan; ze overleefden als enige onbeschadigd de grote brand van 1870. De rond 1500 voltooide Mariakyrka bevat indrukwekkende fresco's in sacristie en zijbeuken.

Ten westen van Båstad

Norrvikens Trädgårdar ▶ C 13

www.norrvikenstradgardar.se, juni-aug. dag. 10-17 uur, 60 SEK; restaurant gehele jaar

De tuinen ten noordwesten van Båstad zijn de moeite waard voor een dagtocht. Met barokke tuin, Japanse tuin, renaissancetuin, rozarium, een poppenmuseum, kunstnijverheidwinkels (glas, keramiek), galerie en restaurant bieden ze tal van bezienswaardigheden. De fruitonderzoeker en tuinarchitect Rudolf Abelin, een vernieuwer van de fruitteelt in Zweden, legde de tuin zo'n vijftig jaar geleden aan.

Torekov ▶ C 13

De kleine badplaats en jachthaven Torekov is tegenwoordig beroemd als trefpunt voor beroemde en rijke Zweden; navenant hoog is het prijsniveau van de restaurants en cafés. Inmiddels hebben talrijke kunstgaleries hun deuren geopend in het dorp.

Hovs hallar ▶ C 13

De spectaculaire rotskust (zie. afb. blz. 48) nodigt uit tot lange zwerftochten te voet, waarbij overigens voorzichtigheid is geboden, want de rotsen kunnen glibberig zijn.

Hallands Väderö ▶ C 13

Voor de kust ligt het unieke natuurgebied Hallands Väderö, een eiland met eikenbossen, zand- en rotsstranden en een rijke flora en fauna: onder meer een zeehondenkolonie en in de zomer broedende zeevogels en kans op bijzondere waarnemingen in de trektijden (boot hele jaar vanaf Torekov, hoogseizoen midden juni-begin aug. dag. ieder uur tussen 9-16 uur, tel. 0431 36 30 45, www.vaderotrafiken.se).

Overnachten

Ouderwets gezellig – **Hjortens Pensionat:** Roxmansvägen 23, Båstad, tel. 0431 701 09, www.hjorten.net, juni-aug., prijs per week en persoon in 1-pk vanaf 4000 SEK, 2-pk vanaf 3600 SEK. Liefdevol ingerichte kamers met ouderwetse charme – zonder televisie – in het oudste zomerpension van het dorp. Restaurant (juli-sept.).

Op het strand – **First Camp Båstad/ Torekov:** ten noorden van Torekov, tel. 0431 36 45 25, www.camping.se/ L9, www.firstcamp.se/torekov, midden apr.-eind sept., standplaats 155-305 SEK. Ook luxueuze trekkershutten (650-1700 SEK per dag).

Eten en drinken, uitgaan

Chic – **G. Swensons krog & café:** Pål Romares gata 2, Torekov, tel. 0431 36 45 90, www.swensons.net, Pasen-sept. dag. 12-17, 18-21 uur. Hoofdgerechten 200-250 SEK, menu 460 SEK. Visrestaurant met ambitieuze keuken aan de haven van Torekov in een voormalige winkel uit 1907.

After Beach – **Pepe's Bodega & Papas Restaurant:** Hamngatan 6, Båstad, tel. 0431 789 80, www.pepesbodega.se. Disco op het strand; pizza's op het terras, à la carte in het relatief voordelige restaurant.

Actief en creatief

Zand en surf – **Stranden:** Hemmeslöv, vlak zandstrand en goed surfgebied; Båstad: Malens havsbad met verwarmd zeewater; Skansenbad.

Pure ontspanning – **Wellness:** Warmbadhuis van Torekov, onder meer met zeewierbaden en massage, slechts 5 m van het strand, tel. 0431 36 36 32, www.torekovswarmbadhus.com.

Naar de zeehonden – **Boottochten:** Hallands Väderö vanaf Torekov, zie. blz. 95.

Natuurlijk 'voetlicht' en golven tot de horizon – de kust van Halland in de avond

Info en festiviteiten

Toeristische informatie

Båstad Turism: Köpmansgatan 1, Box 1096, 269 21 Båstad, tel. 0431 750 45, www.bastad.com. **Torekovs turistbyrå:** Hamnplan, tel. 0431 36 31 80, www.torekov.se, hele jaar ('s winters niet dag.).

Evenementen

Tennistoernooi Swedish Open (begin-midden juli): in Båstad; www.swedishopen.org.

Vervoer

Vliegtuig: vanaf vliegveld Ängelholm/Helsingborg (25 km) dag. verbindingen met onder meer Stockholm, www.angelholmhelsingborgairport.se. **Trein:** de treinen naar Göteborg, Malmö en Kopenhagen stoppen in Båstad.

Laholm ▶ C 13

De oudste stad van Halland (23.000 inwoners), gesticht in 1231, draagt in het wapen drie zalmen – ze dankt zoals de hele provincie Halland (waarvan de zalm het landschapsdier is) haar rijkdom aan de vangst en verkoop van de vissen, die ooit talrijk van zee de rivier Lagan opzwommen. Na de bouw van een waterkrachtcentrale op het eiland in de rivier naast de ruïne met het kasteel was hun weg versperd en begon men een zalmenkwekerij (tentoonstelling juni-aug. ma.-vr. 13.30-15.30 uur).

De oude stadskern Gamleby toont met lage baksteen- en vakwerkhuisjes als een typische stadsidylle. In Gamleby staat ook de **Sankt Clemens kyrka** met een toren uit 1632. Vier van de ramen in het koor zijn van Erik Olson, die tot de Halmstadgroep behoorde (zie blz. 98).

Laholm wordt wel beschouwd als de 'kleine stad met de grote kunstwerken'. Gefinancierd werden de vele sculpturen in het stadsbeeld met de inkomsten uit theaterfestivals. Ook aan de zalm is een beeldhouwwerk gewijd: Op Stortorget eert John Lundqvists sculptuur **Lagafontän** de rivier de Lagan (1933). De figuren, de rivierman, de zalmjongen en het parelmeisje, symboliseren de rivier, de zalm en de parels uit de hier vroeger opgeviste mosselen.

Teckningsmuseet

Hästtorget, www.teckningsmuseet.se, wo.-zo. 12-16 uur, toegang gratis

Het 'museum van de tekeningen' behoort tot Hallands Konstmuseum en is het enige museum van Zweden dat alleen tekeningen verzamelt. In de architectonisch aantrekkelijke uitbreiding van een monumentale, voormalige brandweerkazerne worden werken van Zweedse kunstenaars uit de tijd na 1780 getoond.

Actief en creatief

Zalmen vangen – **Vissen:** Zalmen en zeeforellen komen veel voor in de Lagan; visvergunningen zijn te koop bij het turistbyrå.

Tot het gaatje – **Golf:** een 18-holesgolfbaan in Laholm, nog een in Skogaby (ca. 10 km oostwaarts).

Kindvriendelijk – **Stranden:** 12 km lang zandstrand met goede infrastructuur in Mellbystrand en Skummeslövsstrand.

Info

Toeristische informatie

Laholms Turistbyrå: Rådhuset, Stortorget, Box 78, 312 22 Laholm, tel. 0430 154 50, www.laholm.se.

Vervoer

Trein: naar Malmö en Göteborg.
Bus: naar Halmstad.

Halmstad ▶ C 13

In de in de middeleeuwen grootste stad (88.000 inwoners) van de westkust werden de koningen van de Unie van Kalmar gekozen (zie blz. 42). Een vernietigende brand verwoestte de hele stad in 1619, alleen het kasteel en de stenen Sankt Nikolaikerk overleefden de ramp.

Kasteel en stadscentrum

Het **kasteel** is de zetel van het provinciebestuur en gesloten voor het publiek, alleen op de binnenplaats vinden in de zomer theaterevenementen en concerten plaats. Voor het kasteel ligt het zeilschip **'Najaden'** (1897), een van de kleinste volschepen ooit gebouwd; tot 1938 diende het als opleidingsschip.

Het centrum van de stad langs de Nissan wordt gevormd door het marktplein **Stora Torg**, waar rond de Carl Milles' fontein 'Europa en de stier' levendig handel wordt gedreven. In de westelijk gelegen straten Kyrkogatan en Wallgatan laten vakwerkhuizen zien, hoe de stad er eerder uitzag. Ook bezienswaardig is een naar een plastiek van Pablo Picasso in Zweden gemaakt beeldhouwwerk **Kvinnohuvud** ('hoofd van een vrouw') langs de rivier Nissan.

Hallands Konstmuseum en Hallandsgården

www.hallmus.se, Konstmuseum: Tollsgatan, di., do.-zo. 12-16, wo. 12-20 uur; Hallandsgården: Sofiavägen, Galgberget, gehele jaar toegankelijk, huizen juni-midden aug. 12-18 uur geopend, toegang gratis

Het museum toont een collectie van boegbeelden en geschilderde wandkleden, zoals die in het zuiden van Zweden gebruikt werden in de betere salons, daarnaast wisselende exposities van hedendaagse kunstenaars uit de regio. Tot het provinciaal museum hoort ook het openluchtmuseum **Hallandsgården** aan de rand van de stad met een tiental historische gebouwen uit Halland, met inbegrip van meubilair, boerderijdieren en tuinen.

Mjellby Konstmuseum

5 km buiten de stad in de richting van Steninge, www.mjellbykonstmuseum.se, juli/aug. di.-zo. 11-17, rest van het jaar 12-17 uur, 60 SEK

In Halmstad werkte een groep schilders die onder de naam Halmstadgruppen de kunstgeschiedenis inging. Opgericht in 1929 door de broers Axel en Erik Olson, Waldemar Lorentzon, Sven Jonson, Esaias Thorén en Stellan Möller bestaat de groep eigenlijk pas niet meer sinds de dood van de laatste kunstenaar in 1986. De schilders woonden en werkten een tijdje in Berlijn en bij Fernand Léger in Parijs. In hun werken verbonden ze het continentale kubisme en surrealisme met Zweedse tradities. Erik Olson vervaardigde de glas-in-loodramen van de kerken in Laholm en Halmstad, de hele groep werkte aan het stadhuis van Halmstad. Het museum in de oude school van Mjällby heeft een permanente tentoonstelling met werken van de Halmstadgruppen, grotendeels geschonken door Viveka Bosson, de dochter van Erik Olson.

Overnachten

Spa-hotel – **Hotel Tylösand:** Tylöhusvägen, tel. 035 305 00, www.tylosand.se, spa-pakket vanaf 1695 SEK/pers. in 2-pk. Modern hotel met 230 kamers, beauty center, spa en restaurant. Centrum van het levendige strandgebeuren met after beach, disco en nachtclub.

Cenraal – **STF-Vandrarhem Kaptenshamn:** Stuvaregatan 6-8, tel. 035 12 04 00, www.kaptenshamn.com. 2-pk vanaf 500 SEK, 1-pk vanaf 400 SEK, 26 kamers in een bakstenen gebouw uit 1912 in de buurt van de haven, waar voorheen stuwadoors woonden.

Excellent uitgerust – **First Camp Tylösand:** tel. 035 305 10, www.camping.se/n25, www.firstcamp.se/tylosand, mei-

eind aug., standplaats 180-410 SEK. Grote, fraai gelegen 4-sterrencamping in de buurt van het strand, ook comfortabele hutten en bungalowtenten.

Eten en drinken, uitgaan

Helse avonden – **Lilla Helfwetet:** Hamngatan 37/Ecke Bastionsgatan, tel. 035 21 04 20, www.lillahelfwetet.se, di.-vr. 11.30-14, ma.-vr. 18-1 (vr. tot 3), za. 18-3 uur, lunch 79 SEK, hoofdgerechten 200-235 SEK. Fijne keuken in een voormalige elektriciteitscentrale. In het weekeinde vanaf middernacht doet de 'kleine hel' zijn naam eer aan op de dansvloer.

Actief en creatief

Topbanen – **Golf:** Halmstad noemt zich 'de golfhoofdstad van Zweden', zeven golfbanen liggen in de omgeving, Halmstad Golfklubb (www.hgk.se) in Tylösand is een van de beste van Europa.

Info

Toeristische informatie

Halmstads Turistbyrå: Lilla Torg, 30132 Halmstad, tel. 035 12 02 00, www.destinationhalmstad.se.

Vervoer

Trein: naar Stockholm, Malmö, Göteborg, Jönköping en Nassjö.
Bus: naar Helsingborg, Laholm en Falkenberg.

Falkenberg ▶ C 12/13

De charme van het pittoreske stadje zijn de met kinderkopjes geplaveide straten en de lage houten huizen, die voornamelijk te vinden zijn langs Gåsatorget (ganzenmarkt). Het middelpunt van de schilderachtige oude stad is de **Sankt Laurentius kyrka** (12e eeuw). In de buurt ligt de oudste pottenbakkerij van Zweden, **Törngrens Krukmakeri** (Krukmakaregatan 4, ma.-vr. 9.30-12, 13-16.30 uur), sinds 1789 en zeven generaties in het bezit van dezelfde familie.

Winkelen

Souvenirs – **Törngrens**: Nygatan 34, www.torngrens-krukmakeri.se, ma.-vr. 10-18, za. 10-14 uur. Verkoop van keramiek.

Actief en creatief

Zalmen – **Vissen**: De Ätran is een van de beste zalmrivieren van het land; vissen toegestaan tussen de Tullbron en de Laxbron mrt.-sept., visvergunning verplicht (*fiskekort*; bij het turistbyrå).

Info

Toeristische informatie

Falkenbergs Turistbyrå: Holgersgatan 11, Box 293, 311 34 Falkenberg, tel. 0346 88 61 00, www.visitfalkenberg.se.

Vervoer

Trein: naar Kopenhagen, Malmö en Göteborg.
Bus: naar Halmstad en Varberg.

Varberg ▶ C 12

Een naar Zweedse begrippen 'mondain' resort is Varberg, dat sinds 1823 badplaats is. Destijds werden parken aangelegd en werd op palen in het water het koudbadhuis gebouwd, dat met zijn vijf uivormige koepels wat oosters aan-

Zalmen in overvloed

De Laxbutiken is een waar dorado voor liefhebbers van deze vis. U kunt hem in verschillende variaties kopen – onder meer als zalmsalade, zalmpastei, zalmsoep en zalmpirogues – of meteen proeven in het restaurant, 85-210 SEK (**Laxbutiken**, Heberg, E 6 ten zuiden van Falkenberg, www.laxbutiken.se).

doet. Tegenwoordig kan men zich hier opnieuw ontspannen in een zeewaterzwembad en de sauna (zie Tip blz. 100).

Fästningen/Hallands kulturhistoriskt museum

www.hkm.varberg.se, ma.-vr. 10-16, za./zo. 12-16, midzomer-midden aug. dag. 10-18 uur, 50 SEK
De vesting is de belangrijkste bezienswaardigheid van Varberg en gaat terug op een in de 13e eeuw door de Deense graaf Jacob van Halland gebouwde burcht, die door de volgende eigenaren tot en met de 17e eeuw werd verbouwd en uitgebreid. Kort na de voltooiing werd hij echter overbodig: Halland en Bohuslän kwamen met de Vrede van Brömsebro in 1645 aan Zweden – er was niets meer te verdedigen. Tegenwoordig huisvest de vesting het regionale museum met wisselende tentoonstellingen. Het bekendste voorwerp is de Bockstenman, die in de 14e eeuw leefde. Zijn stoffelijk overschot werd gevonden in een moeras bij Varberg; sensationeel was dat de kleren die hij droeg, nog intact waren.

Overnachten

Dicht bij de zee – **Comwell Kurort Hotell & Spa:** Nils Kreugers väg 5, tel. 0340

Tip

Van de sauna direct de zee in

Van wellness oud stijl genieten bezoekers van het historische **Kallbadhus** (1903) in Varberg. Vanuit de sauna loopt u zo de zee in – zowel 's zomers als 's winters verfrissend (www.kallbadhu set.se, midden juni-midden aug. dag. ab 10, 's winters wo. 13-20, za./zo. 9-17 uur, 60 SEK).

62 98 00, www.varbergskurort.se, vanaf 995 SEK/pers. in 2-pk. Het kuurhotel is rijk aan tradities en biedt in 125 kamers een klassieke elegantie; onder meer zwemmen in een verwarmd zeewaterbad, Romeinse of Turkse stoombaden, qigong staan op het programma (voor daggasten 595-1695 SEK/dag).

Achter Zweedse gordijnen – **Fästningen:** tel. 0340 868 28 (turistbyrå), www. fastningensvandrarhem.se, vanaf 240 SEK per persoon, zonder ontbijt en beddengoed. De ligging van de populaire jeugdherberg maakt de krappe en Spartaanse ingerichte voormalige gevangeniscellen met meestal een of twee britsen goed. Comfortabeler zijn de kamers in de bijgebouwen (vanaf 280 SEK).

Omgeven door de zee – **Getteröns Camping:** 4 km ten noorden van Varberg, tel. 0340 168 85, fax 0340 104 22, www.getteronscamping.se. mei-midden sept., 4-sterrencamping op het rotsachtige schiereiland Getterön ('s zomers veerpontverbinding), standplaats 150-420 SEK, hutten vanaf 450 SEK.

Actief en creatief

Luxueus – **Wellness:** Wellnessprogramma voor daggasten, zie Overnachten.

Surfersparadijs – **Stranden:** Apelviken, ook een goed surfgebied (zeil- en windsurfschool); Träslövsläge, oud vissersdorp met vlak strand. Klippen ten noorden van Varberg: natuurreservaat Getterön, een van de beste vogelgebieden van Zweden met een zeer rijk vogelleven, wandelpaden met kijkschemen, Naturcentrum en Getteröbutiken (kunst, natuurboeken en verrekijkers).
Bloot – **Naaktstrand** (mannen en vrouwen gescheiden) op de rotsen tussen de vesting en Apelviken ten zuiden van de vesting.

Uitgaan

Live – **Societetsparken:** van midzomer tot begin augustus enkele malen per week concerten – van jazz tot pop; ook dans.

Info en festiviteiten

Toeristische informatie

Varbergs Turistbyrå: Brunnsparken, Box 150, 432 24 Varberg, tel. 0340 868 00, www.marknadvarberg.se.

Festiviteiten

Gladjazzdagar (eind juni/begin juli): Dixieland in de open lucht in de straten van Varberg.
Medeltidsdagar (2 dagen begin juli): in de vesting. Middeleeuws feest; informatie bij Fästningen/Hallands kulturhistoriskt museum (zie blz. 99).

Vervoer

Trein: naar Kopenhagen, Malmö en Göteborg.
Bus: naar Falkenberg en Kungsbacka.
Veerboot: naar Grenå (DK).

Wellnesstempel uit een andere tijd: het Kallbadhus in Varberg

Göteborg en Bohuslän

Hoogtepunt ✳

Göteborg: Het brede culturele aanbod, de maritieme sfeer en de trendy restaurants maken de grootste havenstad in Zweden tot een aantrekkelijke bestemming. Tot het museumaanbod in Göteborg behoort naast het Konstmuseum met werken van de Scandinavische impressionisten, het uitstekende kunstnijverheidsmuseum Röhsska Museet. Publiekstrekkers zijn het natuurbelevenis-centrum Universeum, het attractiepark Liseberg en het Maritima Centrum, de grootste verzameling museumschepen in Zweden. Blz. 105

Strömstad

Grebbe-
stad • Tanumshede
• *rotstekeningen*

• Hunnebostrand
Smögen •
• *zeehondensafari's en meer*

Lysekil • *Havets hus*
• *zeekajakvaren voor Orust*
Skärhamn
Akvarell- • • *wandelen op Dyrö*
museet • *Åstol Rökeri*
Marstrand • • **Göteborg**

Bezienswaardigheden

Akvarellmuseet in Skärhamn: Prijswinnend museum met een badstrand ernaast – waar vindt u zoiets? Blz. 118

Havets hus in Lysekil: Haaien en haring komen elkaar tegen in het grote aquarium. Blz. 120

Rotstekeningen bij Tanumshede: De raadselen uit de oertijd verliezen hun magie nooit. Blz. 125

Actief en creatief

Wandelen op Dyrö: Net als de moeflons die op het rotseiland leven, klauteren bezoekers over de rotsen. Blz. 118

Watersport: Zeekajakvaren voor de kust van Orust met een tussenstop bij handelaar Flink. Blz. 119

Zeehondensafari's en meer: Vanuit Lysekil maken bootjes rondvaarten door de scherenkust. Blz. 121

Sfeervol genieten

Åstol Rökeri: Het aanbod van vis en schaaldieren is overvloedig – zelfs garnalen worden gerookt aangeboden. Blz. 118

Kreeftenstad Hunnebostrand: Culinair hoogtepunt in de late zomer is een kreeftensafari, natuurlijk gevolgd door een kreeftdiner. Blz. 122

Uitgaan

Göteborg staat bekend om zijn bruisende nachtleven, niet alleen in het pretpark Liseberg: Kungsportsavenyn en Linnégatan zijn de populairste boulevards voor feestvierders. Blz. 113

Zomernachten: Van midzomer tot half augustus verplaatst een groot deel van het nachtleven zich naar de jachthavens. In **Marstrand, Smögen, Grebbestad** of **Strömstad** ontmoeten de vrolijke zeilers elkaar om samen champagne te drinken en krabben te eten. Blz. 114, 122, 126, 127

Maritieme flair in het westen – rotsen, fjorden, havens

De op een na grootste stad van Zweden, **Göteborg**, ziet er bijna uit als een Midden-Europese metropool, is zeer aantrekkelijk en heeft een divers nachtleven. Midden in de stad ligt Liseberg, een reusachtig attractiepark, en de boulevard Kungsportsavenyn nodigt u uit tot het maken van een lange wandeling, koffie te drinken in een van de vele cafés en 's avonds uit te gaan. Ten slotte ligt de rotsachtige kust van **Bohuslän** praktisch voor de deur, te bereiken met de boot of de regelmatig rijdende bussen, want niet alleen de Gotenburgers brengen er graag het weekeinde en hun vakanties door.

Welke plaats aan de kust van Bohuslän wordt gekozen als uitvalsbasis, is een kwestie van smaak. Tussen midzomer en half augustus kunt u beter van te voren boeken, want dit gebied is ook voor de Zweden een van de populairste vakantiebestemmingen. Geen wonder, want de eilanden Tjörn en Orust, pittoreske vissersdorpjes en mondaine toeristische centra, de rotstekeningen uit de bronstijd in Tanumshede, maar vooral de verleidelijke culinaire hoogstandjes zijn aantrekkelijk genoeg. De westkust is een paradijs voor fijnproevers die een voorkeur hebben voor vis, garnalen of kreeft en er zijn uitstekende restaurants.

Ook nu nog leven veel plaatsen in Bohuslän van de visconservenindustrie, voor een deel ook van de opbrengst van steengroeven, waar sinds het begin van de 20e eeuw roze en grijs graniet wordt gedolven dat in de vorm van straatstenen naar Europa wordt geëxporteerd. De belangrijkste economische factor in deze regio is echter het toerisme. In de zomer groeit de bevolking snel en neemt na het seizoen net zo snel weer af. Dit is voor permanente bewoners niet zonder problemen. De prijzen van grond en huizen stijgen, omdat welvarende stedelingen verlaten boerderijen en vissershuisjes opkopen om ze in te richten als vakantiehuis. De seizoensgebonden bewoners brengen echter alleen 's zomers geld naar de regio, wanneer ze de toeristische infrastructuur gebruiken.

INFO

Toeristische informatie

Göteborgs Turistbyrå: zie blz. 114
Västsvenska Turistrådet: tel. 031 81 83 00, www.vastsverige.com. Verantwoordelijk voor West-Zweden: Bohuslän, Västergötland, Dalsland, Värmland.
Södra Bohuslän: Tel. 0303 815 50, www.sodrabohuslan.com. Informatie over de regio noordelijk van Göteborg.

Vervoer

Göteborg heeft twee vliegvelden: het internationale vliegveld Landvetter en Göteborg-City ten noorden van de stad bij Säve, dat door lowbudgetmaatschappijen wordt aangevlogen. Vanaf het busstation van Göteborg, Nils Ericssonterminalen, rijden bussen onder meer naar Orust (Rönnäng), Tanumshede en Strömstad. Treinen van de Bohuståg via Uddevalla naar Tanum en Strömstad. Uddevalla is eveneens een belangrijk verkeersknooppunt. In het openbaar vervoer in de hele regio woorden magneetkaartnen gebruikt, aan boord kunt u geen kaartjes kopen. Info: www.vasttrafik.se.

Göteborg ✳ ▶ B/C 11

De Gotenburgers noemen hun stad met hun eigen lokale trots in enquêtes herhaaldelijk de mooiste stad van Zweden. De concurrentie met de hoofdstad, Stockholm, die 'aan een stervende binnenzee met de Siberische toendra aan de andere oever' ligt, wordt met veel plezier aangegaan. De Gotenburgers worden beschouwd als levenslustig en openhartig, er heerst een continentale, bijna mediterrane sfeer. Göteborg heeft een tot in de buitenwijken reikend tramnet en de stad heeft een prettige infrastructuur voor voetgangers en fietsers. Dit is met name het geval sinds de ingebruikname in het begin van 2006 van de Citytunnel die het autoverkeer weghaalt van de boulevard Packhuskajen, waaraan veel bezienswaardigheden liggen, en die daarna royaal is verbreed.

Göteborg werd pas in 1621 door Gustav II Adolf gesticht. Immigranten uit Nederland, Engeland en Duitsland hebben hun sporen achtergelaten en waren in hun tijd ook vertegenwoordigd in de gemeenteraad op basis van hun aantal. De stad leefde zeer goed van de internationale handel, die werd afgehandeld via de grootste haven van Noord-Europa. Sinds de sluiting van de grote scheepswerven zet men nu meer in op wetenschap en cultuur.

Haven en centrum noord

Utkiken **1**

Lilla Bommen, mei-eind sept., ma.-vr. 11-16, juli/aug. dag. 11-16 uur

Een goede start voor een wandeling door Göteborg is een bezoek aan een gebouw dat de Zweden trots omschrijven als 'wolkenkrabber': vanaf de 22e verdieping van de 86 m hoge Utkiken heeft u een prachtig uitzicht over de stad en de haven. In het hoge gebouw houden verschillende bedrijven kantoor. Voor het gebouw ligt de gerestaureerde **viermastbark Viking** **1** uit het jaar 1907 permanent aangemeerd. Het schip, dat ooit Kaap Horn gerond heeft, beschikt over kajuiten om in te overnachten (zie blz. 111).

Opera (GöteborgsOperan) **2**

Direct naast de mooie zeilboten in de jachthaven aan de voet van de rood-wit gestreepte 'Utkiken' springt de door Jan Izikovitz ontworpen Opera (Göteborgs-Operan) in het oog, die in 1994 werd geopend. Het silhouet past perfect in de maritieme sfeer.

Maritima Centrum **3**

www.maritiman.se, mei-sept. dag. 11-18, ppril, okt. vr.-zo. 11-16 uur, volw. 90 SEK, gezin 250 SEK

Aan de Packhuskajen vindt u het grootste maritieme museum van het land. De historische schepen, waaronder vrachtschepen, maar ook marineschepen en onderzeeërs, zijn te bezichtigen, zowel boven- als benedendeks.

Göteborgs Stadsmuseum **4**

Norra Hamngatan 12 (Ostindiska huset), www.stadsmuseum.goteborg.se, di., do.-zo. 10-17, wo. 10-20 uur, 40 SEK

De voormalige residentie van de Zweedse Oost-Indische Compagnie, Ostindiska Huset aan de Stora Hamnkanalen, huisvest nu het stadsmuseum. Het museum heeft naast herinneringen aan de gloriedagen van de Oost-Indische handel collecties op het gebied van cultuurhistorie, archeologie en industriële geschiedenis. De resten van het enige vikingschip dat in Zweden is opgegraven, zijn hier te zien, een handelsschip van het type knar. Het zeer decoratieve interieur van het gerestaureerde Ostindiska Huset is de moeite waard: gietijzeren kolommen in de zalen en het met wandschil- ▷ blz. 109

Göteborg

Bezienswaardigheden

1. Utkiken
2. Oper (GöteborgsOperan)
3. Maritima Centrum
4. Göteborgs Stadsmuseum (Ostindiska huset)
5. Christinae kyrka
6. Kronhuset
7. Palmhuset
8. Röhsska museet
9. Konstmuseum
10. Skansen Kronan
11. Liseberg
12. Universeum
13. Världskulturmuseet

Overnachten

1. Barken Viking
2. Novotel
3. Hotel Flora
4. Hotel Nice
5. Vandrarhem Stigbergsliden
6. Lisebergs Camping Askim Strand

Eten en drinken

1. Sjömagasinet
2. Sjöbaren
3. Linnéterrassen
4. Trädgår'n
5. Junggrens Café

Winkelen

1. Nordstan
2. Saluhall
3. Feskekörkan

Uitgaan

1. Röda Sten
2. Stora Teatern
3. Hagabion
4. Nefertiti Jazz Club

Map labels

Krakowgatan
Gullbergsvassgatan
Kruthusgatan
Friggagatan
Bält-gatan
Alingsåsg.
Alströmergatan
Burggrevegatan
Odins-platsen
Gamla Begravnings-platsen
Odinsgatan
Färgaregatan
Ungagatan
Stampgatan
Angåg.
Balderspl.
Eva R.
Barnh.g.
Stampgatan
Fattighusån
Ullevigatan
Parkgatan
Gamla Ullevi
Ullevi
Hugo Levins V.
Avägen
Smålandsgatan
Levgrensv.
Gårdav.
Sture pl.
Bohusgatan
Sten Sture gatan
Hallandsgatan
Skånegatan
Burgårds-parken
Vägen
Engelbrektsgatan
Wadmansgatan
Hedåsgatan
Berzeliigatan
gatan
Valhallagatan
Scandinavium (Stadion)
Tegnérsgatan
Södra Vägen
Burg.-gatan
Svenska Mässan
Mässans Gata
Örgrytevägen
gatan
Viktor Rydbergs gatan
Johannebergsgatan
Göta-platsen
Korsvägen
Ekm.gatan
Renströms-parken
Lyck.v
Olof Wijksgatan
Renstr.g.
parken
Eklandagatan
Södra Vägen

107

deringen en glas-in-loodvensters gedecoreerde trappenhuis.

Christinae kyrka 5

Even verderop aan het Hamnkanalen staat de **Christinae kyrka**, ook Tyska kyrkan (Duitse kerk) genoemd. De kerk werd in 1623 gebouwd als een protestantse kerk voor de vele Duitsers, Nederlanders en Schotten in de stad. Nog steeds houdt de relatief grote Duitse gemeenschap hier haar diensten.

Kronhuset 6 en omgeving

Een klein, met kasseien geplaveid plein ligt verborgen tussen de haven, Östra Hamngatan en Hamnkanalen: Hier staat het oudste gebouw van de stad, Kronhuset, nog grotendeels in een 17e-eeuwse staat. In het voormalige wapenarsenaal worden soms concerten georganiseerd; alleen bij zulke gelegenheden is het interieur te bezichtigen, maar een bezoek aan de nabijgelegen ateliers, Kronhusbodarna, is de moeite waard: In de lage, geel gesausde huisjes werken ambachtslieden, zoals glasblazers, die er hun producten ook te koop aanbieden. Daarnaast verkoopt een winkel als uit overgrootvaders tijd handgemaakte snoepjes in roodwitte papieren zakken (de openingstijden van de winkels variëren, meestal ma.-vr. 11-16/17, za. 11-14 uur).

Gustaf Adolfs Torg

Rondom het Gustaf Adolfs Torg staan **stadhuis, beurs** en **rechtbank** *(rådhus),* die hun huidige uiterlijk alle te danken hebben aan verbouwingen in de 19e eeuw. Dit is enerzijds te wijten aan de vele stadsbranden, maar hangt anderzijds samen met het feit dat Göteborg na de oprichting van de Ostindiska Kom-

Drie blikvangers: 'wolkenkrabber' Utkiken, de bark 'Viking' en een standbeeld ter nagedachtenis aan de zanger Evert Taube

paniet in 1731 tot een aanzienlijke welstand kwam.

Buiten de grachten

Trädgårdsföreningens park

www.tradgardsforeningen.se, meiaug. dag. 7-20, anders tot 18 uur, 20 SEK

Wie de drukte te veel is: rust is te vinden in de vele parken van de stad, zoals het heerlijk ouderwetse Trädgårdsföreningens park, dat midden in het centrum van de stad tussen het station en de Avenyn langs het kanaal ligt. Het hoogtepunt van het in 19e-eeuwse stijl aangelegde park is de rozentuin met café en het victoriaans aandoende **Palmhuset** 7 (palmenhuis, dag. 9-18 uur) uit 1878, waar, verdeeld over 1000 m², exotische planten uit vijf continenten groeien.

Avenyn

Op één straat van hun stad zijn de Gotenburgers zeer trots, en het is nog steeds de enige echte boulevard van Scandinavië: Kungsportsavenyn, kortweg Avenyn genoemd. Hier liggen cafés, restaurants en bars dicht bij elkaar. Bij mooi weer staan duizenden stoelen op het trottoir en het leven van de stad speelt zich als in Zuid-Europa op straat af. De Avenyn loopt van het **Stora Teatern** 2, het witte, in 1859 gebouwde 'grote theater', recht als een liniaal naar de Götaplatsen, die omzoomd wordt de **stadsbibliotheek, stadstheater, concertgebouw** en het **Konstmuseum**. Het midden van het plein wordt ingenomen door Carl Milles' Poseidonfontein. Vanaf de trappen van het kunstmuseum ligt de hele boulevard aan de voeten van de beschouwer.

Het **Konstmuseum** 9 huisvest een omvangrijke en bezienswaardige verzameling Scandinavische schilderkunst uit de periode omstreeks 1900, met werken van onder meer Edvard Munch, Carl Larsson, Bruno Liljefors en Anders Zorn (www.konstmuseum.goteborg.se, di., do. 11-18, wo. 11-21, vr.-zo. 11-17 uur, 40 SEK).

Vasastan

Niet alleen in een van de parken van de stad kunt u ontsnappen aan de stedelijke drukte, ook een wandeling door Vasastan, de tussen Vasaplatsen en Viktoriagatan gelegen universiteitwijk met gezellige restaurants en pubs, is zeer ontspannend.

In Vasastan staat ook het **Röhsska museet** 8 (www.designmuseum.se, Vasagatan 37-39, di. 12-20, wo.-vr. 12-17, za./zo. 11-17 uur, 40 SEK/jaar). Sinds 1916 toont dit kunstnijverheidsmuseum in het fraaie bakstenen gebouw een omvangrijke verzameling van onder meer design uit Noord-Europa en kunstnijverheid uit het Verre Oosten. Met wisselende tentoonstellingen worden actuele trends in design belicht.

Haga

Aan de voet van **Skansen Kronan** 10 – deze schans is een van de vele militaire bouwwerken in de stad – geeft de rechthoekig aangelegde wijk **Haga** een dorpse sfeer in het midden van de metropool. In de autovrije straat Haga Nygata nodigen tweedehandswinkels, antiekwinkels en natuurlijk tal van cafés uit tot een ontspannen wandeling en een pauze in de oudste volksbuurt van Göteborg.

Zuidoostelijk centrum

Liseberg 11

www.liseberg.se, midzomer-midden aug. dag. 10/11-23/24 uur, rest v/h jaar wisselende tijden, 80/90 SEK
Attractie nummer één in Göteborg is

voor veel Zweden Liseberg: enerzijds een lawaaiig attractiepark, anderzijds een rustige, groene oase. Vanaf de Lisebergtoren, met een hoogte van 146 meter het hoogste punt van Göteborg, heeft u een fantastisch uitzicht over de stad.

Universeum 12

www.universeum.se, laatste week juni-aug. dag. 9-20, anders 10-18 uur, volw. (vanaf 17 jaar.) 160 SEK, gezin 475 SEK
Naast Liseberg hebben zich andere bezienswaardigheden gevestigd: het Universeum brengt natuurwetenschap als een belevenis. Bezoekers dalen via trappen vanuit de boomtoppen van het tropisch regenwoud af naar de krokodillenvijvers in de moerassige laagte, lopen door een aquarium met een haaientunnel en voeren wetenschappelijke experimenten uit – een ideale bestemming dus voor gezinnen met kinderen.

Världskulturmuseet 13

www.varldskulturmuseet.se, di., vr.-zo. 12-17, wo./do. 12-21 uur, toegang gratis
Het in 2005 aan de Göteborg 'belevenismijl' geopende 'wereldcultuurmuseum' draagt met zijn tentoonstellingen bij aan de reputatie van Göteborg als kosmopolitische stad. Het is gewijd aan controversiële onderwerpen als migratie en moderne slavernij en de verbeelding daarvan in de hedendaagse kunst.

Uitstapjes met de boot op de Göta älv

De tocht vanaf Lilla Bommen met de pont 'Älvsnabben' (ongeveer elk uur) is als een sightseeingtour op het water. De boot vaart langs de havens, aan de rivier Göta Älv. Een laatste kleine scheepswerf is nog steeds actief. De boot stopt in **Lindholmen**, waar instituten van de technische universiteit Chalmers en 150 bedrijven zijn gevestigd. Een andere stop is bij de voormalige scheepswerf **Eriksberg**. Vaak ligt hier de statige Oost-Indiëvaarder 'Götheborg' voor anker. Het schip, dat inmiddels al weer een keer naar China heen en weer is gevaren, werd in Eriksberg naar een 18e-eeuws voorbeeld gebouwd. Vanaf de boot ziet u links hoog boven de stad het opvallende silhouet van de **Masthuggskyrkan**, een van de weinige Zweedse kerken in de nationaalromantische stijl (gebouwd 1910-1914). Eindpunt van de 'Älvsnabben' is de monumentale wijk **Klippan** met gebouwen uit de 17e eeuw, een mooi kerkje en museumschepen aan de Ångbåtskaj nabij het restaurant Sjömagasinet. Het ligt aan de voet van de brug **Älvsborgsbron** die hoog boven de rivier hangt, om ook oceaanreuzen doorgang te kunnen bieden. Om terug te keren naar het centrum kunt u een tram nemen (nr. 3 en 9 vanaf Jægerdorffsplatsen).

Overnachten

Het voordeligst overnacht u met het Göteborgspaket (zie rechts). Voordeliger is alleen een overnachting op de camping of in een jeugdherberg.

Drijvend hotel – Barken Viking 1: Gullbergskajen, tel. 031 63 58 00, www.liseberg.se, van 1600 SEK per 2-pk. Pakketaanbiedingen incl. toegang tot Liseberg. De 29 comfortabele, in 2008 geheel gerenoveerde dubbele kajuiten en ruime familiekamers (tot 6 pers.) van het fraaie zeilschip zijn ook geschikt voor landrotten.

Topadres – Novotel 2: Klippan 1, tel. 031 14 90 00, www.novotel.se, vanaf 1020 SEK per 1-pk, vanaf 1120 SEK per 2-pk. In het cultuurreservaat Klippan aan de voet van de Älvsborgsbron, 148

ruime kamers in een zeer modern gerestaureerde, voormalige brouwerij. Vroegboek- en zomerkortingen.

Designhotel – Hotel Flora 3: Grönsakstorget 2, tel. 031 13 86 16, www.hotelflora.se, vanaf 950 SEK/1-pk, vanaf 1155 SEK/2-pk. Door een familie gerund hotel met een rustig, centrale ligging, met in een moderne stijl zeer individueel ingerichte kamers, verdeeld over drie verdiepingen.

Budgethotel – Hotel Nice 4: Utlandagatan 18, tel. 031 20 21 50, www.hotelnice.se, vanaf 450 SEK/1-pk, 625 SEK/2-pk (douche/wc op de gang). Het budgethotel (incl. parkeren.) in de wijk Johanneberg biedt bbed & breakfast. Vroeg boeken is noodzakelijk, omdat er slechts 14 kamers beschikbaar zijn.

Zeemanshuis – STF Vandrarhem Stigbergssliden 5: Stigbergssliden 10, tel. 031 24 16 20, www.hostel-gothenburg.com, vanaf 340 SEK/1-pk, vanaf 440 SEK/2-pk zonder ontbijt en beddengoed. Voormalig zeemanshuis met 105 bedden in de wijk Masthugget.

Direct aan zee – Lisebergs Camping Askim Strand 6: Marholmsvägen, Askim (15 km ten zuiden van de stad), tel. 031 28 62 61, www.camping.se/O38, www.liseberg.se, mei-begin sept., standplaats

Göteborgpakket

Bij het turistbyrå kunt u de **Göteborg City Card** kopen, die recht geeft op het gebruik van het openbaar vervoer en de Paddanboottochten, gratis parkeren op gemeentelijke parkeerplaatsen, toegang tot de meeste musea in de stad en veel andere voordelen, zoals kortingen in winkels. Of u boekt meteen het **Göteborgspaket**: hotelovernachting met ontbijt plus de Göteborg City Card – onovertroffen goedkoop, ideaal als u in een korte tijd een groot deel van de stad wilt zien.

ca. 245-375 SEK. Grote camping met kindvriendelijk strand, snelle busverbinding met Göteborg.

Eten en drinken

Fijne vis – **Sjömagasinet** ■: Klippan 6, tel. 031 775 59 20, www.sjomagasinet. se, ma.-vr. 11.30-14, 18-22, za. 17-22 uur, lunch (ma.-vr.) 150 SEK, hoofdgerechten diner 400-500 SEK. In het voormalige pakhuis van de Ostindiska Kompaniet geniet u van visgerechten uit de gourmetklasse.

Gezellige vis – **Sjöbaren** ■: Haga Nygata 25, tel. 031 711 97 80, www.sjoba ren.se/haga, ma.-do. 11-23, vr. 11-24, za. 12-24, zo. 13-21 uur, lunch ca. 100 SEK, hoofdgerechten 129-295 SEK. Visspecialiteiten in een losse sfeer in een fraaie binnentuin of in het kleine restaurant.

Vishal – **Gabriel Fisk och Skaldjursbar:** Feskekörkan ■, tel. 031 13 90 51, di.-do. 11-17, vr. 11-18, za. 11-13.30 uur, 200-350 SEK. Een must voor liefhebbers van vis en zo. In de galerij van de 'Viskerk' (1874) langs het Rosenlundskanaal worden gastronomische gerechten geserveerd.

Uitzicht op de drukte – **Linnéterrassen** ■: Hoek Prinsgatan/Linnégatan, tel. 031 24 08 90, www.linneterrassen. se, ma.-vr. 16-1, za./zo. 13-1 uur, hoofdgerechten 140-250 SEK. Vanaf het balkonterras op de eerste verdieping van het monumentale pand heeft u tijdens het eten een goed uitzicht op het drukke kruispunt in de theaterwijk.

Bistro in het park – **Trädgår'n** ■: Nya Allén, tel. 031 10 20 81, www.tradgarn. se, ma.-vr. 12-14, ma.-za. 17-22.30 uur, Hoofdgerechten vanaf 150 SEK. Aan de rand van het park ligt het ruime restaurant met een goede bistrokeuken.

Ruimbelegde broodjes – **Junggrens Café** ■: Avenyn/hoek Engelbrektsgatan, tot 22 uur, 60-100 SEK. Modelsandwiches (*smörgåsar*) tegen accep-

tabele prijzen, in een oergezellig restaurant met jugendstilsfeer en grote decoratieve wandschilderingen.

Winkelen

Reusachtig aanbod – **Nordstan** ■: ma.-vr. 10-19, za. 10-18, zo. 11-17 uur. Het grootste winkelcentrum van Zweden; levensmiddelen, kleding, schoenen, enz.

Specialiteiten – **Saluhall** (markthal) ■: Kungstorget. Breed geschakeerd aanbod van specialiteiten uit de hele wereld. Proeven van voedsel bij een aantal kramen en cafetaria's.

Uit zee – **Feskekörkan** ■: di.-do. 11-17,

vr. 11-18, za. 11-13.30 uur. Kraampjes met allerlei lekkernijen uit de zee, zoals gerookte vis en garnalen om zelf te pellen.

Aktief en creatief

Sightseeing per boot – **Paddan:** Göteborg op zijn best – op de grachten en onder de bruggen varen de brede, platte boten, begeleid door deskundige gidsen (in verschillende talen), vertrek Kungsportsbron, duur ongeveer 45 minuten.

Sightseeing per bus – **Stadsrondrit:** meertalige gids, vertrek van de open bussen vanaf het Stora Teatern, Kungsportsavenyn (duur 50 minuten).

Uitgaan

Kungsportsavenyn is zeer populair – hier treft men elkaar niet alleen, de boulevard is ook een podium. Flaneren op de **Linnégatan** is iets uitdagender, de restaurants zijn gewilder en de porties kleiner. Ten westen daarvan, tussen Första en Fjärde Långgatan, speelt de alternatieve scene zich af, met rommelwinkeltjes en retrocafés.

Innovatief – **Röda Sten** [1]: Majorna (tram 3 en 9), www.rodasten.com. Overdag met experimentele en alternatieve activiteiten, tentoonstellingen, theater en dans in het voormalige gebouw van de stadsverwarming. Zaterdag 22 tot 3

's Avonds dubbel zo mooi: Göteborgs Opera, muziektempel met jachthaven voor de deur

uur gaat het er warm aan toe, met clubavond en muziekevenementen.

Chic – **Stora Teatern** 2: Kungsparken 1, http://storateatern.gbg.se. Overdag met caféterras aan het water, 's avonds concerten en cultuurevenementen.

Alternatief – **Hagabion** 3: Linnégatan 21, www.hagabion.nu. Bioscoop met alternatieve programmering, café, lunchrestaurant in het hart van de theaterwijk rondom de Linnégatan.

Live music – **Nefertiti Jazz Club** 4: Hvitfeldtsplatsen 6, tel. 031 711 40 76, www.nefertiti.se. Legendarische jazzclub met uitstekende live acts, ook internationale rock-, hiphop- en reggaeartiesten.

Trefpunt – **Linnéterrassen** 3: Hoek Prinsgatan/Linnégatan, tel. 031 24 08 90, www.linneterrassen.se, ma.-vr. 16-1, za./zo. 13-1 uur, vr. vanaf 18 uur live jazz.

Nachtclub – **Trädgår'n** 4: Nya Allén, www.tradgarn.se, vanaf 22 uur. Al decennia lang een topadres voor de avond, dancefloor vanaf 22 jaar.

Muziekgenot – **Opera (GöteborgsOperan)** 2: tel. 031 13 13 00, www.opera.se. Ambitieus programma in het fraaie icoon van de stad.

Info en evenementen

Toeristische informatie

Göteborgs Turistbyrå: Kungsportsplatsen 2, 411 10 Göteborg, tel. 031 368 42 00, www.goteborg.com. Ook in winkelcentrum Nordstan is een informatiebalie.

Evenementen

Een paar maal per jaar vinden in Göteborg grote sportevenementen plaats, bijvoorbeeld midden juli het WK-voetbal voor jeugdteams om de Gothia Cup.
Göteborg International Film Festival (eind jan./begin feb.): internationale en Scandinavische films; www.giff.se.
Göteborgs Jazzfestival (ein aug.): vooral Scandinavische jazzartiesten; www.gothenburgjazzfestival.com.

Göteborgs Kulturkalas (midden aug.): gratis theater, film, muziek op veel plekken in de stad, vuurwerk en kindcercircus; www.kulturkalaset.goteborg.com.
Way Out West (midden aug.): Indiemuziekfestival; www.wayoutwest.se.

Vervoer

Vliegtuig: zie blz. 104
Trein: onder meer naar Stockholm, Malmö en Kopenhagen (Öresundståg), Oslo, Karlstad, Kalmar, Karlskrona, Borås, Uddevalla en Trollhättan.
Bus: onder meer naar Stenungsund en Lysekil.
Veerboten: naar Kiel (D) en Frederikshavn (DK).
Stadsvervoer: In Göteborg kunt u de auto beter laten staan en u te voet of met trams en bussen verplaatsen. Tussen het Centraal Station en Liseberg rijdt in de zomer om de 15-20 minuten een historische tram.
'Älvsnabben', een snelle bootverbinding tussen de stroomafwaarts van de Göta Älv gelegen delen van de stad en het centrum (ongeveer om het uur). Info over het vervoer in de stad: Göteborgsregionens Lokaltrafik, tel. 031 80 12 35, www.vasttrafik.se.

Omgeving van Göteborg

Marstrand ▶ B 11

De autovrije zeilmetropool Marstrand is bereikbaar vanaf Göteborg via weg 168 langs Kungälv en een veerboot. Marstrand is sinds 1822 badplaats, maar er kwam pas vaart in tegen het einde van de 19e eeuw, toen koning Oscar II hier regelmatig op vakantie kwam en zich toen ook liet verleiden tot het destijds nog gevaarlijk voor lijf en leden geachte baden in koud water. Uit de 18e en 19e eeuw stammen veel van de sierlijke houten huizen, die zorgen voor de charme van het plaatsje. In de vesting **Carlsten** zat Lasse-Maja – een Zweedse Robin Hood – opgesloten, die ook bekend stond als uitbreker.

Bohus fästning ▶ C 11

Kungälv, april za./zo. 11-17, mei-aug. dag. 10-19, sept. 11-15, okt. za./zo. 11-15 uur, 50 SEK

Kungälv is met zijn vesting Bohus aanzienlijk ouder dan Göteborg. De trotse burcht, waarvan de ronde torens nog steeds dreigend opdoemen, gaf de provincie haar naam en is nu in de zomer het toneel van middeleeuwse festiviteiten. Tot de Vrede van Roskilde in 1658 markeerde de vesting de grens met Noorwegen. Slechts een paar kilometer verder naar het zuiden begon het Deense grondgebied, zodat Zweden toen niet meer dan ongeveer 20 km westkust had.

Gunnebo slott ▶ C 11

Ca. 6 km ten zuiden van de stad (E 6 richting Mölndal), www.gunnebos-lott.se, rondleidingen mei-midzomer za./zo. 12, 13, 14, midzomer-aug. dag. 12, 13, 14, verder zo. 12, 13 uur, 80 SEK

Gunnebo slott is weliswaar geen Potemkinkasteel – dus slechts een façade – maar toch wel een imitatie: Het is het elegante herenhuis in gustaviaanse stijl niet aan te zien dat het niet is opgetrokken uit steen, maar uit hout. Het werd in 1784-1796 gebouwd voor de Göteborgse koopman John Hall, die door de handel in levertraan en hout in die tijd een van de rijkste mannen van het land was. Tegenwoordig maken ook de prijswinnende **tuinen** indruk. Op weg naar het huis passeert u een prachtig aangelegd **park** met oude bomen langs een riviertje.

Kungsbacka en Onsala ▶ C 12

Mooie pastelkleurige houten huizen uit het begin van de vorige eeuw kenmerken Kungsbacka, gesticht door Duitse kooplieden, als een aantrekkelijke toeristische bestemming.

Het is de moeite waard een uitstapje te maken naar het dorp **Onsala** op het zuidelijke deel van het schiereiland. In de van buiten bescheiden kerk met prachtige beschilderde houten plafonds en een schitterend barokaltaar liggen de overblijfselen van Lars Gathenhielm (1689-1718), een gerenommeerd kaper, die de Deense scheepvaartblokkades omzeilde en ook met succes Deens-Noorse kapers in bedwang hield. In 1715 werd hij geridderd voor zijn diensten.

Tjolöholm slott ▶ C 12

www.tjoloholm.se, midden juni-eind aug. dag. 11-16, april-midden juni, sept.-midden nov. za./zo., feestdagen 12-16 uur, rondleidingen 80 SEK

Aan de Kungsbackafjord, ongeveer 10 km ten zuiden van Kungsbacka, liet de Schotse koopman James Fredrik Dickson rond het begin van de 20e eeuw een paleis bouwen: van rood graniet en in de tudorstijl. De bouwheer liet het ook voorzien van diverse gemakken: Het kasteel bezit luxeueze badkamers, een geavanceerde heteluchtverwarming en een soort van centrale stofzuiger, die ooit door paarden werd aangedreven. Het interieur toont neorenaissance- en jugendstilelementen. Tjolöholm is geschikt voor een dagtocht: wandelpaden en prachtige badplekken langs de rotsachtige kust en het restaurant Storstugan nodigen u uit voor een bezoek.

Tjörn en Orust ▶ B 10/11

Een vakantieparadijs voor watersporters zijn de eilanden Tjörn en Orust die ongeveer 60 km ten noorden van Göteborg liggen en sinds 1960 door bruggen zijn verbonden met het vasteland. Naar het vasteland toe toont het ▷ blz. 118

Favoriet

Tjörnehuvud – Panorama over de scherenkust ▶ B 11

Er zijn veel uitkijkpunten langs de westkust, maar Tjörnehuvud is een heel bijzondere. Niet alleen omdat de klim naar het met 85 m hoogste punt van Rönnäng naast het Hotell Bergabo mogelijk gemaakt wordt door een steile houten trap. Ook het zicht reikt bijzonder ver: niet alleen naar de steeds schaarser wordende, op walvisruggen lijkende scheren, maar ook naar de eilanden die voor Tjörn liggen. Slechts op een steenworp afstand van Tjörnekalv is het groene Dyrö te zien. De blik glijdt verder naar het eiland Åstol – met dicht opeengepakte huizen waarvan de daken in de verte schitteren – en het opvallende silhouet van Marstrand, het vestingeiland net buiten Göteborg. En als er een zeilrace wordt gehouden, strekt de keten van witte zeilen zich uit tot aan de horizon.

Tip

Naar de rokerij op Åstol ▶ B 11

Het dicht met huizen in allerlei kleuren bebouwde eiland Åstol staat bekend om zijn goede Rökeri (rokerij) met restaurant. Vis of garnalen – alles wordt heerlijk gerookt en geserveerd met zelfgebakken brood (vanaf Rönnäng varen veerponten naar Tjörn).

landschap vriendelijker, in de richting van het Skagerrak is het veel ruwer. Weg 160 voert van Stenungsund via bruggen, tunnels, vier eilanden en drie zeestraten naar Orust en is een van de mooiste wegen in Zweden. Daar dat bij velen bekend is, moet u bij de brug in Stenungssund, waar ook de grootste concentratie van winkels in de wijde omtrek is te vinden, in het hoogseizoen rekening houden met files en vertragingen.

Akvarellmuseet in Skärhamn

www.akvarellmuseet.org, juni-aug. dag. 11-18, verder di.-zo. 12-17 uur, zomer 70 SEK, winter 45 SEK

Een must voor kunstliefhebbers is een tochtje naar de westelijke helft van Tjörn, naar het Scandinavische aquarelmuseum in Skärhamn. De tentoonstellingen tonen overigens niet alleen aquarellen van Scandinavische kunstenaars. In het open atelier kunnen bezoekers ook zelf experimenteren met waterverf. Aangenaam zit u op het terras van het café met uitzicht op zee, om nog meer af te koelen is er direct naast het museum een zwembad (Södra Hamnen, Skärhamn).

Wandeling op Dyrön

Het eiland Dyrön ligt tegenover het op de zuidwestelijke punt van Tjörn gelegen Rönnäng en een pontje vaart enkele malen per dag heen en weer. In tegenstelling tot het naastgelegen eiland Åstol is de bebouwing op Dyrön eerder schaars te noemen en geconcentreerd in een beschutte vallei in het midden van het dorre, rotsachtige eiland, waar buiten de menselijke bewoners en de vele zeevogels slechts een kudde moeflons leeft. Bezoekers zullen die wilde schapen helaas zelden te zien krijgen, maar zich wel op dezelfde manier als deze moeten voortbewegen: Op de bewegwijzerde cirkelvormige wandelroute beklimt u trappen en steekt u over houten plankieren diepe kloven over om uitkijkpunten en rustige rotsstrandjes te bereiken. In het café of het restaurant bij de steiger kunt u na afloop de inwendige mens versterken – of u pakt zelf een picknickmand in voor deze dagtocht.

Overnachten

Op de helling – **Bergabo Hotell:** Kyrkvägen 22, Rönnäng, tel. 0304 67 70 80, www.bergabo.com. Veel van de hotelkamers van dit in de beschutting van de rotsen van Tjörnehuvud gebouwde hotel hebben uitzicht op de scheren. Twaalf 2-pk (vanaf 1390 SEK) en tien appartementen. Fraai is de lounge met bar op de veranda (zomer di.-zo. vanaf 17 uur).

In de scheren wonen – **Tofta Sjögård:** Stockenvägen 25, Ellös, tel. 0304 503 80, www.toftagard.se, midden mrt.-midden dec., vanaf 330 SEK/1-pk en vanaf 490 SEK/2-pk (excl. ontbijt en beddengoed). Gemoedelijke herberg aan de uiterste westkust van het eiland Orust, 10 min. gaans van de zee. Per twee of drie kamers (1-4 bedden) wordt een douche/wc gedeeld. Ontbijt op bestelling, keuken om zelf te koken, sauna, spa-afdeling (korting voor gasten).

Overnachten en eten

Aan het water – **Handelsman Flink:** Ellös, Flatön, tel. 0304 550 51, www.handelsmanflink.se, dag. 12.30-22 uur, 85-350 SEK. Geliefde, traditionele picknickplaats met activiteitenprogramma's, onder meer kanotochten en kreeftensafari's. 's Avonds vaak met muziek en herinneringen aan de in Zweden populaire zanger Evert Taube, die Bohuslän en precies deze plek, de voormalige winkel van 'Handelsman Flink', vaak bezong. Men serveert er vis en schelpdieren, maar ook vegetarische en vleesgerechten. Daarnaast kunt u gebruik maken van pakketaanbiedingen, incl. overnachting en avondeten 1300-1500 SEK per pers. in 2-pk.

Actief en creatief

Kano- en kajakverhuur – **Stocken Camping:** Orust, tel. 0304 512 00, www.orust-kajak.se. Grote keuze aan kajaks en sit-on-tops, 350-390 SEK per dag, verhuur van tenten an andere uitrusting, ook kajakcursussen, gegidste tochten.

Info en evenementen

Toeristische informatie

Stenungsunds Turistbyrå: Kulturhuset Fregatten, Box 66, 444 31 Stenungsund, tel. 0303 833 27, turistbyran@stenungsund.se.

Orusts Turistbyrå: Kulturhuset Kajutan, Hamntorget, 473 34 Henån, tel. 0304 33 44 94, turistbyran@orust.se.

Evenementen

Segelregatta Tjörn runt (3e za. in aug.): Tot wel 1000 boten doen jaarlijks mee aan deze zeilwedstrijd rond het eiland Tjörn.

Vervoer

Bus: van Göteborg naar Stenungsund, Skärhamn en Rönnäng.
Veerpont: van Rönnäng naar de kleinere eilanden.

Lysekil ▶ B 10

Via weg 160, die over een flinke afstand bijna rechtdoor over berg en dal voert, en weg 161 bereikt u met de veerpont vanaf Bokenäs over de Gullmarsfjord (Gullmarn) Lysekil. De belangrijkste vissershaven in de wijde omgeving is een goed uitgangspunt voor boottochten langs de scherenkust. De grote vrachthaven, de olieraffinaderijen, een onderzoekscentrum voor de zee en bedrijven rondom de visserijsector zijn de belangrijkste werkgevers voor de ongeveer 14.750 inwoners van deze gemeente.

Bezienswaardigheden

In Lysekil zijn nog steeds sporen te zien uit de tijd dat het een belangrijke badplaats was, zoals twee villa's aan de haven, Storstugan en Lillstugan, die in 1878-1880 door de arts Carl Curman gebouwd werden. De huizen die u nu ziet, zijn na een brand herbouwd, maar vertonen nog steeds de door de Vikingtijd beïnvloede stijlelementen, zoals de imposante gebeeldhouwde drakenkoppen. Vanaf de kerk leidt een kort pad naar een

Vistochten langs de scherenkust

Tussen mei en oktober starten dagelijks vistochten vanaf Rönnäng en Skärhamn (tal van aanbieders, adressen bij het turistbyrå in Skärhamn of Stenungsund op te vragen). U kunt vissen op kabeljauw, makreel, hondshaai en rog.

Een goede plek voor een tussenstop tijdens een fietstocht: Lysekil

uitkijktoren van waaruit u kunt genieten van een prachtig uitzicht op de talrijke eilanden die voor de kust van Lysekil liggen.

Havets hus

www.havetshus.lysekil.se, midzomeraug. dag. 10-18, verer 10-16 uur, 95 SEK
Het 'Huis van de zee' is niet alleen geschikt voor een programma op regenachtige dagen. Verschillende zeewateraquaria brengen de bezoekers dichter bij de onderwaterwereld van de noordelijke Noordzee. Enkele daarvan zijn zo ontworpen dat u als het ware onder water kunt lopen, waardoor u het leven van de vissen op een geheel andere manier kunt beleven, ideaal voor gezinnen met kinderen.

Overnachten

Voor iedere beurs – **Kusthotell Strand:**
Strandvägen 1, tel. 0523 797 51, www.
strandflickorna.se, 500-1120 SEK/2-
pk, vanaf 200-480 SEK/pers. afhankelijk van comfort. Centraal gelegen en met uitzicht op zee, alle 20 2- en meerpk hebben douche/wc – u woont naar keuze in het *vandrarhem*, met eigen beddengoed en zelf koken in de gemeenschappelijke keuken of in comfortabele kamers met hotelservice.

Aktief en creatief

Boottochten – **Rondvaarten door de scheren:** in het seizoen naar bijvoorbeeld de eilanden Kornöarna, Gullholmen en Käringö of naar Smögen.

Zeehondensafari – **Sälsafari:** ma.-za. vanaf de steiger tegenover Havets Hus.

Vissen vangen of kijken – **Vis- en duiktochten:** Informatie bij het turistbyrå.

Info

Toeristische informatie

Lysekils Turistbyrå: Södra Hamngatan 6, Box 113, 453 23 Lysekil, tel. 0523 130 50, www.lysekilsturist.se, www.vastsverige.com.

Vervoer

Bus: naar Uddevalla en Göteborg.
Veerponten: Autoveer over de Gullmarn; voetgangersveer naar Fiskebäckskil.

Uddevalla ▶ B 10

De hoofdstad (50 000 inwoners) van het *landskap* Bohuslän met een haven aan de monding van de Bäveån in de Byfjord is een belangrijk industrieel centrum en een belangrijke winkelstad. Niet alleen het Bohusläns museum, dat direct aan de haven in een modern gebouw is ondergebracht, nodigt uit tot het maken van een tussenstop.

Bohusläns museum

www.bohusmus.se, mei-aug. ma.-do. 10-20, vr.-zo. 10-16, verder di.-do. 10-20, vr.-zo. 10-16 uur, toegang gratis
De collectie bestaat uit schilderijen en textiel, maar er zijn ook een nagebouwde conservenfabriek en arbeiderswoningen documenteren de geschiedenis en cultuur van de provincie. De collectie schilderijen die koopman John Johnsson in 1951 nagelaten heeft aan het museum, bevat werken van Vlaamse en Nederlandse meesters uit de 15e en 16e

eeuw en de *Düsseldorfer Malerschule* uit de 19e eeuw.

Strandpromenaden – wandelen langs de Byfjord

Een fraai pad, 'Strandpromenaden' genoemd, begint voor het turistbyrå tegenover het museum aan de andere oever van de rivier de Bäveån (eventueel ook vanaf Svenskholmen, ca. 1 km buiten de stad, waar u kunt parkeren). De route loopt altijd langs het water van de Byfjord, langs stranden en uitkijkpunten. Het hoogtepunt is een 600 m lange hangbrug naar de steile rotswand **Hästepallarna** hoog boven het water. Kort daarna bereikt u **Gustafsberg** (4 km). De naar Gustav III vernoemde oudste badplaats van Zweden ligt aan de Byfjord. In 1774 werd hier het eerste badhuis geopend, met verwarmd zout water, want baden in koud water werd als schadelijk beschouwd. Vandaag de dag kan men zich gemakkelijk voorstellen hoe aan het begin van de 20e eeuw de dames na het baden in lange jurken en met parasols tussen de pastelkleurige houten huizen slenterden. Het pad eindigt na nog een kilometer bij een badplaats met een jachthaven in **Lindesnäs**.

Overnachten

Historisch – **STF Vandrarhem Uddevalla:** Gustafsberg, tel. 0522 152 00, www.gustafsberg.se, juni-aug., vanaf 245 SEK per pers. zonder ontbijt en beddengoed. 2- tot 5-bedskamers.

Aktief en creatief

Boottochten – **Per boot naar Smögen:** Startpunt tegenover Bohusläns museum, tickets via het turistbyrå.

Info

Toeristische informatie

Uddevalla Turistbyrå: Södra Hamnen 2 (in voormalig badhuis), 451 81 Uddevalla, tel. 0522 977 20, www.uddevalla. com.

Vervoer

Trein: naar Vänersborg, Herrljunga, Göteborg en Strömstad.
Bus: busstation Kampenhof in het centrum (tegenover Bohusläns museum), is een belangrijk knooppunt met verbindingen in alle richtingen.

Schiereiland Sotenäs

▶ B 10

Een reis naar het schiereiland Sotenäs is in ieder geval de moeite waard, want hier zijn enkele van de grootste toeristische attracties van Bohuslän te vinden.

Smögen ▶ B 10

Zien en gezien worden is het motto in Smögen, een uiterst levendig – voor velen zeker een vreselijk druk – dorp. In de haven dobberen prachtige en indrukwekkende luxejachten, die in alle rust kunnen worden bekeken tijdens een wandeling over de 1 km lange Smögenbryggan. Aan de landzijde staan afhaalrestaurants, souvenir-en designerkledingwinkels langs de steiger.

Sotenkanalen

Als u verder rijdt over weg 174 van Smögen naar Bovallstrand, is een omweg naar het 7,6 km lange en 4,5 m diepe Sotenkanalen mogelijk; dit verbindt Väjern met Hunnebostrand. Het gedeeltelijk in de granieten rotsen uitgespron-

gen kanaal werd in 1931-1935 gebouwd en diende als een werkgelegenheidsproject voor de door de economische crisis getroffen werknemers in de steengroeven van de regio.

Hunnebostrand en Bovallstrand ▶ B 10

Aan de jaren 30 van de vorige eeuw herinnert in **Hunnebostrand** het steenhouwersmuseum in de hoofdstraat. Van hieruit werden granieten straatstenen naar Europa uitgevoerd (Stenhuggarmuseet, juli-half aug. di.-vr. 15-18 uur). Het dorp onderscheidt zich sinds de oprichting van een 'kreeftenacademie' als bestemming voor fijnproevers: In de herfst kunnen de bezoekers deelnemen aan de kreeftvisserij, met inbegrip van

een kreeftdiner 's avonds (Hummerakademien, met museum en aquaria, Södra Strandgatan 4, juni-aug. 16-20 uur).

Bovallstrand, een van de oudste vissersdorpen in Bohuslän, is een zeer mooi dorp, dat nog steeds een zekere mate van authenticiteit ten toon spreidt. De prachtige huizen zijn nog in originele staat en niet in elk huis is een winkel ondergebracht.

Nordens Ark

www.nordensark.se, dag. eind apr.-midzomer en sept. 10-17 (laatste toegang 15 uur), midzomer-midden aug. 10-19 (laatste toegang 17 uur), verder 10-16 uur (laatste toegang 15 uur), volw. vanaf 18 jaar 190 SEK

In de 'Ark van het Noorden' zijn geen elanden en beren, maar wel lynxen, veelvraten en bosrendieren, omdat Nordens Ark bedreigde diersoorten verzamelt. Hier ontdekt u de op het noordelijk halfrond zeldzaam geworden dieren, zoals de rode panda, en de himalayathargeit uit Azië of de sneeuwgeit uit Amerika. De grote katten, zoals de Siberische tijger (amoertijger) en de sneeuwluipaard, trekken de meeste kijkers. U moet de tijd nemen voor een wandeling door de halfwilde omgeving met loofboshellingen, steile ravijnen en snelstromende beken. Met het entreegeld ondersteunt u het wereldwijde werk van de dierentuin: Bedreigde soorten worden in gevangenschap onder natuurlijke omstandigheden gefokt om ze in hun oorspronkelijke leefgebied weer uit te zetten. Door een tunnel kunt u naar een boerderij aan de overzijde van de weg, waar nu zeldzame rassen van landbouwhuisdieren zoals de *fjällko*

Bootshuisjes aan de voet van de rotsen, woonhuizen met uitzicht bovenop: Smögen

Tip

IJskoud en heerlijk – Pipers glass

Liefhebbers van koude lekkernijen zouden in Hamburgsund (▶ B 10) een tussenstop moeten maken bij Pipers glasscafé, een filiaal van de oudste ijsfabriek van Zweden. Deze werd in 1920 door de Italiaanse immigrant Pietro Ciprian in Stockholm opgericht. Met behoud van de traditionele recepten heeft de fabriek in Hamburgsund zich gespecialiseerd in ecoproducten – bijzonder lekker is het vanilleijs (met bakkerij, mei-sept., Strandvågen 5, Hamburgsund).

(bergkoe) en *gutefår* (Gotlands schaap) worden gefokt.

Overnachten

Wellness in een pakket – **Smögens Havsbad:** Hotellgatan 26, tel. 0523 66 85 40, www.smogenshavsbad.se, vanaf ca. 1600 SEK per pers. in 2-pk, volpension. Het moderne hotel achter het monumentale entreegebouw ligt deels in de rotsen, prachtig uitzicht op zee, kamers in Scandinavische stijl, spa-arrangementen (massage met warme stenen). Wonen in vissershutten – **Ramsvik Stugby & Camping:** bij Hunnebostrand (8 km), tel. 0523 503 03, www.ramsvik. nu. mei-sept., Camping met comfortabele 'vissershutten' *(sjöbodstugor)* aan het water, nabij het natuurreservaat Ramsvikslandet. Hutten 650-950 SEK (1-2 pers. per dag).

Eten en drinken

Nobele zomerkeuken – **Bryggcafét:** Bovallstrand, tel. 0523 510 65, www.brygg cafet.com, Pasen-sept. Vis en schaaldieren, groot terras aan het water, een van de beste Zweedse restaurants, veelvuldig bekroond; in het bistro voordeligere gerechten.

Hier eet iedereen lekker – **Bella Gästis:** Norra Kajen, Hunnebostrand, tel. 0523 500 00, www.bellagastis.se, dag. vanaf 12 uur. Populair restaurant met een breed aanbod – vooral visgerechten, bijv. vissoep (139 SEK) of kreeft (dagprijs); mooi terras met uitzicht op de haven. Kindergerechten van pizza (83-165 SEK) via vissticks tot gehaktballetjes (69 SEK).

Winkelen

Vers! – **Vis- en krabbenmarkt:** in Smögen ma.-do. om 8, 17, 20, vr. alleen 8 uur.

Aktief en creatief

Langs de kust – **Boottochten:** 's zomers vanaf de Smögenbrygga, onder meer naar het onbewoonde, beschermde eiland Hållö (20 min.) met strand, de oudste vuurtoren van de westkust en steenvlaktes van een schrale schoonheid.

Info

Toeristische informatie

Sotenäs Turistbyrå Kungshamn/ Smögen: Bäckevikstorget 5, 456 31 Kungshamn, tel. 0523 66 55 50, www. sotenasturism.se.

Vervoer

Bus: naar Uddevalla en Göteborg.

Tanum ▶ B 9/10

De gemeente Tanum is geografisch de grootste van Bohuslän. Ze reikt tot ver in het binnenland tot het prachtige merenlandschap rondom Norra en Södra Bullaresjön, Bullarebygden.

Fjällbacka ▶ B 10

De huizen van het dorp gaan schuil onder de overhangende rotsen van de Vetterberg. Het pad naar de top gaat door een kloof (Kungsklyftan), waar de buitenscenes voor de Astrid Lindgrenfilm *Ronja de roversdochter* werden gedraaid. Boven opent zich een fantastisch uitzicht op de scheren voor de kust – voor velen de mooiste van de westkust. Tot de vaste bezoekers van Fjällbacka behoorde ook de actrice Ingrid Bergman en tegenwoordig staat het dorp bekend als het schouwtoneel van de thrillers van Camilla Läckberg.

3000 jaar oude mensenfiguren

Overnachten

Met uitzicht – **Café Bryggan:** aan de haven, zie Tip blz. 126. Met heerlijk uitzicht (12.000 SEK per week), vanaf 490 SEK per pers. in slaapzaal, 2-pk vanaf 1290 SEK.

Info

Toeristische informatie
Fjällbacka Turistinformation: Ingrid Bergmans torg, 450 71 Fjällbacka (midzomer-midden aug.), tel. 0525 321 20, www.fjallbackabokning.se.

Tanumshede ▶ B 9

Het culturele hoogtepunt van een reis langs de westkust zijn de uit de bronstijd daterende rotstekeningen (*hällristningar*) bij Tanumshede, die door de UNESCO op Werelderfgoedlijst zijn geplaatst. De tekeningen werden met harde steen, zoals diabaas, in het graniet gegroefd en ontstonden in het geval van Vitlycke 1500 tot 500 v.Chr. Ze tonen onder meer zwaarden en bijlen, zoals die ook werden gevonden in graven uit de bronstijd. Mensen zijn ook afgebeeld, bijvoorbeeld in schepen of bij het ploegen. Andere onderwerpen zijn jachttaferelen, voorstellingen van dieren, onder meer herten en stieren. Cirkels, grote handen en voeten worden geïnterpreteerd als zonnesymbolen. Jonger zijn de rotstekeningen in het wat zuidwestelijker gelegen Litsleby. Ze tonen onder meer een mannelijke figuur met een speer. Maar uiteindelijk zijn alle interpretaties van de tekeningen pure speculatie, want getuigenissen over religie en maatschappij van die tijd ontbreken.

Vitlyckemuseum
www.vitlyckemuseum.se, mei-aug. dag. 10-18, sept. 10-16, okt. di.-zo. 11-16 uur, toegang gratis
Met wisselende exposities worden aspecten van het leven in de bronstijd toe-

Tip

Fijnproeversparadijs

Het populaire visrestaurant Café Bryg-gan aan de haven van Fjällbacka ligt op een geweldige locatie aan het water en trekt vooral zeilers. De grote ramen bieden uitzicht op de haven en in de zomer kunt u heerlijk zitten op de steiger met de kabbelende golven onder uw voeten. Vanuit de eetzaal met een open keuken kunt u (bijna) bij de koks in de pannen kijken. Van eendenlever tot heilbot wordt alles opgediend, zoals een fijnproever dat verlangt. (Café Bryggan, tel. 0525 310 60, www.brygganfjallbacka.se, midden juni-sept. dag., anders alleen za./zo., voorgerechten 150 tot 300 SEK. Kreeftpakket: incl. tochtje met de kreeftenvisser 2600 SEK per pers., golfarrangementen vanaf 1100 SEK per pers.; ook overnachting, zie blz. 125).

gelicht en tegelijk in de praktijk getest: Tot het complex behoort ook een replica van een boerderij uit de bronstijd met verschillende huisdieren, zoals runderen, geiten en varkens, die in de zomer wordt beheerd zoals dat 2500 jaar geleden zou zijn gedaan.

Overnachten

Hotel met traditie – **Tanums Gästgifveri**: Apoteksvägen 7, tel. 0525 290 10, www.tanumhotel.se. Dit comfortabele hotel in Tanumshede werd opgericht in 1663 en is daarmee een van de traditierijkste hotels van het land, tegenwoordig in de stijl van een Engels landhuishotel (vanaf 990 SEK/1-pk, vanaf 1290 SEK/2-pk); eventueel in combinatie met golfarrangementen. Tot het hotel behoort een van de beste restaurants van Zweden.

Info

Vervoer

Trein: naar Uddevalla en Strömstad.
Bus: E 6-Expressbus Göteborg-Oslo.

Grebbestad ▶ B 10

Het havenstadje behoort tot de drukst bezochte plaatsen langs de westkust – op de houten steigers in de jachthaven wemelt het 's zomers van de boottoeristen en andere bezoekers. Hier kunt u in restaurants genieten van vis en schaaldieren, waaronder Zweedse oesters.

Eten en drinken

Oesters en garnalen – **Grebys:** Strandvägen 1, Grebbestad, tel. 0525 140 00, www.grebys.se. De voormalige conservenfabriek bij de jachthaven is een populaire bestemming voor liefhebbers van vis en schelpdieren – die zijn er naar gewicht en dagprijs; bovendien mosselsoep (155 SEK) of in boter gebakken heilbot met kerriesaus (295 SEK).

Info

Toeristische informatie

Grebbestad Turistbyrå och Infocenter: Nedre Långgatan 48, 457 72 Grebbestad, tel. 0525 100 80, www.grebbestad.se.

Vervoer

Trein: naar Göteborg, Uddevalla en Strömstad.
Bus: naar Uddevalla en Strömstad.

Strömstad ▶ B 9

De regio rondom Strömstad (11 400 inwoners) krijgt het hoogste aantal zonneuren van Noord-Europa. Misschien ontstond daarom in de 'stad van de garnalen' het eerste zeewaterzwembad van Zweden. Tegenwoordig probeert de stad als kuuroord in te haken op die traditie; het toerisme profiteert echter vooral van de nabijheid van Noorwegen, waarvan de bewoners graag gebruikmaken van de lagere voedselprijzen in Zweden.

Twintig kilometer noordelijker loopt de Noors-Zweedse grens door de Svinesund. Die wordt overspannen door een 420 m lange brug met een prachtig uitzicht over de fjord.

Overnachten

Chic met zeeuitzicht – **Laholmen Hotel:** tel. 0526 197 00, www.laholmen. se, ab 1540 SEK per 2-pk. Dit ultramoderne conferentiehotel van de Ricaketen biedt alle gemakken van een grote faciliteit. Het is zo ontworpen dat het merendeel van de kamers uitzicht op de Kosterfjord biedt, terras met uitzicht op zee, restaurant, nachtclub, spa-arrangementen.

Gezinsvriendelijke – **Daftö Feriecenter:** Dafter, ten zuiden van Strömstad, tel. 0526 260 40, www.dafto.com, standplaats 200-425 SEK, seizoensafhankelijk. 5-sterrencamping aan het strand, hutten en vakantiehuisjes, zeer comfortabel, met zwembad.

Aktief en creatief

Zwemmen – Het uit hout opgetrokken koudbadhuis, **Strömstads Badanstalt** (www.stromstad-bad.se) schommelt op de golven langs de strandpromenade. Wie hier in de sauna gaat, kan direct een koud bad in zee nemen. Bovendien: zwemhal met zeewater (25 °C) en uitzicht op de haven (ma.-vr. 8-19/20, za. 9-16, zo. 12-17 uur), fitnessruimte en spabehandelingen.

Info

Toeristische informatie
Strömstad Turist: Gamla Tullhuset, Norra Hamnen, 452 30 Strömstad, tel. 0526 623 30, www.stromstad.se.

Vervoer
Trein: Västtågen vis Tanum naar Uddevalla en Göteborg.
Bus: naar Uddevalla, Göteborg, Oslo (2,5 uur).
Veerboot: naar Sandefjord in Noorwegen (www.colorline.com).

Kosterhavets nationalpark

Voor natuurliefhebbers is een uitstapje vanuit de haven van Strömstad naar de autovrije Kostereilanden (Kosteröar) met zeehondenkolonies de moeite waard (fietsen kunnen worden meegenomen, de boot vaart enkele keren per dag en de reis duurt ongeveer 1 uur). Het wat schralere Nord-Koster heeft prachtige stranden en een vuurtoren, het zuidelijke eiland heeft bossen. De Kosterfjord tussen de eilanden en het vasteland werd in 2009 uitgeroepen tot het eerste mariene nationalpark van Zweden, Kosterhavets nationalpark. Het grenst aan de Noorse kant aan het nationalpark Ytre Hvaler – samen vormen ze een waardevolle mariene habitat.

Tot de voltooiing van een Naturum in Ekenäs (Sydkoster) is er voor de bezoekers een voorlopig informatiecentrum (open half juni-half aug.) in Västrabo op Nord-Koster over de diversiteit boven en onder water (informatie ook beschikbaar op: www.kosteroarna.com).

Oost-Skåne en Blekinge

Hoogtepunt ✳

Karlskrona: Het is niet voor niets dat de volgens een strak plan aangelegde, 18e-eeuwse garnizoensstad tot het Werelderfgoed van de UNESCO behoort. Tot de architectonische meesterwerken uit de tijd van koning Karel XI wordt ook het prachtige, moderne zeevaartmuseum gerekend. Blz. 152

Op ontdekkingsreis

Met Wallander door Ystad: Niet alleen de lezers van Henning Mankells thrillers worden uitgenodigd om de sporen van hoofdinspecteur Kurt Wallander door de vakwerkstad te volgen. Blz. 132

Bezienswaardigheden

Glimmingehus: Tegenwoordig spelen zich rond de burcht van graaf Wolftand weer allerlei middeleeuwse taferelen af. Blz. 141

Park van Wanås slott: Eigentijdse kunst wordt gepresenteerd in het park. Blz. 145

Laxens hus: Het 'huis van de zalm' in Mörrum is een bron van kennis over de wateren van Mörrums å en onthult spannende details uit het leven van deze roofvis. Blz. 149

Actief en creatief

Stenshuvud: In het nationalpark kunt u niet alleen wandelen, maar langs de zandstranden is het ook goed zwemmen. Blz. 141

Eriksbergs Viltreservat: Tijdens een safari door dit bos in Blekinge zijn wisenten te zien. Blz. 150

Sfeervol genieten

Picknick met gerookte vis: Er zijn tal van adressen voor deze specialiteit. De rokerijen rijgen zich aaneen langs de kusten van de Oostzee, bijvoorbeeld in Kåseberga en Kivik. Blz. 136, 143

Hovdala slott: Verse groenten uit de eigen moestuinen van het kasteel – lekker en licht. Blz. 147

Uitgaan

Steden als Ystad, Kristianstad en Åhus bieden weliswaar veel vertier, maar dat is relatief rustig vergeleken met dat van grote steden.

Trots erfgoed in het zuidoosten – kastelen en bastions

In vergelijking met de Sontregio (zie blz. 74) is Oost-Skåne veel dunner bevolkt. Er is nauwelijks industrie; de belangrijkste bronnen van inkomen zijn de landbouw en het toerisme. Het landschap wordt bepaald door geelbloeiende koolzaadvelden en akkers die door wilgenlanen van elkaar worden gescheiden en die een geschakeerde lappendeken vormen, met felwitte dorpskerkjes met trapgevels, zacht glooiende heuvels en vlakke zandstranden. Dit alles wordt in een bijzonder licht gedoept, dat de kleuren laat stralen en veel kunstenaars lokt. Tot de culinaire geneugten behoort de *Ålagille* ('het palingfeest') in de late zomer, waarbij naast ten minste vier palinggerechten veel drank wordt genuttigd. In november staat gans op het menu.

Blekinge behoorde vanaf 1101 bij Denemarken, werd in de 16e eeuw hevig bevochten en kwam met de Vrede van Roskilde van 1658 bij Zweden. Het landschap heeft een heel ander karakter dan dat van Skåne. Er zijn dichte bossen en hier ziet u al de verspreid staande rode, houten huisjes. Voor de grillige kustlijn strekt zich de zuidelijkste scherenkust van Zweden uit, die een natuurlijke strategische bescherming vormt. Karlskrona is een van de grootste marinebases van het land. Blekinge wordt niet geheel ten onrechte de Tuin van Zweden genoemd – wat voor Österlen de appels zijn, zijn voor Blekinge de aardbeien die hier worden geteeld.

Trelleborg en omgeving ▶ D 15

Porten mot Kontinenten, de poort naar het continent, werd de tegenwoordig 39.600 inwoners tellende stad ruim 600 jaar na haar stichting trots genoemd: Op 1 mei 1897 werd de veerverbinding Trelleborg-Sassnitz, de zogenoemde Koningslijn, ingewijd. Sindsdien wordt Trelleborg gedomineerd door grote veerhavens. Wie hier langer verblijft, vindt er in de oude stad fraaie steegjes met leuke cafés in kleurrijk gestuukte vakwerkhuizen en een historische watertoren op de markt.

Trelleborgen

Bryggaregatan, gehele jaar toegankelijk, midzomer-aug. 10-17 uur, dag. rondleidingen; café

De in het jaar 1991 ontdekte en inmiddels gereconstrueerde verdedigingsburcht Trelleborgen gaf de stad kennelijk haar naam en is tot nu toe de enige in zijn soort in Zweden. Verscheidene van dergelijke vikingforten zijn aangetroffen in Denemarken. De houten palisadenring had een diameter van 140 m en werd waarschijnlijk tegen het einde van de 10e eeuw in opdracht van de Deense koning Harald Blåtand gebouwd.

Smygehuk en Smygehamn

Ongeveer 15 km ten oosten van Trelleborg is Zweden voorbij: De vuurtoren van **Smygehuk** is het zuidelijkste punt van het land. De vuurtorenwachterswoning was in gebruik tot 1975 en wordt nu gebruikt als jeugdherberg. In de naastgelegen kleine haven **Smygehamn**, die tegenwoordig vaker aan plezier- dan aan vissersboten toevlucht biedt, is er naast de rokerij een populaire fotogelegenheid: het kompas van Smygehuk met verwijzingen naar verschillende wereldsteden, zoals Moskou, Parijs en Berlijn. Het in 1806 gebouwde Köpmansmagasinet ten oosten van de haven diende tijdens de continentale blokkade door Napoleon tegen Engeland als opslagplaats voor smokkelwaar, nu is er het turistbyrå gevestigd.

Overnachten

Met vuurtoren – **STF Vandrarhem Smygehuk:** Kustvägen, tel. 0410 245 83, www.smygehukhostel.com, buiten het seizoen (midden mei-midden sept.) Vooraf reserveren verplicht, vanaf 380 SEK/2-pk. De kamers in de rode vuurtorenwachterswoning en in de houten hutten op het erf zijn eenvoudig, maar voor gasten inclusief het uitzicht vanuit de vuurtoren.

Info

Toeristische informatie

Trelleborgs Turistbyrå: Kontinentgatan 2, 231 42 Trelleborg, tel. 0410 73 33 20, www.trelleborg.se/turism. **Smygehuks Turistbyrå:** Köpmansmagasinet, Kustvägen, 231 79 Smygehamn, tel./fax 0410 240 53, www.smygehuk.com, juni-aug.

Vervoer

Bus: naar Ystad en Malmö.
Veerboten: naar Rostock-Travemünde en Sassnitz.

Ystad ▶ D 15

Voor thrillerlezers is Ystad (27.000 inwoners) vooral een begrip dankzij de romans van Henning Mankell: als woonplaats van zijn held Kurt Wallander en

het schouwtoneel van de gebeurtenissen (zie Op ontdekkingsreis, blz. 132). Maar de stad heeft veel meer te bieden dan alleen het decor van fictieve misdrijven.

Ystad verwierf in de middeleeuwen rijkdom door de visserij op haring en wordt beschouwd als een van de mooiste steden van Skåne. Bijna 300 schilderachtige vakwerkhuizen zorgen voor de bijzondere sfeer in Ystad. Aangezien deze gebouwen van nature zeer brandgevaarlijk zijn, organiseerden de bewoners al vroeg effectieve brandveiligheidsmaatregelen. In het begin van de 19e eeuw werd hier de eerste vrijwillige brandweer in Zweden opgericht. Ook nu nog bewaakt een brandwacht (*tornväktaren*) vanuit de toren van de Mariakyrkan de stad 's nachts en blaast – als er geen gevaar dreigt – ieder kwartier (van 21.15 tot 01.00 uur) in elk van de vier windrichtingen op zijn koperen hoorn. ▷ blz. 135

Met Wallander door Ystad

De naam Kurt Wallander, de bedachtzame politieman uit Ystad, ligt op ieders lippen. Nadat de meer dan een dozijn romans van Henning Mankell de bestsellerlijsten jarenlang hadden gedomineerd, werden de thrillers vanaf 2004 in de speciaal opgerichte studio's op het voormalige kazerneterrein van Ystad verfilmd. Ze worden met groot succes uitgezonden op de televisie en zijn op dvd te koop.

Info: www.ystad.se. Bij Ystads turistbyrå is een kaart met informatie beschikbaar (in verschillende talen) met de ligging van de filmlocaties, bovendien een app voor smartphones.

Studiorondleidingen: zie blz. 136

Literatuur: zie blz. 15

Internet: www.henningmankell.se

De beste manier om de wandeling langs de scènes uit Henning Mankells romans en de filmlocaties van de Wallander-films te beginnen is bij het turistbyrå op het Sankt Knuts Torg. Bij het **turistbyrå** huurde Rykoff in *De witte leeuwin* een zomerhuis om een man uit Zuid-Afrika te verbergen. U kunt uw ontdekkings-tocht in de voetsporen van Kurt Wallander doen aan de hand van een kaart en brochures die in verschillende talen te verkrijgen zijn. Het kopje koffie in **Fridolfs konditori** kunt u maar beter tot u nemen voor het einde van de tocht. Misschien treft u daar hoofdinspecteur Wallander, die tussendoor *smörgåsar*, sandwiches, haalt en opnieuw zijn voorliefde voor *wienerbröd* toont. De keuze aan gebak is er namelijk verleidelijk ...

Vervolgens wandelt u door de Stickgatan richting centrum. Aan de **Stickgatan** staat in *De man die glimlachte* het huis van de secretaresse, die werkt voor de vermoorde advocaat Torstensson. In de tuin laat Wallander vanaf een veilige afstand door een verrassend eenvoudige truc een mijn afgaan. De kleine groene oase **Bäckahästens Torg** voor hem een plek om na te denken, als hij in het onderzoek naar de *Midzomermoorden* op een dood punt is aanbeland.

Moordenaars op het spoor

Nu gaat u naar het Stortorget waar in de oude stadhuiskelder het **Restaurant Storethor** lokt – Kurt Wallander prijst het in de film *De dekmantel* aan als het beste restaurant van Ystad en nodigt zijn Europolcollega uit Kopenhagen uit voor tête-à-tête in de romantische gewelven – bij wijze van spreken als een vertrouwenwekkende maatregel. De twee proberen te achterhalen wie verantwoordelijk is voor de wrede dood door verstikking van veel mensen in een geparkeerde vrachtwagencontainer.

In de film *De dorpsgek* komt het wit gesauste stadhuis als decor voor, het is dan een bankfiliaal. Ook het gijzelings-drama in deze film werd opgenomen op Stortorget. Achter de **Mariakyrka**, dat het plein domineert, gaat u verder door de **Lilla Norregatan**, waar in de roman *Midzomermoorden* Wallanders-

collega Svedberg wreed werd doodgeschoten in zijn appartement. Hij is een van de slachtoffers van een seriemoordenaar die de politie een hele zomer bezighoudt. Van **Stortorget** is het maar een paar stappen naar de Sekelgården in de Långgatan. In het historische vakwerkhuis betrekt een uit Stockholm aangekomen ambtenaar in de roman *De honden van Riga* een hotelkamer. Wallanders listige onderzoek voert hem naar het buitenland – met inbegrip van diplomatieke complicaties.

Misdadigers in de jachthaven

Van het Stortorget richting de haven wandelt u door de Teatergränd en passeert daarbij de zijstraat **Harmonigatan**. In de roman *Midzomermoorden* woont de moordenaar op **nr. 18** – bij de huiszoeking zijn de politiemensen niet weinig verbaasd als ze een geluiddichte ruimte ontdekken. Bij het theater rechtsaf en dan over de drukke doorgaande weg komt u bij de **jachthaven**. Op een van de bankjes met uitzicht op de boten kunt u een adempauze inlassen – ook Wallander zit hier soms te mijmeren over de toestand in de wereld. In *Midzomermoorden* heeft hij iets anders in gedachten: In alle haast zoekt hij naar de moordenaar in een verdachte boot – tevergeefs, de dader is hem weer een stap voor.

Iets naar het oosten, bij de haven, voert de Hamngatan weer de stad in. Op de hoek staat het **Hotel Continental**, dat in de *Midzomermoorden* voorkomt als toneel van een misdrijf. Maar in plaats van toe te slaan op het historische gemaskerde bal, plant de onvoorspelbare seriemoordenaar een aanslag op een volledig onschuldig persoon.

De Hamngatan is met zijn kraampjes een gevaarlijke plek voor Wallander, die worstelt met overgewicht. Als de dokter diabetes vaststelt, wordt Wallander in zijn favoriete pizzeria door de gastheer István op dieet gezet. In de roman *De blinde muur* beginnen twee tot dan toe onschuldige jonge meisjes voor het restaurant in de Hamngatan een taxirit die eindigt met de moord op de 60-jarige taxichauffeur – niet de enige wrede en onverklaarbare moord die de politie van Ystad in die herfstdagen bezig houdt.

De **haven** van Ystad speelt in veel Wallander-romans en -films een rol. In *De dekmantel* komt hier de verdachte vrachtwagen van de veerboot. Ook de showdown en het einde van een gijzeling spelen zich af in een hal in het havengebied.

Decor voor veel thrillers: Stortorget, het marktplein van Ystad

Bezienswaardigheden

Rondom het Stortorget

Ten westen van het Stortorget ligt de karakteristieke Sankta Maria kyrka, waarvan de oudste delen uit de 13e eeuw stammen. In de directe omgeving staan de oudste school van Zweden (16e eeuw), Latinskolan, een onopvallend bakstenen gebouw met trapgevels, en tussen de Stora en de Lilla Västergatan het vakwerkhuis **Kemnerska Gården** met delen die nog van de 16e eeuw dateren. Änglahuset ten noorden van het Stortorget op de hoek van Sladdergatan en Stora Norregatan, heeft een bijzonder rijke geveldecoratie.

Gråbrödraklostret

Hospitalsgatan 4, www.klostret.ystad.se, di,-vr. 12-17, za./zo. 12-16 uur, 30 SEK

Vanaf Stortorget via de Klostergatan bereikt u het in 1260 door franciscanen gestichte Gråbrödraklostret. Na de Reformatie diende het klooster onder meer als ziekenhuis, distilleerderij en graanschuur. Na heftige protesten van de inwoners van Ystad werd de sloop van de vervallen gebouwen in 1901 voorkomen. Tegenwoordig is het gerestaureerde bakstenen gebouw een museum voor lokale geschiedenis; bezienswaardig is ook zeker de fraai aangelegde rozen-, moes- en kruidentuin naast het gebouw.

Stora Östergatan

De moeite waard is een wandeling langs de voetgangerszone Stora Östergatan. Op de hoek van de Pilgränd staat het oudste vakwerkhuis van de stad, **Pilgrändshuset**, waarvan de oudste delen dateren van circa 1480. **Pär Hälsas gård**, de grootste vakwerkwijk in Zweden, ligt slechts een paar straten verder naar het oosten tussen Besökaregränd en Piparegränd.

Overnachten

Vakwerkhotel – **Anno 1793 Sekelgården:** Långgatan 18, tel. 0411 739 00, www.sekelgarden.se, vanaf 995 SEK/2-pk. Klein stadshotel in een historisch vakwerkhuis, gezellige binnenplaats met kasseien.

Strandhotel – **Löderups Strandbad Hotell & Restaurang:** Löderup, tel. 0411 52 62 60, www.loderupsstrandbad.com, vanaf 740 SEK per 2-pk. Uitgebreid resort op een heuvel met uitzicht op de Oostzee, appartementen en vakantiewoningen.

Op het land – **STF Vandrarhem Backåkra:** tel. 0411 52 60 80, www.backakra.se, mei-sept., vanaf 220 SEK/pers. zonder ontbijt en beddengoed. Klein, gezellig huis (80 bedden) langs de kustweg in de buurt van het monument voor Dag Hammarskjöld, die het gebouw naliet aan de STF.

Aan het strand – **Löderups Strandbads Camping:** tel./fax 0411 52 63 11, www.camping.se/m12, apr.-sept., standplaats vanaf 190 SEK. Ten oosten van Ystad gelegen, deels schaduwrijke camping.

Eten en drinken

Deftig in de brouwerij – **Bryggeriet:** Långgatan 20, tel. 0411 699 99, www.restaurangbryggeriet.nu, ma. 11.30-14, di.-za. 11.30-24, zo. 15-24 uur. In de oude brouwerij (18e eeuw) wordt de Skånse keuken geserveerd, met de nadruk op gegrilde gerechten (89-186 SEK). Het huisgebrouwen *Ystad färsköl* is een ongefilterd bier, dat vers uit de tap het beste smaakt. U zit onder houten balken met uitzicht op de koperen brouwketels in de hal.

Leuk café – **Bäckahästens kaffestuga:** Lilla Östergatan 6/Bäckahästgränd, tel. 0411 140 00, mei-okt. Het café aan een klein plein in de oude binnenstad serveert koffie en gebak en een heerlijke, lichte lunch.

Actief en creatief

Niet alleen voor thrillerfans – **Stadsrondleiding:** in de zomer stadswandelingen (in verschillende talen), rondritten met de historische brandweerwagen; bustochten naar de belangrijkste plekken uit de Wallanderromans en -films buiten de stad; boeking via het turistbyrå.

Voor filmfans – **Cineteket:** Elis Nilssons väg 8 (bus 2 naar Regementet). Midden juni-aug. 11-17 uur, 50 SEK, incl. rondleiding door de studio's, 150 SEK.

Info

Toeristische informatie

Ystads Turistbyrå: S:t Knuts Torg, 271 42 Ystad, tel. 0411 57 76 81, www.ystad.se.

Festiviteiten

Jazzfestival: Begin aug. in Ystad.

Vervoer

Trein: naar Malmö en Simrishamn.
Bus: naar Trelleborg, via Simrishamn en Kivik naar Kristianstad.
Veerboten: dag. naar Rønne/Bornholm (vaartijd 1.15 uur, www.faergen.dk; naar Swinoujscie/Polen (vaartijd 9 uur 's nachts, resp. 7 uur, www.unityline.se).

Uitstapjes vanuit Ystad

Svaneholm slott ▶ D 15

www.svaneholms-slott.se, mei, juni, aug. di.-zo. 10-17, juli dag. 11-17, apr., sept. wo.-zo. 11-16, okt. za./zo. 11-16 uur, 50 SEK (museum)

Bij Skurup langs de E65 komt u aan bij een van de landhuizen, waarvan er heel veel mooie exemplaren in het oosten van Skåne te vinden zijn. Het meer uitdagende dan romantische bakstenen gebouw uit het midden van de 16e eeuw was omstreeks 1800 in bezit van baron Rutger Macklean, die de landbouw in Zweden moderniseerde. Een bezoek aan het kasteelmuseum opent een blik op het dagelijkse leven van de landheren en de semi-industriële landbouwpraktijken van de afgelopen eeuwen. In het kasteel is ook het exclusieve restaurant Svaneholms Gästgifveri te vinden (vooraf reserveren, zeker in het weekeinde). Een wandeling door het park mag u niet missen en neem ook vooral de tijd voor een boottochtje op het meer (50 SEK, incl. vissen vanaf 70 SEK/uur).

Kåseberga en omgeving ▶ D 15

Als u voorbij Nybrostrand over de kleine landweg naar Kåseberga rijdt, die direct langs de kust loopt, komt u bij Kåseberga bij een imposant monument uit de vroegste geschiedenis van Zweden. In een kleine rokerij in de haven van het dorp kunt u eerst wat te eten inslaan voor een picknick. Vanuit de haven gaat een korte, steile klim naar de *skeppssättning* **Ales stenar** (zie Favorieten blz. 138). Vanaf hier reikt het uitzicht tot ver over de zee – bij goed weer kunt u het silhouet van het eiland Bornholm herkennen.

Sandhammaren ▶ E 15

De duinen van Sandhammaren op de zuidoostelijke punt van Zweden omzomen een mooi, breed zandstrand. Hier staat vaak een sterke wind, die vooral in smaak valt bij surfers. Maar de stromingen in dit deel van de kust zijn niet zonder gevaar. De regel is: als de wind aflandig is, is hier voorzichtigheid geboden bij het zwemmen.

Door het fijnkorrelige zand een van de mooiste stranden van Zweden: Sandhammaren

Simrishamn en omgeving ▶ E 15

Schilderachtige, lage, pastelkleurige huizen, liefdevol beplante bloembakken op de stoep, de vele terrassen in de Storgatan, een levendige haven, dat alles draagt bij aan de charme van het stadje (19.400 inwoners). Bijzonder mooie foto-onderwerpen zijn bijvoorbeeld te vinden in de Brunnsgatan en de Stora Norregatan, waar vroeger de ambachtslieden woonden. De kerkscheepjes in de S:t Nicolai kyrka herinneren eraan dat Simrishamn sinds de Middeleeuwen een van de belangrijkste vissershavens van Skåne is. In een voormalige graanloods werd over drie verdiepingen verdeeld **Österlens Museum** (Storgatan 24, midden juni-aug. ma.-vr. 11-17, za. 10-14, verder di.-vr. 12-16, za. 10-14 uur) ingericht, met verzamelingen over geschiedenis en cultuur van Österlen. Het

Konstmuseet Gösta Werner & Havet (Strandvägen 5, www.gostawerner.se, Pasen, half juni-aug. di.-zo. sept. za./zo. 12-17 uur) is gewijd aan de schilder en Isaac Grünwaldleerling Gösta Werner, die zijn ervaringen als zeeman in zijn kunst verwerkte.

Liefhebbers van motorvoertuigen kunnen niet voorbijgaan aan het **Autoseum**: ongeveer 40 auto's, 30 motoren en verschillende vliegtuigen – alle van historische waarde (Fabriksgatan 10, www.autoseum.se, apr./mei za./zo., juni, sept. vr.-zo., juli-aug. di.-zo. 11-17 uur, 100 SEK).

Overnachten

Bed & breakfast is op veel plekken mogelijk, boeken via het turistbyrå.
Zicht op de haven – **Maritim Krog & Hotell:** Hamngatan 31, tel. ▷ blz. 140

Favoriet

Ales stenar – Het schip van mythen en legenden ▶ D/E 15

Als een reusachtige vikingschip kijkt
de grootste *skeppssättning* van Scandinavië over de steile kust uit naar Bornholm. Het waren vermoedelijk mensen
uit de vikingtijd die de 58 in sommige
gevallen meer dan 2 m hoge granieten
blokken opgericht hebben. Graven in
de vorm van een schip bestaan alleen
in Scandinavië. Men neemt aan dat er
een verbinding is met het gebruik in
de bronstijd om hooggeplaatste doden
in een schip te begraven. Nieuw onderzoek heeft aangetoond dat zich onder
de tegenwoordig zichtbare een kleinere
skeppssättning en verschillende ronde
steengraven bevinden. De leeftijd van
het monument is nog niet duidelijk,
veel onderzoekers dateren het ook wel
in het begin van de bronstijd 3500 jaar
geleden. Ook de functie is nog onduidelijk. Raadselachtig: de voorsteven van
het schip geeft precies de plek aan waar
de zon op Midzomer ondergaat, terwijl de achtersteven het punt markeert
van de zonsopgang op de winterzonnewende (21 dec.).

Gered van de ondergang: de middeleeuwse burcht Glimmingehus

0414 41 13 60, www.maritim.nu, 1100-1700 SEK per 2-pk. Individueel ingerichte kamers langs de haven.

Bornholm in zicht – **Branteviks Bykrog & Hotell:** Mästergränd 2, Brantevik, 5 km ten zuiden van Simrishamn, tel. 0414 220 69, www.branteviksbykrog.se, vanaf 800 SEK per 2-pk, met douche/wc 1200 SEK. Keurig hotel-restaurant aan de haven van Brantevik. Zeven tamelijk kleine, individueel ingerichte tweepersoonskamers.

Eten en drinken

Top – **Karlaby Kro:** Karlaby, Tommarp, 7 km ten westen van Simrishamn, tel. 0414 203 00, www.karlabykro.se, lunch (ma.-vr.) 220 SEK, 3-gangenmenu 's avonds 595 SEK. Voortreffelijk dineren in een voormalige stalgebouw – tot 1990 was Karlaby een boerderij en ook nu is

het nog omgeven door koolzaadvelden en akkers. Verfijnde Skånse keuken; het aspergeseizoen trekt veel gasten; ook luxueuze kamers (2400 SEK/2-pk).

Jong en ambitieus – **Måns Byckare:** Storgatan 8, tel. 0414 100 60, hoofdgerechten 140-225 SEK. Populaire bar (vr./za.) en restaurant in de met kasseien geplaveide hoofdstraat van Simrishamn, ongeveer 50 m vanaf de haven, vlees, vis, wild, doordeweeks eenvoudige gerechten als lunch, 85 SEK.

Aktief en creatief

Rondleidingen – **Simrishamn:** midden juni-midden aug. ma. 18.30 uur, gratis.

Fietsen – **Fietsvakantie:** Pakketaanbiedingen via het turistbyrå.

Golf – **Österlens Golfklubb:** www.osterlensgk.com. Twee 18-holesbanen: Djupadal en Lilla Vik.

Info

Toeristische informatie

Simrishamns Turistbyrå: Tullhusgatan 2, 272 31 Simrishamn, tel. 0414 81 98 00, www.simrishamn.se/turism.

Vervoer

Trein: naar Ystad.
Bus: via Kivik naar Kristianstad.
Veerboten: mei-aug. dag. veerboot naar Allinge op Bornholm (vaartijd 1 uur, www.bornholmexpress.dk).

Glimmingehus ▶ E 15

www.raa.se/glimmingehus, midden apr.-mei, midden aug.-sept. dag. 11-16, juni-midden aug. 10-18, rondleidingen (aug. in verschillende talen) juni-sept. dag., okt. za./zo. 12, 15 uur, 60 SEK

Tien kilometer ten zuidwesten van Simrishamn staat het oudste profane gebouw in Zweden, de burcht Glimmingehus. Het door Adam van Düren, die ook betrokken was bij het werk aan de kathedralen van Keulen en Lund, in 1499-1505 gebouwde zogenoemde versterkte huis is in zijn oorspronkelijke staat bewaard gebleven. Het diende als woning en tegelijkertijd als vesting – het is nooit veroverd door aanvallers. De meer dan 2 m dikke, van kleine schietgaten voorziene zandstenen muren, 18 kanonnen op de zolder en een gracht rondom boden kennelijk een goede bescherming. Het kasteel, dat beschikte over een slim verwarmingssysteem, werd tot in de 17e eeuw bewoond.

Nationalpark Stenshuvud ▶ E 14/15

Het 390 hectare grote nationale park werd in 1986 ingericht om de dankzij de traditionele landbouwmethoden ontstane biodiversiteit te behouden. Daarvoor zorgen tegenwoordig weer koeien, schapen en geiten. Dankzij het milde klimaat konden talrijke wilde dieren en planten zich vestigen, die zeldzaam zijn in de rest van Zweden, zoals zuidelijke soorten als hagedissen, boomkikker, hazelmuis en wielewaal. Het gebied ligt aan een kust met prachtige stranden.

Stenshuvud is gelegen aan de zuidoostelijke uitlopers van de heuvelrug Linderödsåsen, die al kort na het smelten van de ijskap ongeveer 10.000 jaar geleden werd bewoond en vooral in de 17e en 18e eeuw op grote schaal door de boeren werd geëxploiteerd. Nu probeert men om naast weilanden weer loofbossen met dichte ondergroei te laten ontstaan.

Een informatiecentrum (**Naturum**) geeft informatie over de geologie, flora en fauna in het nationaalpark (www.stenshuvud.se, feb.-apr., midden aug.-nov. dag. 11-16, mei-midzomer 11-17, midzomer-midden aug. 11-18 uur).

Eten en drinken

Koekjesbuffet – **Kaffestugan Annorlunda:** Stenshuvud, tel. 0414 704 75, www.kaffestuganannorlunda.se, midden mei-aug. dag. 11-17 uur, apr., sept. alleen in het weekeinde. Zo veel koekjes als u wilt voor een vaste prijs.

Wandelen in het nationalpark

Ideeën voor verschillende tochten (1-3 km lang) door het nationalpark Stenshuvud zijn te krijgen in het Naturum of via www.stenshuvud.se. Het hele jaar door vinden 1,5 uur durende rondleidingen plaats, meestal in het weekeinde (zie de website voor de data).

Kivik ▶ E 14

Het idyllische stadje is het centrum van de fruitteelt en ciderproductie in Zweden. Circa 50% van de Zweedse appels wordt geoogst in Österlen, het oostelijke deel van Skåne. In het voorjaar is het glooiende landschap een zee van appelbloesem. Ieder jaar trekt de grote markt in juli duizenden bezoekers (zie Festiviteiten, blz.143). Het door Kiviks Musteri ingerichte **Äpplets hus** (Huis van de appel) documenteert de geschiedenis van de fruitteelt en het maken van cider (www.kiviksmusteri.se, mrt, nov./dec. za./zo., apr.-okt. dag. 10-17 uur, 50 SEK).

De belangrijkste bezienswaardigheid in Kivik is de 3000 jaar oude **Kungagraven** (koningsgraf, mei-sept. dag. 10-18 uur, 25 SEK). Stenen vormen een heuvel van 75 m in diameter, in een grafkamer binnenin staan acht platen, waarvan het reliëfdecor doet denken aan rotstekeningen uit de bronstijd. Daar de grafheuvel tot de restauratie in de jaren 30 van de vorige eeuw werd gebruikt als steengroeve, wordt aangenomen dat het oorspronkelijke graf drie keer zo groot was.

Overnachten

Voor paardenliefhebbers – Logi Blåsingsborg: tel. 0414 702 18, 2 km te zuiden van Kivik, www.blasingsborg.se, 750-980 SEK/2-pk, apartementen 1200 SEK voor 2 pers. Familieaccommodatie in een Skånse boerderij met IJslandse paarden, 18 kamers (sommige zonder douche/wc) in een rustieke stijl: lage plafonds, betegelde vloeren en oneffen muren in de voormalige stallen. Café, restaurant, paardrijpakketten, paardrijlessen, buitenritten, all-inprijzen inclusief maaltijden.

Gezellig – STF Vandrarhem Havång: Skepparpsgården, Kivik, tel. 0414 740 71, www.stfhavang.com, mei-sept., 2-pk vanaf 500 SEK. Comfortabele kamers in een oude Skånse boerderij met geplaveide binnenplaats, 300 m van het strand, wandelen. Zeer populair, vroeg boeken!

Aan de zee – Kiviks Familjecamping: ten noorden van Kivik langs weg 9, tel. 0414 709 30, apr.-midden okt., www.kivikscamping.se, standplaats vanaf 155 SEK. Fraai gelegen camping met trekkershutten.

Eten en drinken

Weekeinde op het château – Kronovalls vinslott: Fågeltofta, tel. 0417 197 10, www.petripumpa.se, weekendpakket incl. afternoon tea, wijnproeverij, 5-gangendiner en ontbijt vanaf 2290 SEK/pers. in 2-pk. Genoeg van gerookte vis en *lättöl*? Wat dacht u van pizza, kleine Italiaans geïnspireerde lekkernijen en een glas wijn in een barok kasteel? Kronovalls Vinslott biedt precies dat. Bovendien zijn er een Engels park met lelievijvers en wijn- en champagneproeverijen. Ook 22 kamers – die zoals dat hoort bij een wijnchâteau, vernoemd zijn naar beroemde wijnen ...

Stevige keuken – Brösarps Gästgifveri: Brösarp, tel. 0414 736 80, www.brosarps-gastgifveri.se, hoofdgerechten 158-265 SEK. Traditionele gerechten en vis, specialiteiten zijn wildzwijn en *äggakaga* (omelet) met varkensvlees en veenbessen. Ook kamers.

Cafetaria of picknick – Buhres Fisk: Hamnplan, tel. 0414 702 12, www.buhresfisk.se, midden juni-midden aug. Cafetaria dag. 11-20, verkoop ma.-vr. 10-18, za. 10-17, zo. 11-17 uur, rest van het jaar beperkte openingstijden. Bij de haven kunt u terecht in het cafetaria: visspecialiteiten zoals pasteien, ingelegde of vers gerookte haring. Wie wil, kan ook hier ook de ingrediënten voor een picknick inslaan.

Aktief en creatief

Stoomtrein en draisine – **Museum-spoorlijn van Sankt Olof naar Brösarp:** Rijdt met stoomtreinen op het ca. 15 km lange traject, draisinetochten in de zuidelijke richting vanaf Sankt Olof, www.skanskajarnvagar.se.

Info en evenementen

Info over Kivik bij Simrishamns Turistbyrå, zie blz. 141.
Markt gedurende drie dagen in midden juli, onder meer met kermis en vlooienmarkt, info: www.kiviksmarknad.com.

Åhus ▶ E 14

Het mooie, tegenwoordig wat slaperig tonende stadje was in de Middeleeuwen een belangrijke haven voor de palingvisserij. Nadat het 1617 zijn stadsrechten verloor aan Kristianstad, stagneerde de ontwikkeling echter. Het kasteel raakte in verval, maar delen van de stadsmuren en het middeleeuwse stratenplan zijn behouden gebleven. Met kasseien geplaveide, smalle straatjes en lage huizen trekken veel bezoekers naar Åhus, dat nu vooral bekend is wegens de befaamde Absolutwodkastokerij.

Overnachten

Uitzicht op de haven – **Åhus Gästgifvaregård:** Gamla Skeppsbron, tel. 044 28 90 50, www.ahusgastis.com, weekendpakket HP 1500 SEK/pers. Meer dan 100 bedden, veel kamers met uitzicht op de haven, uitstekend restaurant.
Centraal – **STF Vandrarhem Åhus:** Stavgatan 3, tel. 044 24 85 35, www.cigarrkungenshus.se, vanaf 200 SEK/pers., 2-pk vanaf 500 SEK. De kleine jeugdherberg met 32 bedden is ondergebracht in de villa (1893) van de 'sigarenkoning' in de haven. Roken is er echter toch niet toegestaan. De tweepersoonskamers zijn uitgerust met naast elkaar staande bedden en een televisie. Nog 34 B & B-kamers in de naastgelegen gerenoveerde fabriek (2-pk vanaf 590 SEK incl. ontbijt).
Aan het strand – **Regenbogen Camp Åhus:** tel. 044 24 89 69, www.regenbogen-camp.se, nov./dec. gesl., standplaats vanaf 170 SEK. In een dennenbos nabij de zee en het witte zand van de Hanöbukten; sauna, trekkershutten.

Eten en drinken

Gerenommeerd – **Wärdshuset Kastanjelund:** Yngsjö, tel. 044 23 25 33, www.kastanjelund.se, hoofdgerechten 200-250 SEK. Gerenommeerd restaurant (en hotel), bekend om zijn paling- en ganzengerechten. In de zomer ook café.

Aktief en creatief

Onderweg op het water – **Boottochten in het Vattenriket:** de boten naar het 'waterrijk' van de Helgeå leggen ook aan in de haven van Åhus; zie blz. 147.

Info

Toeristische informatie
Åhus Turistbyrå: Järnvägsgatan 7, tel. 044 13 47 77. Internet zie Kristianstad.

Kristianstad ▶ D/E 14

Nadat Vä tussen 1452 en 1612 een paar keer was platgebrand, de laatste keer door Gustav II Adolf, gaf de Deense koning Christian IV de oude stad in 1614

op en liet de inwoners verhuizen naar een nieuwe, versterkte stad, Kristianstad (nu 75.600 inwoners). Het aan de grens met het vijandelijke Zweden gelegen bolwerk werd gebouwd volgens de idealen van de renaissance, wat nu nog te zien is aan het rechtlijnige stratenplan. De in 1617-1628 gebouwde Trefaldighetskyrkan (Heilige-Drieëenheidskerk) wordt beschouwd als een van de mooiste renaissancekerken van Noord-Europa. Een groot deel van het oorspronkelijke, 17e-eeuwse interieur is behouden gebleven.

Even verderop informeert het moderne **Regionmuseet** (www.regionmuseet.se, juni-aug. dag. 11-17, sept.-mei di.-zo. 12-17 uur, toegang gratis) met wisselende tentoonstellingen over heel Skåne. Vandaag de dag is Kristianstad vooral een winkelstad voor de hele regio. In een huis aan de Östra Storgatan (nr. 53) in het tegenwoordige voetgangersgebied werd in 1909 in een studio de eerste Zweedse film gedraaid, nu bevindt zich daar het **Filmmuseet** (juni-aug. di.-vr. 13-16, za./zo. 12-17, rest van het jaar zo. 12-17 uur, toegang gratis, regelmatig worden er stomme films vertoond).

Eten en drinken

Alles van de grill – **Bar B Ko**: Tivoligatan 4, tel. 044 21 33 55, www.bar-b-ko.se, ma.-za. vanaf 18 uur. Specialiteit is kwaliteitsrundvlees van de grill, er is echter ook gevogelte en vis, dat wordt geserveerd met een aardappelgratin of gebakken aardappeltjes met lekkere sausen. Spareribs ca. 220 SEK, Grillspies 260 SEK.

Alleen van buiten te bezichtigen, maar in ieder geval indrukwekkend: Trolle-Ljungby slott bij Kristianstad

Innovatieve keuken in het museum – **Café Miró**: in het Regionmuseet, zie aldaar voor openingstijden. Vis, groenten, verse salades en alles waar vegetariers van houden.

Info en evenementen

Toeristische informatie

Kristianstads Turistbyrå: Stora Torget, 291 80 Kristianstad, tel. 044 13 53 35, www.kristianstad.se. Ook verantwoordelijk voor Åhus.

Festiviteiten

Christianstadsdagarna (10 dagen in juli): rock, jazz en dans, openluchttheater.

1800-tals-dag (laatste za. in aug.): In de stad wordt een markt gehouden in de stijl van de 19e eeuw, variété.

Vervoer

Trein: naar Hässleholm, Malmö, Kopenhagen en Karlskrona.
Bus: naar Simrishamn en Älmhult.

Rondom Kristianstad

Wanås slott ▶ D 14

www.wanas.se, via weg 19 vanuit Kristianstad, bij Knislinge wegwijzers volgen, midzomer-midden aug. dag. 10-17, midden mei-midzomer en midden aug.-sept. di.-zo., sept., okt. za./zo. 11-17 uur, 100 SEK

Het park van Wanås slott – met zijn omgevallen en met mossen en paddenstoelen begroeide, soms vele eeuwen oude bomen zelf een kunstwerk van de natuur – maakt de ideale combinatie mogelijk van een verfrissende wandeling door een dicht beukenbos en het tegelijkertijd genieten van cultuur, want in de omgeving van het kasteel worden prachtige kunstwerken gepresenteerd.

Sinds 1987 worden jaarlijks wisselende tentoonstellingen gehouden; omdat sommige objecten blijven staan, groeit de beeldentuin van jaar tot jaar.

Nationalpark Söderåsen ▶ D 14

www.nationalpark-soderasen.lst.se
Het grootste aaneengesloten loofbos in Noord-Europa, met diepe kloven en bruisende beken wordt ontsloten door wandelroutes vanaf het **Naturum** in Skäralid. Hier kunt u routebeschrijvingen en kaarten krijgen om dichter bij de natuur te komen (feb.-apr. okt.-nov. di.-zo. 11-16, mei-aug. dag. 10-20, sept. 10-17 uur).

Skånes Djurpark ▶ D 14

www.skanesdjurpark.se, april-sept. dag. 10-17, rest van het jaar 10-15 uur, volw. vanaf 16 jaar 150/200 SEK (afh. van seizoen)
Het grootste dierenpark van Zuid-Zweden 10 km ten noordoosten van Bosjökloster bij Höör is een bezoek waard, vooral als u uit bent op een ontmoeting met wolven, beren en lynxen: In de dierentuin leven deze roofdieren samen met andere Noord-Europese en inheemse dieren – in totaal ongeveer 80 soorten – zoals muskusossen, wisenten en elanden, die goed gedijen in het relatief koele klimaat van Frostavallen in Midden-Skåne.

Bosjökloster ▶ D 14

www.bosjokloster.se, mei, juni, sept. 11-17, juli/aug. 10.30-17.30, park gehele jaar 8-19 uur ('s winters tot zonsondergang), 75 SEK
Witte trapgevels aan een blauw meer, zo presenteert zich in de 11e eeuw door benedictinessen gestichte Bosjökloster op een landtong in de Ringsjö. tegenwoordig is het in particulier bezit en bewoond. Een galerie toont wisselende tentoonstellingen van hedendaagse kunst, het terrein is verfraaid

met bloembedden en geurige rozenperken. Maar vooral een wandeling door het park met reusachtige, oude eiken en dierverblijven en langs de oever van het meer, waar u roeiboten kunt huren, maakt een bezoek tot een belevenis, vooral met kinderen.

Trolle-Ljungby slott ▶ E 14

www.trolleljungby.com, park toeg.
Het fraaie bakstenen kasteel met gracht, werd in 1629-1633 in de Deens-Hollandse renaissancestijl gebouwd en werd beroemd door een oude legende: Op een keer zou in opdracht van de kasteelvrouwe een kostbare hoorn en een fluit zijn gestolen van de trollen, die luidruchtig feest vierden onder een nabijgelegen rotsblok. Verhalen over de pogingen van de trollen om de voorwerpen terug te krijgen, vullen hele sprookjesboeken. Sindsdien brengt het in ieder geval ongeluk om de hoorn en de fluit te verwijderen uit het Trolle-Ljungby slott. Iedereen kan zichzelf ervan overtuigen dat ze er nog steeds zijn: *Ljungby horn och pipa* worden op bepaalde dagen in de zomer (juni-aug. wo., za. 9-17 uur) in een venster op de binnenplaats tentoongesteld – verder is het kasteel, dat particulier eigendom en bewoond is, niet te bezichtigen.

Vogels kijken langs de Helgeå

Vattenriket, 'het waterrijk', is een van de vaakst overstroomde gebieden van Zweden, hier ligt het laagste punt van het land (actuele waterstand en andere informatie: www.vattenriket.kristianstad.se). Op een boottocht vanaf Åhus of Kristianstad kunt u doordringen in het amfibische landschap van de rivier Helgeå met zijn rijke vogelleven. Fuut, baardman, bruine kiekendief en visarend zijn slechts enkele van de vele sorten die hier in de zomer nestelen. Tijdens de vogeltrek is het als een biosfeerreservaat beschermde water- en voedselrijke gebied voor veel vogels uit Scandinavië en Rusland een belangrijke tussenstop. Een op palen gebouwd **Naturum** informeert bezoekers over de bijzondere en rijke flora en fauna van het uitgestrekte gebied. Via bruggen is de omgeving te voet te bereiken vanaf het Tivoliparken in Kristianstad. Wie het Vattenriket wil verkennen vanaf het water, kan een gegidste rondvaart maken vanuit Kristianstad of Åhus (zie Actief en creatief, hieronder).

Overnachten en eten

Slapen in een kasteel – **Bäckaskog Slott:** Barumsvägen 255, Fjälkinge, tel. 044 530 20, www.backaskogslott.se. In Bäckaskog op een landengte tussen de Ivösjö en de Oppmannasjö vestigden zich in de 13e eeuw premonstratenzers, in de 16e eeuw kwam het klooster in bezit van Henrik Ramel, gouverneur van kroonprins Christian, en verbouwd. Het kasteel-hotel profiteert vooral van het feit dat koning Karl XV hier in het midden van de 19e eeuw een zomerresidentie liet inrichten. Te bezichtigen zijn de paradezalen, de stallen, de slotkapel en het kasteelpark. Accommodatie in verschillende klassen – van kasteelkamer (2-pk vanaf 1600 SEK) tot een eenvoudig bed in de jachthut in het park (vanaf 700 SEK/2-pk), goed restaurant.

Aktief en creatief

Onderweg op het water – **Boottochten:** www.flodbaten.se. De als milieuvriendelijk gecertificeerde tochten door het Vattenriket langs de Helgeå vinden plaats met open, vlakke rivierboten. Opstapsteiger in Kristianstad: Tivoliparken (mei-sept.), in Åhus: jachthaven (midden juni-midden aug.), 1-2 uur, 90 SEK resp. 120 SEK. Ook tot 4 uur du-

Tip

Verse gerechten in het kasteel

Het kasteelachtige landgoed **Hovdala slott** (5 km ten zuiden van Hässleholm langs weg 117) stamt deels uit de 16e eeuw en is niet alleen voor tuinliefhebbers de moeite waard. De Oranjerie uit de late 18e eeuw wordt 's zomers gebruikt voor zondagsconcerten, langs de karpervijver kunt u ontspannen wandelen en de kruidentuin levert de kruiden voor de keuken van het restaurant – cultuur en natuurworden zo tot iets moois en lekkers verenigd (tel. 0451 183 70, www.hassleholm.se/hovdalaslott, juli-begin aug. di.-zo. 11-17 uur, park hele jaar, www.restaurangmikkelsen.se, di.-vr., zo. 12-16 uur).

rende tochten tussen Åhus en Kristianstad.

Sölvesborg en omgeving ▶ E 14

Sölvesborg (16.500 inwoners), de oudste stad van de provincie Blekinge, heeft enkele middeleeuwse wijken weten te behouden, maar ook een kasteelruïne en een aan de heilige Nicolaas gewijde bakstenen kerk.

Wie een omweg maakt naar het schiereiland Listerland in de richting van het schilderachtige vissersdorp **Hällevik**, kan zich verheugen op visrokerijen en badstranden.

Overnachten

Omgeven door dennenbossen – **Hälleviks Camping:** tel. 0456 527 14, www. halle vikscamping.se, afhankelijk van het seizoen 135-225 SEK. Op een prach-

Sprookjesachtige hut in de schemering – langs een meer in Blekinge

tige locatie aan een zandstrand vlak bij het vissersdorp Hällevik. Comfortabele hutten en appartementen, verwarmd zwembad.

Aktief en creatief

Kanoverhuur – **Halenkanot:** www.halenkanot.com. Kanoverhuur en kanocursussen in Olofström, tochten in het merensystem Halen-Immeln bij Sölvesborg.

Info en evenementen

Toeristische informatie

Sölvesborgs Turistbyrå: Stadshuset, 294 80 Sölvesborg, tel. 0456 100 88, www.solvesborg.se.

Festiviteiten

Killebom (2e weekeinde in juli): Stadsfeest met markt en gratis cultuurevents in Sölvesborg.
Sweden Rock (midden juni): www.swedenrock.com. Grootste hardrockfestival. van Zweden.

Karlshamn ▶ E 14

De oude haven- en handelsstad werd in 1666 vernoemd naar Karel X Gustav, die gebruikmaakte van het diepe water van de baai voor het aanleggen van een marinebasis. Via deze haven verlieten in de 19e eeuw vele honderdduizenden emigranten Småland en Blekinge voor een kans op een beter leven in Amerika. Een beeldengroep van Karl Oskar en Kristina – de belangrijkste personages uit Vilhelm Mobergs roman *De emigranten* – in het Hamnparken, herinnert aan hen. U kijkt uit op een klein eiland met een vesting, die in 1675 werd gebouwd om Karlshamn te beschermen tegen de aanvallen van de Denen.

Bezienswaardig is, naast de bewaard gebleven houten huizen rond het Stortorget, **Karlshamns Kulturkvarter**, dat bestaat uit diverse gebouwen in de Vinkelgata en de Drottninggata en de inmiddels gesloten J N von Bergens punschfabrik, die nu is ingericht als **Punchmuseum** (midden juni-midden aug. di.-zo. 13-17, rest van het jaar ma.-vr. 13-16 uur, 20 SEK). Hier werden vanaf 1840 enorme hoeveelheden (in 1914 500.000 liter) van de beroemde, zoete Carlshamns Flaggpunsch geproduceerd. In 1917 kwam een einde aan dit tijdperk toen de staat via de Vin- & Spritcentralen de volledige productie van wijn en sterke drank overnam. Het museum toont de originele kantoor- en productieruimten en de flessenspoelerij. De bijgebouwen, 18e-eeuwse rode houten huizen, huisvesten onder meer een vissershut, een schoenmakerij en een tabakswinkel.

Overnachten

Langs de scherenkust – **Kolleviks Camping:** 3 km ten zuidoosten van Karlshamn, tel. 0454 192 80, www.karlshamn.se, midden april-sept. standplaats 160-200 SEK. De vlakke scherenkust ligt aan de voeten van de campinggasten met in hun rug een klein bos. Ook comfortabele hutten (vanaf 350 SEK/dag).

Info

Toeristische informatie

Karlshamns Turistbyrå: Pirgatan 2, 374 81 Karlshamn, tel. 0454 812 03, www.visitkarlshamn.se.

Vervoer

Veerboten: 's Zomers lijndiensten naar Tärnö en Tjärö, Info: tel. 0455 569 00, www.blekingetrafiken.se.
Trein: naar Malmö, Helsingborg en Karlskrona.
Bus: naar Ronneby, Göteborg.

Omgeving van Karlshamn

Laxens hus in Mörrum ▶ E 14

www.morrum.com, april-sept. dag. 9-17, okt. 9-16 uur, 55 SEK
Interessant, niet alleen voor vissers, is een bezoek aan het kweekcentrum en de tentoonstelling over de geschiedenis van de zalm en het zalmvissen in Mörrum direct aan de Mörrumså, een van de beste zalmrivieren van Zweden. De grote ramen van het aquarium bieden uitzicht op het leven in de rivier. Sinds 1231 worden hier de begeerde vissen onderschept als ze op weg zijn van de open zee naar de paaigronden.

De vispremière op 1 april is waarschijnlijk een van de grootste evenementen in het leven van een sportvisser. Voor de eerste vijf dagen van het seizoen, dat duurt tot eind september, wordt de meest veelbelovende plek langs de rivier verloot onder de contribuanten van het museum, waarbij buitenlanders die een *fiskevårdskort* hebben verworven ook meedoen. Zelfs de koning is af en toe aanwezig bij de

Wandelen of fietsen

Ebbamåla is een ideaal startpunt voor dagtochten. De **Banvallsleden** op het traject van de voormalige Vislandabaan is een 27 km lang fietspad naar Karlshamn. Wandelaars kunnen langs de westelijke oever van de rivier over de **Laxaleden** naar de kust lopen.

seizoensopening (visvergunningen: www.morrum.com).

IJzergieterij
Ebbamåla bruk ▶ E 13

www.ebbamalabruk.se, juni-aug. dag. 11, 13, 15 uur, rondleidingen 70 SEK
Volgt u de vallei van de Mörrumså stroomopwaarts (eerst naar Svängsta, dan weg 126 richting Fridafors), komt u bij de voormalige ijzergieterij, waar men tegenwoordig onder meer gietijzeren tuinmeubelen maakt. Interessant zijn de rondleidingen door de historische fabrieksgebouwen. Het snelstromende water van de Mörrumså dreef van 1884 tot de sluiting van de fabriek in 1950 de machines aan.

Eriksbergs Viltreservat ▶ E 14

www.eriksberg.nu, Karlshamn via de E 22, vanaf de afrit Åryd de borden volgen, juni-aug. dag. 12-19 uur (laatste toegang), 110 SEK
Op het terrein van Eriksbergs leven op 1000 hectare onder meer elanden, wilde zwijnen, wisenten, herten en moeflons, die u vanuit uw auto kunt bekijken. Een andere attractie is de zeldzame rode wa-

Zeekajaktochten in de scheren

Tot in de jaren 50 van de vorige eeuw was de nederzetting op het eiland Tjärö in de scherenkust bewoond. Nadat de laatste vissersfamilies waren vertrokken, werd het historische dorp verbouwd tot een resort. Het comfort in de pittoreske houten huisjes is niet groot, maar de Robinsonfactor is hoog. Een ideaal uitgangspunt voor lange kajaktochten door de scherenkust tussen Karlshamn en Ronneby (Tjärö Turiststation, tel. 0454 600 63, www.tjaro. com, mei-midden sept., 94 bedden, 2- tot 6-bedskamers, per bed vanaf 250 SEK).

terlelie in de Färsksjön, die bloeit vanaf eind juni. Restaurant met wildspecialiteiten (vanaf ca. 100 SEK).

Info en festiviteiten

Evenementen

Vispremière is op 1 april in Mörrum, **Zalmfeest** op 11 mei.

Vervoer

Trein: Mörrum ligt aan het traject Kopenhagen-Hässleholm-Karlskrona.

Overnachten

In het groene dal van de Mörrum – **STF Vandrarhem Ebbamåla Bruk:** Hovmansbygdsvägen 610, 290 60 Kyrkhult, tel. 0454 77 40 00, www.ebbamalabruk. se, midden mrt.-okt. Appartementen vanaf 450 SEK/2 pers., bed vanaf 200 SEK/pers. Fraai gerenoveerde 2-kamerappartementen in de historische gieterij langs de Mörrumså, fiets- en kanoverhuur, verkoop van visvergunningen en vliegviscursussen.

Ronneby ▶ F 14

Het traditionele kuuroord met ongeveer 28.000 inwoners heeft veel van zijn idyllische, kleinsteedse karakter weten te bewaren. Samen met het naburige Kallinge was het ooit de 'hoofdstad van de potten en pannen' in Zweden. Verschillende kleine fabrieken in Kallinge zetten deze traditie tot op de dag van vandaag voort.

Bezienswaardig is naast het oude kuurpark Brunnsparken de wijk Bergslagen rond de **Heliga Kors kyrka**. In de kerk zijn fresco's uit de 14e tot de 16e eeuw, de koorramen werden ontworpen door Erik Olson, een lid van de

Halmstadgroep (zie blz. 98). Een wandeling door de wijk **Bergslagen** voert over kinderkopjes langs goed bewaard gebleven houten huizen naar de **Mor Oliviagården** uit de 18e eeuw, een van de oudste gebouwen in de stad, direct bij de stroomversnelling in de rivier de Ronnebyån en omringd door een geurige kruidentuin. Het huis dient als expositieruimte voor kunstnijverheid (di.-vr. 11-17, za./zo. 11-15 uur).

Ronneby Brunnsparken aan de oevers van Ronnebyån is een wereld op zich: Verscheidene grote hotels, een kuuroord, een café, een gaanderij en een petanqueveld creëren de juiste omgeving voor een ontspannen verblijf.

Overnachten en eten

Inclusief uitzicht – **Guö Värdshus:** Trensum, tel. 0454 603 00, www.guo vardshus.se, golfpakket 1255 SEK/pers. in 2-pk (HP). Schilderachtig ligt het voormalige landgoed uit de 19e eeuw als een geel, houten kasteeltje aan een baai, inclusief uitzicht op de scherenkust. De 30 kamers bieden alle comfort; goed restaurant met wildgerechten.

Winkelen

Huishoudelijk – **Ronneby bruk Sweden:** Flisevägen, Kallinge, tel. 0457 240 00, www.ronnebybruk.com, ma.-vr. 9-17 uur. Fabrieksverkoop van gietijzeren potten en pannen met een klassiek design van Sigurd Persson – zwaar, maar onovertroffen voor een optimale bereiding van sudderlappen en pannenkoeken; bovendien geëmailleerd keukengerei naar Frans voorbeeld, kandelaars en dergelijke van gietijzer.

Aktief en creatief

Fietsverhuur – **STF Vandrarhem Gula Huset:** Järnavik, www.gula-huset.com, tel. 0457 822 00. Ook verhuur van kano's en zeekajaks en kano- en kajakcursussen.

In het kuuroord Ronneby heerst een idyllische atmosfeer

Onder zeil – in de historische marinehaven van Karlskrona

Ontspannen – **Ronneby brunns Spa:** www.ronnebybrunn.se, tel. 0457 750 00. Zeer modern en luxueus wellnesscentrum, op 2,5 km van de stad, met hotel, verwarmde binnen- en buitenzwembaden, jacuzzi's, stoom- en droge sauna, solarium, tennisbanen, yoga, qigong en meer; behandelingen voor niet-gasten per uur of dag (995 SEK/dag).

Info

Toeristische informatie

Ronneby Turistbyrå: Västra Torggatan 1, 372 30 Ronneby, tel. 0457 61 75 70, www.ronneby.se/turist.

Vervoer

Trein: naar Malmö, Helsingborg en Karlskrona.
Bus: naar Karlshamn, Karlskrona en Växjö.

Karlskrona ✳ ▶ F 14

De stad Karlskrona (61.000 inwoners) werd in 1680 door Karl XI gesticht als grote marinebasis op het eiland Trossö, het huidige stadscentrum. Delen van deze voorbeeldige militaire stad tegen de prachtige achtergrond van de scherenkust zijn opgenomen op de Werelderfgoedlijst van de UNESCO.

Stortorget

Om ruimte te hebben voor militaire parades, liet Karel XI de vestingbouwer Erik Dahlberg brede straten en grote pleinen aanleggen. Stortorget is een van de ruimste pleinen van Noord-Europa. In het midden herinnert een standbeeld aan de koninklijke stichter van de stad, geflankeerd door het stadhuis en twee barokke kerken door Nicodemus Tessin de Jongere, de **Trefaldighetskyrka**, tot 1846 de kerk van de Duitse gemeenschap, en de **Fredrikskyrka**.

Ulrica Pia kyrka en bastion Aurora

De admiraliteitskerk **Ulrica Pia kyrka** is het oudste gebouw in de stad, want hoewel gemaakt van hout, overleefde het de grote brand van 1790. Bij de ingang staat de houten figuur van de bedelaar Rosenbom, waarvan u de hoed kunt opklappen om er een paar kronen in te gooien. De figuur speelt ook een rol in de wonderbaarlijke reis van Nils Holgersson: Nils droomt dat Rosenbom hem onder zijn hoed verbergt om hem te beschermen tegen de toorn van Karl XI, wiens bronzen standbeeld Nils door een brutaliteit tot leven heeft gewekt.

Loopt u van de kerk naar zee, krijgt u een mooi uitzicht op het **bastion Aurora**, voorheen onderdeel van de vestingwerken van de stad. Hier herinnert een bronzen borstbeeld aan de bouwmeester Erik Dahlberg.

Marinmuseum

www.marinmuseum.se, midden juni-midden aug. dag. 10-18, mei, sept. dag., verder di.-zo. 10-16 uur, 90 SEK

Tot de attracties van het Marinmuseum op Stumholmen, het vroegere proviandeiland van de marine, behoort naast een grote collectie boegbeelden ook een onderwaterpassage naar een wrak. Langs de kade ligt een aantal boten aangemeerd, onder andere de driemaster 'Jarramas' (café). Wie het kijken moe is, kan naast het museum aan een mooi strand zwemmen.

Overnachten

Individueel – **Hotel Siesta:** Borgmästaregatan 5, tel. 0455 801 80, www.hotell siesta.com, 2-pk (budgetprijzen in zomer/weekeinde) vanaf 950 SEK (zonder bad) resp. 1850 SEK (met douche/wc). Klein, gastvrij particulier hotel met 38 smaakvol ingerichte kamers met uit-

eenlopend comfort. Gratis wifi, goed ontbijt.

Centraal – **STF Vandrarhem Karlskrona:** Bredgatan 16 bzw. Drottninggatan 39, tel. 0455 100 20, trosso.vandrarhem@telia.com, vanaf 370 SEK/2-pk. Twee huizen, waarvan het ene (alleen midden juni-midden aug. geopend) zelfs douche/wc op de kamers heeft (vanaf 490 SEK/2-pk).

Met badrotsen – **Dragsö:** Karlskrona, tel. 0455 153 54, www.dragso.se, plek vanaf 195 SEK, apr.-midden okt. Op een schereneiland ten westen van de stad, nabij het centrum, verhuur van hutten, fietsen, kano's en roeiboten.

Aan een meer – **Stensjö Camping och Stugby:** Holmsjö, tel. 0455 921 14, www.stensjo.net, mei-midden sept. Plek vanaf 160 SEK. De door Nederlandse eigenaren gerunde camping is prachtig gelegen aan een meer, ongeveer 20 km ten noorden van Karlskrona. Goed kanogebied, kanoverhuur, vissen.

Aktief en creatief

Voor peddelaars – **Zeekajak- en kanoverhuur:** bij de campings Stensjö en Dragsö.

Info

Toeristische informatie

Karlskrona Turistbyrå: Stortorget 2, 371 34 Karlskrona, tel. 0455 30 34 90, www.visitkarlskrona.se.

Vervoer

Veerboten: naar Gdynia/Polen (vaartijd 10 uur, www.stenaline.se).
Trein: naar Alvesta, Göteborg, Malmö en Kalmar.
Bus: naar Ronneby.
Boot: vanaf Fisktorget naar de scherenkust, tickets en informatie bij de steiger.

Småland en Öland

Hoogtepunt ✳

Öland: Een vakantie-eiland voor fijn-proevers. Veel zon, mooie stranden, een ongewone, bijna mediterraan aan-doende natuur en een bijpassende gas-tronomie. Blz 172

Op ontdekkingsreis

Een reis door het Glasrijk: Wat er ge-beurt als kunstenaars met het materiaal glas experimenteren, ziet u op een rond-rit langs de belangrijkste glasblazerijen in Småland – fascinerend! Blz. 162

Kleva gruva –
goud zoeken in het bos ■

Bolmen ■ sprookjestocht
vissen ■ ■ Ljungby ● Växjö Hyttsill
Bezoek aan het glasrijk Solliden slott ■ ● Borgholm
  Kalmar ■ ■ Öland
  Larmtorget ■
  Kalmar slott

Bezienswaardigheden

Växjö: De kathedraal met het glazen altaar en Smålands museum met een uitstekende collectie van glaskunst passen goed bij een bezoek aan de glasblazerijen in de regio. Blz. 159

Kalmar slott: Een slot uit de tijd van Gustav Vasa, schilderachtig aan de Kalmar Sund gelegen en met een rijke historie. Blz. 169

Aktief en creatief

Sprookjestocht: Rond Ljungby rijgen de sprookjesachtige taferelen zich aaneen – feeën en trollen wachten. Blz. 157

Vissen: Smålands grootste meer Bolmen is een klassiek viswater. Blz. 158

Goud zoeken in het bos: Kleva gruva was ooit een goudmijn. Met een beetje geluk vindt u hier nog enkele korrels van het edele metaal. Blz. 165

Sfeevol genieten

Hyttsill in het Glasrijk: Wat goed genoeg was voor de glasblazers, is goed voor de toersiten: 's avonds bij de hete ovens zittend haring en worstjes eten. Blz. 161

Solliden slott op Öland: Voor koffie bij de koning wordt u niet uitgenodigd, maar het café in het park van het zomerverblijf van de koninklijke familie is van Carl XVI Gustaf. Blz. 172

Uitgaan

Larmtorget in Kalmar: Rond het plein in het centrum van Kalmar is de kroegendichtheid hoog – dus een goede plek voor nachtvertier. Blz. 171

Borgholm op Öland: De jachthaven van 'hoofdstad' van het eiland is, althans in de zomer, een hot spot voor het nachtleven en de ruïne van Borgholms slott een podium voor wereldsterren. Blz. 172

Woeste hoogvlakte, scheren en een zonnig eiland

Het historische gewest (*landskap*) Småland bestaat tegenwoordig uit drie administratieve eenheden: de provincies Kalmar län, Kronobergs län en Jönköpings län. De laatstgenoemde provincie grenst weliswaar aan het meer Vättern, maar dit is niet in zijn geheel onderdeel van Småland (zie blz. 198).

Voor velen vervult Småland de droom van wildernis en avontuur: met visrijke rivieren en meren, goede kanowateren en dichte bossen waar u, als u geluk hebt, in de schemering elanden kunt zien. De regio is ideaal voor wie van rust en afzondering houdt: een houten hut langs een van de vele meren huren, daarvoor een steiger en een bootje waarmee u uit vissen kunt gaan.

Het enige hoogveen in het zuiden van Zweden ligt in het noordwesten van Småland bij Värnamo: Store Mosse. Aan de rand ervan vindt u ongeacht de weinig woestijnachtige omgeving het 'wilde westen' van Zweden: Cowboys en indianen ontmoeten elkaar in het themapark High Chaparral voor woeste achtervolgingen en vuurgevechten.

De provinciale hoofdstad Växjö en het oostelijk tot Nybro reikende Glasriket trekken jaarlijks miljoenen bezoekers. Te midden van diepe, eenzame bossen kunnen ze hun kooplust botvieren in de fabriekswinkels van ongeveer 20 glasblazerijen, maar ook in designoutlets. Verder naar het noordoosten ligt rond Vimmerby, de geboorteplaats van de beroemde schrijfster, Astrid Lindgrenland: filmlocaties, plekken waar de verhalen zich afspelen en het themapark Astrid Lindgrens Värld zijn bedevaartsoorden voor liefhebbers van Pippi, Karlsson, Ronja en Kalle.

De kust van Småland tussen Kalmar en Västervik is rijk aan natuurschoon, maar arm aan bezienswaardigheden. In tegenstelling tot die van de westkust, zijn de ongeveer 5000 eilanden in de 300 km lange Oost-Zweedse scherenkust, die zich van Västervik tot noordelijk van Stockholm uitstrekt, meestal bebost, omdat ze minder aan harde wind en aan een lager zoutgehalte in de lucht zijn blootgesteld.

Öland is anders dan de rest van Zweden: vlak en winderig, droog en kaal combineert het kleinere van de twee grote Zweedse Oostzee-eilanden een mediterraan tonende natuur met tal van getuigenissen van een lange geschiedenis. Een echt eiland is Öland, niet meer, want sinds 1972 is het door de 6,6 km lange Ölandbrug over de Kalmarsund met het vasteland verbonden.

INFO

Toeristische informatie

AB Destination Småland: Kronobergsgatan 7, 352 33 Växjö, tel. 0470 73 32 70, www.visit-smaland.com. Info over Zuid- en West-Småland.
Kalmar Läns turism: Box 762, 391 27 Kalmar, tel. 0480 44 83 30, www.smaland-oland.se. Verantwoordelijk voor de regio's Oost-Småland en Öland.

Vervoer

Gnosjö, Värnamo: Jönköpings läns trafik, tel. 0771 44 43 33, www.jlt.se.
Ljungby, Växjö, Glasrijk: Länstrafiken Kronoberg, tel. 0771 76 70 76, www.lanstrafikenkron.se.
Oost-Småland en Öland: Kalmar Läns Trafik, tel. 0491 76 12 00, www.klt.se.

Even afkoelen – langs een van de talloze meren van Småland

Ljungby ▶ D 13

Småland is een wereld van legenden en sprookjes – de enorme bemoste stenen, de in mist gehulde bossen en de diepe, donkere meren van de Sagobygden ('sprookjesland') in de gemeente Ljungby (27.000 inwoners) zorgen voor de perfecte ambiance.

Sagomuseum

www.sagobygden.se, mei-aug. di.-zo. 12-16, sept.-apr. do. 12-16 uur, juli-aug. Rondleidingen di. en vr. 11 uur, volw. 60 SEK, kinderen 30 SEK
In het sprookjesmuseum in een oud houten huis in het centrum van Ljungby draait alles om elfen, trollen en hun fantastische avonturen – niet alleen voor kinderen spannend geënsceneerd. U kunt naar professionele sprookjesvertellers luisteren of voorzien van in-

formatie uit het museum op stap gaan om trollenstenen, geheimzinnige bronnen en fabelachtige schatten in de regio rond Bolmen te ontdekken.

Overnachten

Rustige ligging – **Bolmsö Island Camping**: tel./fax 0372 911 02, apr.-sept., www.bolmsocamping.se, 4-pers.-hut 400-450 SEK/nacht, standplaats vanaf 150 SEK. De camping op een eiland in Bolmen biedt behalve een kindvriendelijk strand een cafetaria, hutten- en bootverhuur (kano, roeiboot); pakketaanbiedingen voor vissers.
Met visstek – **Sjön Bolmens Camping**: Ljungby, tel. 0372 920 51, www.camping.se/G27. Camping mei-sept., vakantiehuisjes het hele jaar beschikbaar, huis vanaf 650 SEK/dag, standplaats

vanaf 210 SEK incl. douche. Comfortabele camping in een goed visgebied en goede uitvalsbasis voor kanotochten in de wijde omgeving. Kano- en motorbootverhuur.

Aktief en creatief

Snoek, snoekbaars en baars – **Vissen:** Info over het visgebied rond het meer Bolmen, verkoop van visvergunningen (*fiskekort),* vistips en dergelijke (in het Zweeds en Engels): www.bolmensweden.com.
Peddelparadijs – **Kanoverhuur:** de bij Overnachten genoemde campings.

Info

Toeristische informatie
Ljungby Kommuns Turistbyrå: Stora Torget 6, 341 83 Ljungby, tel. 037278 92 20, www.ljungby.se/turism.

Vervoer
Bus: onder meer naar Alvesta, Halmstad en Värnamo.

Voor grote en kleine westernfans: High Chaparral
Aan de rand van het nationalpark Store Mosse herleeft bij Kulltorp (▶ D 12) de romantiek van het Wilde Westen in het attractiepark High Chaparral: halsbrekende shows, vuurgevechten in goudgraverstadjes en Mexicaanse fiësta's zijn onderhoudend voor grote en kleine en wannabe-cowboys. Koopjeswinkels op het terrein dragen bij aan de sfeer rondom het 'goudgraversstadje' (www.highchaparral.se, midden mei-midden juni dag. 10-18, midden juni-aug. 10-19 uur, 180-200 SEK, kinderen korter dan 1 m gratis).

Nationalpark Store Mosse ▶ D 12

http://projektwebbar.lansstyrelsen.se/store-mosse/En, Naturum juni-aug. dag., apr./mei, sept. za./zo., rest van het jaar zo. 11-17 uur, rondleidingen wo. 11 uur

Tussen Värnamo en Gnosjö ligt het grootste moerasgebied van Zuid-Zweden, Store Mosse. In het als nationaal park beschermde 'Grote veen' vindt u onder meer de subarctische steenbramen en andere gespecialiseerde, aan de extreme omstandigheden in het moeras aangepaste planten en dieren. Het is verboden het terrein naast de houten plankieren te betreden (behalve tijdens de georganiseerde sneeuwschoenwandelingen, zie hieronder bij Actief en creatief), die u alleen al in uw eigen belang moet volgen om te voorkomen dat u wegzinkt in de modder. Een Naturum informeert over geologie, flora en fauna. Van daaruit en vanaf de parkeerplaats bij Östra Rockne langs weg 151 lopen verschillende routes door het veengebied, de langste (14 km) rond het vogelmeer Kävsjö (met uitkijktoren), waar onder meer kraanvogel en wilde zwaan broeden. Sommige paden zijn geschikt voor rolstoelgebruikers en het 300 m lange pad Transtigen werd speciaal aagelegd voor kinderen.

Hylténs Industrimuseum, Gnosjö
www.industrimuseum.gnosjo.se, ma. na midzomer-3e zo. in aug. dag., verder ma.-vr. 13-16 uur, incl. rondleiding 60 SEK

Småland kent de grootste concentratie van kleine ambachtelijke bedrijven in Zweden. Gnosjö was ooit het bolwerk van de metaalbewerking, nu een kleine stad met ongeveer 9800 inwoners. In een 1974 in stilgelegde gieterij zijn de

100 jaar oude machines voor museale doeleinden in gebruik en produceren nog steeds metalen voorwerpen, zoals knopen.

Aktief en creatief

Op sneeuwschoenen door het veen – **Store Mosse Snöskovandringar:** juni-aug. Bijzonder origineel zijn de 4-uur durende tochten op sneeuwschoenen, waarmee u direct over het moerassige terrein kunt lopen. 350 SEK/pers. inclusief verrekijker, vergrootglas en een picknick. Vooraf reserveren via het Naturum.

Info

Toeristische informatie

Turistinformationen Gnosjö: Storgatan 8, 335 80 Gnosjö, tel. 0370 33 10 41, Fax 0370 33 10 25, turism@gnosjo.se.

Möckeln▶ D/E 13

De eminente natuuronderzoeker Carl Linnaeus (1707-1778, zie blz. 272), die in Uppsala anatomie, geneeskunde en plantkunde studeerde, werd geboren als zoon van een predikant in het Smålandse **Råshult** bij Älmhult. Rondom Linnaeus' geboortehuis werden de pastorie en het erf ingericht zoals het er tijdens zijn leven uitzag (www.linnesras hult.se, mei-aug dag., sept. za./zo. 11-18 uur) met boerderijdieren en tuin. Ook een 42 hectare groot gebied wordt als beschermd cultuurreservaat weer beheerd zoals 300 jaar geleden. Gemarkeerde paden ontsluiten het terrein.

Een eveneens met Linnaeus verbonden plaats in de buurt van Råshult is het landgoed **Möckelsnäs**. De orangerie van het landgoed werd gerestaureerd naar de oorspronkelijk staat, in de tuin staan ongeveer 700 plantensoorten.

Wandelingen

In enkele tegenwoordig als natuurgebieden aangewezen gebieden, waarin Linnaeus als kind zijn eerste 'expedities' ondernam, kunt u wandelen om de natuur te ontdekken: **Taxås** met bospaden naar een uitkijkpunt over het meer Möckeln, **Kronan** met licht loofbos langs de oever van het meer en **Höö** met soortenrijke weilanden en wilgen.

Växjö ▶ E 12

Växjö (76.700 inwoners) aan de Helgå is de administratieve hoofdstad van Kronobergs län, een van de drie provincies van Småland. Naast de goede winkelmogelijkheden en een prachtige omgeving, heeft de stad, waarvan de naam bestaat uit *väg* (weg) en *sjö* (meer) en dus verwijst naar het belang van de geografische ligging, nog wel meer te bieden.

Bezienswaardigheden

Smålands museum

www.smalandsmuseum.se, sept.-mei di.-wo., vr. 10-17, do. 10-20, za./zo. 11-17 uur, 50 SEK (ook toegang tot het Glasmuseum en Utvandrarnas Hus)
Het regionale museum is gewijd aan de culturele geschiedenis van het landelijke Småland in de 19e en 20e eeuw. In hetzelfde gebouw documenteert het Glasmuseum de geschiedenis van de glasindustrie met de grootste collectie glas in Noord-Europa.

Kathedraal

Sinds 1172 is Växjö een bisdom. De hoge torens van de kathedraal werden in de

18e eeuw door blikseminslag vernietigd, maar met koper bekleed beheersen ze sinds hun restauratie in de jaren 50 van de vorige eeuw opnieuw de skyline van de stad. Interessant zijn het glazen altaar van Bertil Vallien en verschillende andere glassculpturen, die ontworpen zijn door hedendaagse kunstenaars.

Utvandrarnas hus

Vilhelm Mobergs gata 4, di.-vr. 10-17, za./zo. 11-17 uur, 50 SEK (zie ook Smålands museum, blz. 159)

Het museum is gewijd aan de Zweedse emigratie naar Amerika. Een zaal herdenkt de schrijver Vilhelm Moberg, wiens prachtig verfilmde, driedelige romancyclus dit thema behandelt.

Kronoberg slottsruin

www.smalandsmuseum.se, juni-aug. dag., mei za./zo. 11-18 uur, 20 SEK

Op een eiland in de Helgasjö 5 kilometer ten noorden van Växjö ligt de ruïne van Kronobergs slott uit de 14e eeuw. Het was ooit bisschopszetel en in de 16e eeuw het toneel van de bloedige strijd tussen de aanhangers van Gustav Vasa en een boerenleger onder leiding van Nils Dacke, dat zich hier had verschanst. Småland was toen onafhankelijk en lag tussen Denemarken en Zweden. Gustav Vasa verbood de Smålanders te handelen met Denemarken, waartegen ze zich hevig verzetten. De koning versloeg de boeren en liet de burcht uitbreiden tot kasteel, maar het raakte, nadat het zijn strate-

Stoomtocht op de Helgasjö

Voor de ruïne Kronoberg legt het in 1887 gebouwde stoomschip 'Thor' aan, het laatste met hout gestookte stoomschip in Zweden, voor een sluizentocht naar Åby (juni-aug., 150 SEK, kaartjes reserveren via tel. 070 510 43 70).

gische belang had verloren, volledig in verval. Na een bezoek aan de ruïne kunt u zich in het traditionele houten café **Ryttmästargården** ontspannen bij wafels en koffie en toekijken hoe de stoomboot 'Thor' aan- of afmeert.

Overnachten

Stijlvolle villa – **Villa Vik Hotell & Konditori:** ca. 6 km buiten de stad, niet ver van weg 23, Lenhovdavägen 72, tel. 0470 652 90, www.villavik.se. Toftastrands hotell en de nabijgelegen villa Vik aan het meer, waar in het begin van de 20e eeuw de operazangeres Christina Nillsson domicilie had gekozen, biedt comfortabele kamers, 1-pk vanaf 795 SEK, 2-pk vanaf 995 SEK. In het restaurant en vooral de konditorie hoeft niemand te versmachten. Lunch ca. 95 SEK, 's avonds gerechten vanaf 139 SEK.

Aan het meer – **Evedals Camping:** tel. 0470 630 34, www.evedalscamping.com, plek vanaf 145 SEK. Fiets- en kanoverhuur.

Eten, uitgaan

Goede bistrokeuken – **PM & Vänner:** Storgatan 22-24, Växjö, www.pmres tauranger.se, tel. 0470 70 04 44. ma./di. 11.30-23, wo./do. 11.30-24, vr./za. 11.30-01 uur. Populair restaurant in bistrostijl, salades, kleine gerechten en lunch 80-160 SEK, 's avonds hoofdgerechten 169-300 SEK; vr.-zo. vaak livejazzmuziek.

Aktief en creatief

Vis uit het meer – **Vissen:** in de Helgasjö, informatie en verkoop van visvergunningen in het turistbyrå.

Voor de kano – **Nordländer:** Slussvägen, Åby, tel. 0470 933 09, www.nordlaender.

com, apr.-sept. Kanocentrum 25 km ten noorden van Växjö aan de Helgasjö, gegidste tochten, pakketten incl. onderdak en eten.

Info

Toeristische informatie

Växjö Turistbyrå: Residenset, Stortorget, Kronobergsgatan 7, 352 33 Växjö, tel. 0470 73 32 80, www.turism.vaxjo.se.

Vervoer

Vliegtuig: Regionaal vliegveld Småland Airport 8 km ten noorden van de stad, verbindingen naar Stockholm en internationale budgetvluchten, www.smalandairport.se.
Trein: naar Stockholm, via Alvesta naar Göteborg, Malmö, Karlskrona en Kalmar.

Uitstapje naar beschilderde kerken ▶ E 12

Ten noordoosten van Växjö staat enkele kilometers voorbij de afslag van weg 23 richting Lenhovda langs de weg een onopvallend, torenloos kerkje, **Dädesjö gamla kyrka**. Een kijkje binnen is de moeite waard. Het plafond is nog beschilderd zoals 800 jaar geleden, toen de kerk werd gebouwd.

In het midden van de 13e eeuw ontstond de fraaie, met houtspanen beklede **Granhults kyrka** 6 km ten noorden van Lenhovda langs weg 31. De binnenwanden van de kerk zijn bedekt met middeleeuwse wandschilderingen – een waar feest voor het oog.

Glasriket (Glasrijk)

In de bergachtige hooglanden van Småland vol meren, moerassen en bossen

Tip

Hyttsill – grillavond voor de glasoven

De traditionele afsluiting van een tocht door het Glasriket vormt de Hyttsill ('hutharing'): 's avonds worden in de afkoelende glasovens met de restwarmte haringen, karbonades, worstjes en aardappelen gebakken. Daartoe behoort ook de Smålandse *isterbandkorv*, een meestal gerookte, kruidige worst met een hoog gehalte aan granen, meestal gerst. Daarbij wordt koud bier geschonken en als dessert meestal de Smålandse specialiteit *ostkaka*, een kwarktaart met slagroom en confiture. Met muziek en zang zullen *Hyttsill*avonden niet alleen nat, maar ook vrolijk zijn, vooral als de gasten eerst zelf mogen glasblazen (op afspraak of op bepaalde data, info: www.glasriket.se).

leeft een oude ambacht voort, dat ooit met immigranten naar het land kwam en vandaag de dag dankzij de innovatieve ontwerpers tot nieuwe hoogten is gekomen: glasblazen. U kunt een bezoek brengen aan de beroemdste glasblazerijen (zie Op ontdekkingsreis, blz. 162).

Nybro en Madesjö ▶ F 13

Nybro vormt in zekere zin de poort naar het Glasrijk, hier bevinden zich de glasblazerijen Pukeberg en Nybro en de glasvakschool.

De in 1879 gebouwde kerkstallen (*kyrkstallarna*) in het nabijgelegen dorp **Madesjö** maken tegenwoordig deel uit van het openluchtmuseum Hembygdsmuseum (midden mei-midden sept. ma.-vr. 10-17, za./zo. 11-17 uur). Ze werden gebouwd, omdat de ▷ blz. 164

Een reis door het Glasrijk

Iedereen die een zwak heeft voor mooie dingen zou een tocht moeten maken door het Glasrijk van Småland tussen Växjö en Nybro. Daar kunt u naar de glasblazers aan het werk kijken – en de artistieke objecten in de fabriekswinkel relatief goedkoop aanschaffen.

Kaart: ▶ E/F 12/13

Info: www.glasriket.se

Glasblazerijen: De glasblazers werken ma.-vr. 7-15 uur, in de zomer dag.

Fabriekswinkels: meestal ma.-vr. 10-18, za. 10-16, zo. 12-16 uur.

Glasriket-Pass: Met de kaart (95 SEK) is het bezoeken van de fabrieken gratis; bovendien 10 % korting bij aankopen boven 500 SEK of op Hyttsill-avonden.

Leren glasblazen: 's Zomers kunt u tijdens een *Hyttsill*avond (zie blz. 161) eens een keer glasblazen. Heeft u serieuze plannen, boek dan een cursus in het Kosta Glascenter: www.kostaglas center.se, tel. 0478 127 24.

In de dichte bossen van Småland met de schier eindeloze houtvoorraden voor de op hoge temperaturen brandende smeltovens waren de omstandigheden ideaal voor de productie van glas. Ook nu nog liggen hier ongeveer 20 glasblazerijen verspreid in het gebied tussen Växjö en Nybro. Ongeveer 15 daarvan hebben zich aaneengesloten onder het label Glasriket (Glasrijk).

Oude kunstnijverheid en design

Orrefors is een goed uitgangspunt, want hier kunt u in het bedrijfsmuseum de fraaiste stukken uit deze glasfabriek bekijken, die zeker tot de bekendste hoort. Orrefors staat voor uitmuntend design – de tweede reden voor de huidige reputatie van de kunst uit het Glasrijk. Alles begon toen de glasfabriek artiesten als Edward Hald en Simon Gate aanstelde. In 1925 won een vazencollectie van Simon Gate op de wereldtentoonstelling in Parijs de eerste prijs – dat was de doorbraak. Tot nu toe zijn bekende kunstenaars met de glasfabriek verbonden: Sigurd Persson, Gunnar Cyrén en anderen leverden de ontwerpen, die vervolgens werden uitgevoerd door de glasblazers. Vanaf een galerij kunnen de bezoekers kijken hoe de productie in zijn werk gaat. Sinds 1990 behoort Orrefors tot de Kosta Bodagroep.

Shoppingcenter en Glashotel

De sinds 1742 bestaande glasfabriek in **Kosta** is de oudste nog in bedrijf zijnde glasblazerij in Småland. Het merk Kosta-Boda staat eigenlijk voor drie glasblazerijen: Kosta, Åfors en Boda (waar overigens niet meer wordt geproduceerd). Beroemde glaskunstenaars als Bertil Vallien en zijn vrouw Ulrica Hydman-Vallien werkten als ontwerpers voor het bedrijf, dat bekend staat om de zeer individuele stukken, maar ook het fraaie gebruiksglas.

In de fabriekswinkel kunt u voordelig glaswerk ontdekken. Bij de glasfabriek hebben een winkelcentrum en designe-routlets zich gevestigd. **The Glass Factory** in Boda is een combinatie van een museum voor de Zweedse glaskunst uit de 18e eeuw tot heden, een model-glasblazerij en een winkel van Designhouse Stockholm (www.glassfactory.se).

Grappig, kleurrijk en innovatief

Handelsmerk van de in 1889 opgerichte glasblazerij **Bergdala** zijn de kleurrijke kandelaars. Een andere klassieker is de drinkglasserie met een blauwe rand – allemaal met de mond geblazen.

Langs weg 28 tussen Kosta en Emmaboda vindt u naast elkaar de glasblazerijen SEA Transjö hytta en Åfors. Het is de moeite waard de borden 'Glasbruk' naar andere glasblazerijen te volgen. De in 1982 door Jan-Erik Ritzman en Sven-Åke Carlsson opgerichte, idyllische **Transjö hytta** produceert naar ontwerpen van de twee onafhankelijke kunstenaars ongewone glaskunst in kleine oplagen en experimentele, mondgeblazen unicaten.

Ten noorden van Emmaboda pronkt **Johansfors Glasbruk** met prachtige sculpturen in een door Astrid Gate, een kleindochter van Simon Gate, ontwikkelde versmeltingstechniek. Het bekendste stuk van de in 1871 in Nybro opgerichte glasblazerij **Pukeberg** is een borrelglas met gekleurde steel.

Designcenter met hogeschool

In de oude fabrieksgebouwen in de stad **Nybro** is een designhogeschool ingetrokken; talloze jonge kunstenaars stellen hun werken hier tentoon. Bekend geworden is Nybro met glazen schalen die gebruikt worden voor het serveren van ingelegde haring (klein) of garnalen (groot), die al zo veel feestelijke buffetten sierden.

boeren in deze niet bepaald met kerken gezegende arme streek hun religieuze plichten alleen konden vervullen als ze in de buurt van de kerk konden overnachten. Daar ze met paard-en-wagen reisden, moesten er bij de kerkstallen vaak honderden paarden gestald en verzorgd worden.

Lessebo ▶ E 13

Bijna halverwege tussen Nybro en Växjö langs weg 25 kunt u een tussenstop maken in Lessebo (8100 inwoners), waar u in **Lessebo Handpappersbruk** (openingstijden, zie www.vida.se, meestal ma.-vr. 9-12, 13-16 uur, papiervervaardiging tot 15.30 uur) naast de grote papierfabriek Vida kunt zien hoe handgeschept papier wordt gemaakt. Aan het papier worden ook bladeren, gedroogde bloemen en andere natuurlijke materialen toegevoegd. In de winkel kunt u leuke souvenirs als briefpapier en ansichtkaarten kopen.

Grönåsens Älgpark ▶ F 12

www.moosepark.net, Pasen-1 nov. dag. vanaf 10 uur tot de schemering, 50 SEK

In de bossen van Småland wemelt het van de elanden. Wie er bij het bosbessen plukken of andere uitstapjes links of rechts naast de doorgaande weg nog nooit een ontmoet heeft, zal ze in het elandenpark van Grönåsen niet kunnen missen. Hier hebben de koningen van het bos hun schuwheid overwonnen en zijn gewend aan nieuwsgierige blikken. Met een beetje geduld kunt u langs een 1,3 km lang pad op zoek gaan elanden en ze vanaf een hoogzit bekijken. Een souvenirwinkel en een barbecue om de in de winkel gekochte worstjes te bereiden horen er ook bij.

Overnachten

Glaspaleis – **Kosta Boda Art Hotel**: Stora vägen 75, Kosta, tel. 0478 348 35, www.kostabodaarthotel.se. Pakketaanbiedingen incl. diner en spa vanaf 1200 SEK/pers. in 2-pk. De 102 kamers zijn bij voorkeur met designglas ingericht; er zijn ook een kobaltblauwe, kristallen bar en een zwembad, beide voorzien van glasobjecten van Kosta-Boda's huisontwerper Kjell Engman.

In het groen – **STF Vandrarhem Långasjö**: tel. 0471 503 10, www.sovaistall.50310.se, 1-pk vanaf 280 SEK, 2-pk vanaf 360 SEK zonder ontbijt en beddengoed. Omgeven door groen in het midden van een dorp ten zuidwesten van Emmaboda bij het meer Långasjö gelegen. De in de voormalige kerkstallen op de begane grond ondergebrachte appartementen hebben een naastgelegen douche/toileteenheid; de 3-bedskamers hebben stapelbedden.

Winkelen

Modern winkelcentrum – **Kosta Outlet**: Kosta (schuin tegenover de glasblazerij), www.kostaoutlet.se, ma.-vr. 10-19, za. 10-17, zo. 11-17 uur ('s zomers vaak langer geopend). Op twee verdiepingen en een oppervlakte van 20.000 m² vindt u in dit winkelcentrum in verschillende outlets onder meer Zweedse merkkleding, van jeans tot outdoorkleding, bovendien schoenen, speelgoed en natuurlijk keramiek, glas en interieurartikelen.

Info en evenementen

Evenementen

Emmaboda Festival (eind juli/begin aug.): Het sinds 1987 bestaande festival geldt als trefpunt voor indie-bands; www.emmabodafestivalen.se.

Vervoer

Trein: De Kust till kustbanan tussen Kalmar en Göteborg stopt in Emmaboda en Nybro.

Te voet of op de fiets - Utvandrarleden

Het langeafstandspad Utvandrarleden ten zuiden van Emmaboda verbindt in een vijf- tot zesdaagse wandeltocht de jeugdherbergen van Ljuder, Korrö, Sjöviksgården, Moshult en Långasjö. De route gaat door de streek waarin de vanaf 1949 gepubliceerde romancyclus *Utvandrarna* (De emigranten), *Invandrarna* (Pioniers in de nieuwe wereld), *Nybyggarna* (Kolonisten in Minnesota) en *Sista brevet till Sverige* (De laatste brief naar Zweden) van Vilhelm Moberg zich afspeelt. Onderweg komt u langs kleine musea, meren en veel natuur. U kunt de route ook op de fiets afleggen, één etappe kunt u zelfs per kano volbrengen.

Eksjö en omgeving ▶ E 11

De historische stadskern van Eksjö (ca. 9600 inwoners) met zijn houten huizen, gezellige binnenplaatsen en houten veranda's uit de 16e en 17e eeuw is bezienswaardig en valt onder monumentenbescherming. Ongeveer 10 km ten oosten van Eksjö lokken de **Skuruhatt** (338 m) met uitzicht over de wilde Smålandse hoogvlakte en de diepe kloof **Skurugata** met zijn tot 60 m hoge, steil opstijgende wanden van bruin porfier. De 800 m lange, 7-24 m brede spleet is ontstaan in de laatste ijstijd, zo'n 10.000 jaar geleden. In de diepe kloof wordt het ook 's zomers niet warmer dan 10 °C.

Vimmerby en omgeving ▶ F 11

Het schilderachtige stadje Vimmerby (15.600 inwoners) met zijn houten bebouwing langs de Storgatan leeft traditioneel van de handel. Veemarkten, zoals die door Astrid Lindgren zo fraai zijn beschreven in *Michiel van de Hazelhoeve*, vonden hier sinds de middeleeuwen plaats.

Bezienswaardigheden

Astrid Lindgrens Värld

www.alv.se, begin juni-eind aug. dag. 10-18, eind aug.-sept. za./zo. en paas-

---

Naar de Kleva gruva – inclusief goudzoeken

Diep in het bos verborgen bij Holsbybrunn, niet ver van Vetlanda (▶ E 12), vindt u deze voormalige mijn, waar sinds de 17e eeuw koper, nikkel en goud werd gedolven. Voorzien van helm, zaklamp en rubberlaarzen kunt u hem op eigen gelegenheid verkennen – verdwalen is uitgesloten, want de gangen lopen allemaal dood. Wie het zekere voor het onzekere wil nemen, kan zich bij een rondleiding aansluiten (ca. 1 uur).

Geheimzinnig is een ondergronds meer, waar onder de waterspiegel op een diepte van 20 m ladders en steigers uit de 19e eeuw zijn te zien. Het goud lokt tot op de dag van vandaag: goudwassen (vanaf 75 SEK) behoort naast een wandeling door de mijn tot de attracties (www.klevagruva.com, midden mei-midden juni za./zo., midden juni-begin sept. dag. 11-16, juli-midden aug. 11-18 uur, 90 SEK).

Alsof er op ieder moment een blond jongetje naar buiten kan rennen: De boerderij Katthult was de locatie voor de verfilming van *Michiel van de Hazelhoeve*

en herfstvakanties 10-17 uur, volw. 90 SEK, gezin 215-300 SEK
De belangrijkste attractie in de wijde omtrek – vooral voor gezinnen met kinderen, natuurlijk – is het op de boeken van de schrijfster gebaseerde themapark Astrid Lindgrens Värld. Op het terrein staan onder meer Pippi Langkous' Villa Vilekulla (Villa Kakelbont) en de Mattisburg uit *Ronja de roversdochter*, bovendien het centrum van het stadje Vimmerby in het klein. In het hoogseizoen worden theaterstukken uitgevoerd naar de verhalen van Astrid Lindgren – kinderen die de boeken of films kennen, kunnen de gebeurtenissen meestal moeiteloos volgen.

Astrid Lindgrens Näs

www.astridlindgrensnas.se, middeneind mei dag. 10-17, midden juni-midden aug. 10-20, midden-eind aug. 10-18, verder wo.-zo. 11-15 uur, 70 SEK
In het honderdste jaar na Astrid Lindgrens geboorte op de pastorie van Näs (Näs Prästgården) werd in 2007 naast het houten huis een glazen paviljoen geopend. Hier is een tentoonstelling te zien rondom het leven en werk van de schrijfster.

Overnachten

Met vlakke zandstranden – **Vimmerby Camping Nossenbaden:** tel. 0492 314 10, www.nossen.nu, plek vanaf 170 SEK. Midden mei-midden sept. 2 km ten oosten van Vimmerby langs het meer Nossen, kindvriendelijk, zeer goede zwemmogelijkheden. Ook huttenverhuur (vanaf 620 SEK/dag).

Info en evenementen

Toeristische informatie

Vimmerby Turistbyrå: Rådhuset (op de markt), 598 37 Vimmerby, tel. 0492 310 10, www.turism.vimmerby.se.

Evenementen

Hultsfredsfestivalen (midden juni): beroemd Open-Air-Rockfestival bij het meer Hulingen; www.rockparty.se.

Vervoer

Trein: van Vimmerby en Hultsfred naar Kalmar en Linköping.

Onderweg in Astrid Lindgrens land

Voor fans van Astrid Lindgren is het de moeite waard een tocht te maken in de voetsporen van de schrijfster naar de plaatsen die model hebben gestaan voor Bolderburen en Katthult of de plekken waar de films werden gedraaid.

Na de start in Vimmerby bereikt u over weg 40 richting Jönköping/Mariannelund, vanwaar u bij Pelarne linksaf gaat, Sevedstorp, bekender als **Bullerbyn** (Bolderburen) (midden juni-eind aug. dag. 10-20 uur). De drie boerderijen – op de middelste woonde Astrid Lindgrens vader als kind – liggen in een heuvelachtige, Smålandse idylle.

Om bij Katthult – eigenlijk Gibberyd – te komen, rijdt u van Vimmerby ook richting Mariannelund en buigt u net voor deze plaats rechtsaf naar Ydrefors. Bij Rumskulla is de afslag naar Katthult met borden aangegeven. De boerderij was in 1971-1972 de locatie van Lönneberga (Hazelhoeve) in de film – deze kwam het dichtst bij Astrid Lindgrens ideeën over Katthult. Te bezichtigen zijn de schuur, waarnaar Michiel regelmatig werd verbannen en waar hij zijn tijd doorbracht met houtsnijden (mid-

den juni-eind aug. dag. 10-19 uur) en de vlaggenmast waarin de schelm de kleine Ida omhoog hees. In het woonhuis wonen 's zomers twee zussen die de souvenirwinkel drijven, dus dat is niet toegankelijk. Michiel heet in het Zweeds overigens Emil. De naam was op de Duitse boekenmarkt al in gebruik voor Erich Kästners *Emil und die Detective*, waarna in overleg met de schrijfster gekozen werd voor Michel. De Nederlandse uitgever maakte daar weer Michiel van.

De kust van Småland

Västervik ▶ G 11

In het jaar 1433 verkreeg Västervik (36.500 inwoners) stadsrechten, 1452, 1517 en 1612 werd de stad door de Denen aangevallen, in 1677 vernietigden deze Stegeholm slott en de stad volledig. De stad werd herbouwd; de kasteelruïne vormt ieder jaar de sfeervolle achtergrond van een festival.

Stadswandeling

Bezienswaardig is de **Sankt Gertruds kyrka**, waarvan het koor in 1433 werd gebouwd. Het altaar is van Burchard

---

Naar de 1000-jarige eik

Liefhebbers van ongewone bomen moeten ten noorden van Vimmerby nog een stukje doorrijden in de richting van Ydrefors en de borden **Norra Kvills Nationalpark** of **Kvill Eken** volgen. U rijdt over smalle wegen door diepe bossen naar een parkeerplaats. Vandaar gaat het over bijna ongebaande paden naar een enorme 1000-jarige eik met een omtrek van bijna 14 meter – dat is de Kvill Eken. Het schijnt de grootste boom van Europa te zijn.

Precht uit 1669. Het huis **Aspagården** aan de Västra Kyrkogatan overleefde als enige de aanval van de Denen in 1677 en is tegenwoordig een kunstnijverheids- atelier.

Het voormalige armenhuis **Ceder- flychtska fattighuset** op de hoek van de Hospitalsgatan werd in 1749-1751 met een deel van de 100.000 koperdaalders betaald, die een rijke dame had gegeven voor de bouw van het huis en het onder- houd van 16 armen. Het ontwerp werd geleverd door de toenmalige hofarchi- tect Carl Hårleman. In deze tijd deed het verhaal de ronde, dat in Västervik de ar- men beter leefden dan de rijken.

Enkele jaren eerder werden de schil- derachtige zeemanshuisjes aan de Båts- mansgatan gebouwd. Zoals veel andere kustplaatsen moest Västervik solda- ten en zeelieden ter beschikking stel- len voor de koninklijke marine en deze kosteloos woonruimte aanbieden. In de enige kamer van de kleine huisjes leef- den soms acht tot tien personen. Van- daag de dag toont de verzameling huis- jes eerder idyllisch, een café met tuin no- digt uit tot verpozen.

Een fraai uitzicht over de stad heeft u vanaf de **Uno torn**, waarvan u eerst de 98 treden moet beklimmen. Hij wijst de weg naar het openluchtmuseum **Kulbacken** (www.vasterviksmuseum. se, juni-aug. ma.-vr. 11-16, za./zo. 13-16, verder ma.-vr. 11-16, zo. 13-16 uur, 40 SEK), dat via twee bruggen te bereiken is, voorbij het turistbyrå dat gevestigd is in het in jugendstil gebouwde badhuis (1910) en de ruïne van het slot.

Overnachten

In de scherenkust – **Västervik Resort/ Lysingsbadet:** tel. 0490 889 20, www. lysingsbadet.se, standplaats vanaf 165 SEK. 5-sterrencamping met een groot aanbod aan activiteiten: zwembad, wa- terglijbanen, golf, kano-, roeiboot- en fietsverhuur.

Aktief en creatief

Langs de scheren – **Rondvaarten:** mid- den juni-midden aug. dag. vanaf de Skeppsbrokajen onder meer naar Lof- tahammar en Hasselö, tel. 0490 154 60. Spoorbreedte 89,1 cm – **Smalspoor- baan:** Hultsfred-Västervik (tot Verke- bäck) juli/aug., tel. 0490 230 10, www. hwj.nu.

Info en evenementen

Toeristische informatie

Västerviks Turistbyrå: Strömsholmen, 593 30 Västervik, tel. 0490 25 40 40, www.vastervik.com.

Evenementen

Visfestival (5 dagen in juli): in het park bij Stegeborgs slottsruin. Blues en volksmuziek en culinaire specialitei- ten; www.visfestivalen.se.

Vervoer

Trein: naar Linköping en Stockholm. **Bus:** naar Oskarshamn, Söderköping en Norrköping.

Oskarshamn ▶ F/G 12

Oskarshamn (26.300 inwoners) is vooral een springplank naar het eiland Got- land: Op weg naar het grootste eiland in de Oostzee vaart de grote veerboot langs de prachtige scheren van de oost- kust van Småland. Oskarshamn is ook bekend als de locatie van een kerncen- trale. Zijn huidige naam kreeg de plaats na de toekenning van stadsrechten in het midden van de 19e eeuw, toen ko- ning Oscar I regeerde. De oorspronkelijke naam van de stad was Döderhultsvik (Baai van Döderhult).

Döderhultarmuseet

Hantverksgatan 18-20 (Kulturhuset, naast het turistbyrå), ma.-vr. 10-16.30, za. 10-14, juni-aug. ma.-vr. 9-18, za./zo. 10-15 uur, 50 SEK
Het houtsnijwerk van Axel Petersson (1868-1925), bekender onder de naam Döderhultarn (en vernoemd naar zijn geboorteplaats), dat hier wordt tentoongesteld, toont vaak humoristische scènes uit het dagelijks leven. Het geeft ook een indruk van de moeilijke leefomstandigheden in Småland, die de mensen vroegtijdig deden verouderen. De figuren zijn gemaakt van elzenhout en ongeveer 25-30 centimeter hoog.

Boottocht naar het eiland Blå Jungfrun

Een leuke boottocht leidt in de zomer naar het mythische eiland Blå Jungfrun. Volgens het volksgeloof ligt hier de Blåkulla, de Zweedse rotsberg waar in de nacht van Witte Donderdag de heksen elkaar ontmoeten. Het 86 m hoge en 66 hectare grote eiland, dat bijna volledig bestaat uit rode graniet, is sinds 1926 nationalpark. Bezienswaardig zijn enkele grotten en in het zuiden een uit losse stenen aangelegd, prehistorisch labyrint. Ook is er een rijk vogelleven, onder meer met zwarte zeekoeten en eidereenden (info bij het turistbyrå).

Overnachten

Supermodern – **STF Vandrarhem Forum Oscar:** Södra Långgatan 15-17, Oskarshamn, tel. 0491 158 00, www.foru moskarshamn.com, vandrarhem vanaf 205 SEK/pers. in 2- tot 4-bedskamers, hotel 2-pk/appartement 800-1050 SEK. In het hypermoderne hotel- en conferentieoord, 200 m vanaf het station en de veerhaven, woont u voordelig en comfortabel, 23 kamers met airconditioning en douche/wc.

Info

Toeristische informatie

Oskarshamns Turistbyrå: Hantverksgatan 18, 572 33 Oskarshamn, tel. 0491 881 88, www.oskarshamn.se/turistbyra.

Vervoer

Trein: van Oskarshamn via Berga en Hultsfred railbussen naar Nässjö, daar aansluiting op het traject Stockholm-Kopenhagen.
Veerboot: naar Gotland.

Kalmar ▶ F/G 13

In de stad (ca. 35.000 inwoners), die tot de oudste in Zweden behoort, werd in 1397 met het besluit tot de Unie van Kalmar onder leiding van de Deense koningin Margrethe Scandinavische geschiedenis geschreven – plaats van handeling was het kasteel.

Kalmar slott

www.kalmarslott.kalmar.se, mei, juni, sept. dag. 10-16, juli 10-18, aug. 10-17/18, april, okt. za./zo. 10-16, nov.-mrt. alleen in het tweede weekeinde van de maand 11-15.30 uur, 90 SEK
Kalmar slott, vorstelijk gelegen op een eigen eiland en alleen bereikbaar via een brug, werd onder koning Gustav Vasa en zijn zonen uitgebreid tot een van de mooiste Zweedse kastelen uit de renaissance. U zou ruim de tijd moeten nemen om het prachtige interieur van Kalmar slott te bezichtigen.

Gamla stan (Oude stad)

Bezienswaardig in Gamla stan is naast veel idyllische steegjes de **Krusen-**

stiernska gården in de Stora Damm-gatan, een goed bewaarde burgerwo-ning uit de 19e eeuw met een mooie tuin, waar u 's zomers koffie kunt drinken.

Kvarnholmen

Na de Zweeds-Deense Oorlog (1611-1613) werd op het eiland Kvarnholmen het nieuwe centrum van de stad aangelegd. Het middelpunt is de door Nicodemus Tessin de Oudere in 1660-1682 in de stijl van Italiaanse barok gebouwde kathe-draal op Stortorget. Daar staat ook het barokke stadhuis en in de Södra Lång-gatan op nr. 40 het oudste stenen huis op het eiland Kvarnholmen (begin 18e eeuw).

Vanaf de resten van de **stadsmuren**, die u deels kunt beklimmen, heeft u een fraai uitzicht over Kvarnholmen en de **haven**. Daar staat het **Kalmar läns museum** (www.kalmarlansmuseum. se, ma.-vr. 10-16, za./zo. 11-16, juli-aug. dag. 10-17 uur, zomer 80 SEK, winter 60 SEK) met onder meer een boeiende tentoonstelling over de schipbreuk van het linieschip 'Kronan', dat in 1676 door een Deense vloot onder commando van Cornelis Tromp voor de kust van Öland tot zinken werd gebracht.

Overnachten

Klein en fijn – **Slottshotellet:** Slottsvä-gen 7, tel. 0480 882 60, www.slottsho tellet.se, kleine 2-pk vanaf 1090 SEK, grotere vanaf 1390 SEK/2-pk. Zeer fraai, klein hotel in de oude stad. Kamers in een gedegen kasteel-hotelstijl: kroon-luchters, haard en parket.
Centraal – **Frimurarehotellet:** Larm-torget 2, tel. 0480 152 30, www.frimura rehotellet.gs2.com, afhankelijk van het comfort vanaf 905-1460 SEK/2-pk. Ho-tel aan het levendige Larmtorget (ka-mer aan de achterzijde nemen).

Eten en drinken

Goede smaak – **Larm:** Larmtorget (Olof Palmes gata 2), tel. 0480 288 30, www. larmkalmar.se, ma.-za. 11.30-23 uur. lunch (ma.-vr. 11.30-19 uur) 49-75 SEK, hoofdgerechten ('s avonds) 150-250 SEK. Voordelige kleine gerechten, innova-tieve cross-overkeuken. In het week-einde vaak livemuziek en dj-avonden.
Smullen aan de haven – **Calmar Hamn-krog:** Skeppsbrogatan 30, tel. 0480 41 10 20, www.calmarhamnkrog.se, lunch ma.-vr. 11.30-14, à la carte ma.-do. vanaf 18, vr./za. vanaf 17 uur, hoofdgerechten 150-250 SEK. Heerlijke lamsvlees- en visgerechten.

Uitgaan

Het uitgaanscentrum van Kalmar is te vinden rondsom Larmtorget; 's zomers vinden hier vaak evenementen plaats met livemuziek.

Info

Toeristische informatie

Kalmar Turistbyrå: Ölandskajen 9, Gästhamnen, 392 32 Kalmar, tel. 0480 41 77 00, www.kalmar.com.

Vervoer

Trein: naar Alvesta, Göteborg, Stockholm, bovendien naar Linköping en Karlskrona.
Bus: naar Oskarshamn, Nybro, Växjö en over de brug naar Öland.
Belangrijk voor fietsers: fietsers mogen niet over de brug naar Öland! Van mei tot september fietsvervoer met speciale bussen (zie ook blz. 177).

Öland ✳ ▶ G 12/13

Op een oppervlakte van 140 km lang en maximaal 16 km breed zijn op Öland zeer uiteenlopende vegetatietypes, prehistorische monumenten, plattelandskerkjes, molens en kilometers lange stranden te vinden. Wat een vreugde is

Schitterend: Kalmar slott, dat op zijn eigen eiland ligt

voor de vakantieganger, doet de lokale bevolking lijden: Er heerst een zeer droog klimaat en het eiland heeft in de zomer vaak last van extreme waterschaarste. Interessant is Öland voor botanici en ornithologen. De kalkstenen bodem, het grote aantal zonne-uren en kleine hoeveelheden neerslag zorgen er voor dat hier een naar Zweedse begrippen exotische vegetatie, waaronder veel soorten orchideeën, gedijt. Op het zuidelijk deel van Öland breidt de steppe Stora Alvaret zich uit, die in de lente explosief opbloeit. Elk jaar passeren in de herfst en de lente tienduizenden trekvogels zuidelijk Öland, waaronder ganzen, roofvogels en kraanvogels, een fascinerend schouwspel, niet alleen voor vogelaars.

Borgholm

Ölands 'hoofdstad' ligt ongeveer in het midden van het eiland aan de westkust: Borgholm is een gemoedelijk stadje met een bescheiden winkelgebied in de Storgatan en interessante kunstnijverheidswinkels in de zijstraten. In de haven bruist 's avonds het dans- en entertainmentleven van het eiland.

Borgholms slott

www.borgholmsslott.se, april, sept. dag. 10-16, mei-aug. 10-18 uur, 70 SEK
Het kasteel heeft zijn oorsprong in de 12e eeuw; nog in de middeleeuwen volgden verschillende uitbreidingen. In de periode 1572-1592 ontstond onder Johan III een prachtig renaissancekasteel, dat in de Zweeds-Deense Oorlog zwaar werd beschadigd. Nicodemus Tessin de Oudere zou het kasteel herbouwen, het werk sleepte zich echter voort en kwam onder Karl XII in 1709 volledig tot stilstand wegens geldgebrek. Het gebouw raakte in verval en in de noordelijke vleugel trokken in 1803 een weverij en

een textielververij. In 1806 verwoestte een brand het kasteel op de buitenmuren na vrijwel geheel. Het indrukwekkende gebouw (5000 m²) is 's zomers het toneel voor concerten van internationale sterren. Tijdens een rondleiding door de zalen kunt u genieten van het prachtige uitzicht vanaf de bovenste verdieping.

Solliden slott

www.sollidensslott.se, park midden mei-midden sept. dag. 11-17 uur (laatste toegang), 75 SEK
De zomerresidentie van de Zweedse koninklijke familie werd in 1903-1906 gebouwd in de stijl van een Italiaanse villa en wordt omgeven door een prachtig park dat bezocht kan worden. Uiteraard wordt het vooral bezocht door toeristen met een monarchistische inslag, die hopen een glimp van de koninklijke familie op te kunnen vangen.

Noord-Öland

Het uiterste noordoosten van het eiland is als **Ekopark Böda** goeddeels aan zichzelf overgelaten. Hier strekt Trollskogen, het trollenbos, zich uit met bizar gevormde bomen en een scheepswrak (zie Favoriet blz. 174). De vuurtoren **Långe Erik**, markeert het noordelijke puntje van het eiland. Het natuurgebied **Neptuni åkrar** ('Akkers van Neptunus') aan de westkust benadrukt het contrast tussen grijze stenen en de 'hongerartiest' onder de planten: slangenkruid (*blåeld*), dat hier massaal bloeit. Eveneens langs de westkust liggen **Byerums raukar**, door wind en golven gevormde kalksteenformaties.

Een indrukwekkende getuigenis uit de tijden dat Öland zich moest beschermen tegen potentiële aanvallers is de in de 13e eeuw gebouwde versterkte kerk van **Källa** aan de oostkust met drie ver-

Natuurlijke idylle op een zonnig eiland: het schrale noorden van Öland

diepingen. Oorspronkelijk bestond ze uit de kerkruimte, een daarboven gelegen woning en een schuilplaats, maar tegenwoordig zijn alleen de buitenmuren te zien.

Byxelkrok, kortweg Kroken genoemd, is als jachthaven en als veerhaven veerboot naar het vasteland van Småland de belangrijkste plaats in het nogal kale noorden en in de zomer van enig belang, wanneer er de lichte zomeravonden worden gevierd.

Met een smalspoortreintje door het bos

Zo'n 500 m van de parkeerplaats bij het Trollskogen ligt de halte van de bosspoorweg Böda Skogsjärnväg (midzomer-midden aug. di., do., zo., 3x dag., www.bosj.se, vanaf 60 SEK). In de zomer rijdt de trein met zijn smalspoorlocomotief en open wagens (warme jassen niet vergeten!) naar Fagerör, dat een paar honderd meter van de Böda-baai

ligt. Om de zandverstuivingen te stoppen, die nog tot het midden van de 18e eeuw het noordelijk deel van Öland teisterden, werden bossen aangeplant. De wildrijke sparrenbossen kregen al snel de aandacht van de hooggeplaatsten en Böda Kronopark werd een kroondomein.

Zuid-Öland

Het zuiden van het eiland, waarvan het unieke heidelandschap Stora Alvaret tot het Werelderfgoed van de UNESCO behoort, is landschappelijk minder divers dan het noorden, maar rijker aan bezienswaardigheden.

VIDA Konsthall

www.vidamuseum.com, april, okt.-dec. za./zo., mei/juni, aug.-sept. dag. 10-17, juli 10-18 uur, 50 SEK

De permanente tentoonstelling van de glaskunstenaars Ulrica Hydman-Val-

Favoriet

Trollskogen – Door het toverbos

Avontuurlijk en spannend is een wandeling over het ongeveer 4-5 km lange pad door het trollenbos: Het gaat over knoestige boomwortels en grote rotsblokken, langs oeroude eiken en slangachtig vergroeide dennen. De eigenaardige groeivormen ontwikkelden de bomen als gevolg van de extreme omstandigheden langs de noordoostelijke kust van Öland: harde wind en gruizige, voedselarme bodem. In de buurt is nog iets anders te bewonderen: op het rotsachtige strand ligt sinds 1926 het wrak van de schoener Swiks.

lien en Bertil Vallien ligt in de buurt Halltorps Gästgiveri (zie blz. 176). Door grote glazen ramen opent zich een mooi uitzicht over de Kalmarsund naar het vasteland. Wisseltentoonstellingen en een museumwinkel met glas, sieraden en textiel.

Mittlandsskogen

Het **openluchtmuseum Himmels-berga** (www.olandsmuseum.com, midden mei-aug. dag. 10-17.30, sept. za./zo. 11-17 uur, 60 SEK), een typisch Ölands dorp met drie boerderijen uit de 18e en 19e eeuw ligt langs de rand van het grootste aaneengesloten bosgebied van het eiland, Mittlandsskogen, met prachtige, oude eiken.

Midden in het bos ligt **Ismantorps borg**, een van de in totaal ca. 15 vluchtburchten uit de tijd van de volksverhuizingen.

Eketorps fornborg

www.kalmarlansmuseum.se, mei-midzomer en laatste week van aug./ eerste week sept.-week dag. 11-17, midzomer-derde week aug. 10.30-18 uur, afhankelijk van seizoen 75-110 SEK

De op basis van archeologische vondsten gereconstrueerde burcht, die in de periode 300 tot 1300 werd bewoond, is omgeven door een 5 meter hoge muur van zonder mortel opgestapelde stenen, die van veraf zichtbaar oprijst uit de vlakte van de Sotra Alvaret. Naast huizen met rieten daken en landbouwhuisdieren ziet u in het museum enkele interessante, tijdens opgravingen gedane vondsten en krijgt u een indruk van het dagelijks leven van mensen zo'n 1000 jaar geleden.

Kastlösa kyrka

Een getuigenis van moderne kunst is te vinden in het zuiden, ongeveer halverwege tussen Färjestaden en Ottenby:

Kastlösa kyrka werd in de 19e eeuw gebouwd en onderging in 1952 een grondige verbouwing. Tegelijkertijd kreeg de kerk een koorfresco van Valdemar Lorentzon, lid van de Halmstadgroep (zie blz. 98).

Vuurtoren Lange Jan en Ottenby Naturum

www.sofnet.org/ottenby, Naturum mrt. vr.-zo. 11-16, april dag. 11-16, mei/ juni 11-17, juli/aug. 10-17/18, sept./ okt. wo.-zo. 11-16 uur, toegang gratis; vuurtoren 30 SEK

De met 41,6 m hoogste vuurtoren van Zweden biedt een prachtig uitzicht over het zuiden van Öland. Aan de voet leert u in Ottenby Naturum meer over het werk van het veldstation Ottenby waar ornithologen het gedrag van trekvogels bestuderen.

Ölands mooiste stranden

De kust van Öland heeft mooie, eindeloos lange stranden: perfect wit 'poederzand' omzoomt de baai van Böda in het eenzame noorden van het eiland, dat dankzij de camping beschikt over een goede infrastructuur. Fijn, wit zand markeert ook het strand ten noorden van Byerums raukar aan de westzijde. Het strand van Köpingsvik in het midden van het eiland is een van de populairste familiestranden en staat terecht bekend als kindvriendelijk, omdat het water erg ondiep is.

Overnachten

Öland is bij uitstek geschikt voor kampeerders. Informatie over de meer dan 20 campings vindt u op www.camping-oland.com. In de rustige villawijken van Borgholm worden in het seizoen veel particuliere kamers verhuurd –

Optisch bedrog – Öland is nagenoeg vlak, dus ideaal voor fietstochten

let op bordjes met het opschrift 'Rum'. Voor hotels, zie ook onder 'Overnachten, eten'. Voor het hoogseizoen (1 juli-15 aug. is vroeg boeken aan te bevelen.

Met zwembad – Ottenby Vandrarhem och Camping: tel. 0485 66 20 62, www.ottenbyvandrarhem.se, vanaf 360 SEK/2-pk zonder ontbijt en beddengoed, campingplaatsen (mrt.-okt.) vanaf 150 SEK. Typische jeugdherbergaccommodatie (stapelbedden) in de voormalige school bij de kerk van Ås, ca. 6 km van de zuidpunt van Öland, 2-, 3- en 4-bedskamers, zwembad en fietsverhuur.

Luxueus – **Ekerums Camping:** Borgholm, tel. 0485 56 47 00, www.ekerum. nu, vrijwel het gehele jaar, standplaatsen 180-310 SEK. 5-sterrencamping aan een van de mooiste stranden van het eiland, reusachtig aanbod van activiteiten, onder meer zwembad, golf; hutten vanaf 450 SEK/dag.

Overnachten en eten

Top – **Hotell Borgholm:** Trädgårdsgatan 15, Borgholm, tel. 0485 770 60, www.hotelborgholm.com. Het hotel heeft een van de beste restaurants in Zweden – de van oorsprong Duitse chef-kok Karin Fransson wint regelmatig prijzen met haar op kruiden gebaseerde keuken; fijnproevers kunnen bij haar genieten van mediterrane verfijnde Ölandse specialiteiten, 3-gangenmenu 585 SEK. Hotel met exclusief ingerichte kamers, weekendtarieven beginnen bij 1165 SEK/pers. HP.

Voortreffelijk – **Halltorps Gästgiveri:** tel. 0485 850 00, www.halltorps gastgiveri.se. Hoofdgerechten 225-320 SEK, ook Countryside Hotel (zie www. countrysidehotels.se) met 36 kamers (vanaf ca. 1600 SEK/2-pk) en wellnessaanbiedingen. Het voormalige landhuis 9 km ten zuiden van Borgholm is een fijnproeversparadijs, waar de Duitse chef Josef Weichl de lepel zwaait. Gerechten als lamsrug met shiitakepaddenstoelen en regionale specialiteiten.

Gezellig – **Guntorps Herrgård:** Guntorpsgatan, Borgholm, tel. 0485 130 00, www.guntorpsherrgard.se. Het landgoedhotel (32 kamers, 1295 SEK/2-pk) staat bekend om de goede smörgåsbord met een overdaad aan warme en koude lekkernijen, waaronder lokale specialiteiten, hoofdgerechten 170-210 SEK.

'Spits' – **Lammet & Grisen:** Löttorp, tel. 0485 203 50, www.lammet.nu, meiderde week aug., juli dag., verder ca. 3x per week, vanaf 17 uur. Lam en speenvarken aan het spit worden voor een vast bedrag (329 SEK) onder het hongerige volk gebracht.

Voordelig – **Böda Hamns Rökeri:** www.bodahamn.se. vers gerookte vis in de kleine haven van Böda, eind juni-midden aug. dag. 11-20 uur.

Winkelen

Naast kruiden zijn kunstnijverheidsproducten de specialiteit van het eiland, zoals wollen artikelen, glas en keramiek.

Klassieke kunstnijverheid – **Cappellagården:** Vickleby, www.capellagarden.se. In 1957 door Carl Malmsten opgerichte kunstnijverheidsschool met moestuin; verkoop van kruiden en kunstnijverheid (verkoop 's zomers in de oude school naast de kerk).

Fraaie souvenirs – **Paradisverkstan:** bij de oprit naar de brug, www.paradis verkstaden.se. Kwaliteitsproducten voor de woninginrichting.

Aktief en creatief

Fietsen op Öland – Routesuggesties, kaarten, adressen van fietsverhuur: www.cyklapaoland.se.

Veel keuze – **Golf:** Er zijn vijf golfbanen op Öland. Golfpakketten: www.olandsturist.se resp. Ekerums Golf & Resort, tel. 0485 800 00, www.ekerum.com. Golfbaan met appartementen.

Uitgaan

Onbetwist centrum van het nachtleven is de jachthaven van Borgholm.

Voor nachtbrakers – **Strand Hotell:** www.strandborgholm.se. 's Zomers gebeurt hier van alles.

Info

Toeristische informatie

Ölands Turist AB: Träffpunkt Öland (bij de brug), 386 33 Färjestaden, tel. 0485 890 00, www.olandsturist.se. **Borgholms Turistbyrå:** Storgatan 1, tel. als boven.

Festiviteiten

Victoriadagen: 14 juli, de verjaardag van de Zweedse kroonprinses wordt in Borgholm/Solliden groots gevierd. **Ölands Skördefest:** Eind sept./begin okt., oogstfeest op het hele eiland, met met proeverijen van Ölandse specialiteiten en verkoop van regionale producten.

Vervoer

Veerboot: Midden juni-midden aug. met het schip 'MS Solsund' van Oskarshamn naar Byxelkrok (2.20 uur; www.olandsfarjan.se). **Bus:** naar Stockholm en Kalmar, zie blz. 171; 's zomers goed openbaar vervoer. Info: Kalmar Läns Trafik AB, tel. 0491 76 12 00, www.klt.se. **Belangrijk:** Fietsen over de Ölandbrug is verboden. In mei-sept. brengt de Cykelbuss, de rest van het jaar de lokale bus, fietsen van Kalmar (Jutnabben) over de brug.

Vänern met Dalsland en Värmland

Hoogtepunten ✳

Läckö slott: Als een sprookjesslot aan het Zwanenmeer ligt dit prachtige kasteel uit de Zweedse Gouden Eeuw aan de oever van het Vänern. Blz. 185

Håverud: Nog altijd een adembenemende staaltje van techniek uit het midden van de 19e eeuw is de uit metalen platen samengeklonken vaargoot in het Dalslands kanaal over de diepe kloof van de Hafreströmmen. Blz. 188

Op ontdekkingsreis

Elanden op het spoor – op de Hunneberg: De natuuronderzoeker Carl Linnaeus verbaasde zich al over de opvallende tafelberg aan de zuidelijke rand van het meer Vänern met zijn steile kliffen en diepe ravijnen. Tegenwoordig komen bezoekers er om op zoek te gaan naar elanden. Blz. 182

Op de Hunneberg

Map labels: Frykdals-höjden, Mårbacka, Frykendal, Klässbol, fijn linnen uit Klässbol, Karlstad, met een draisine langs Dalslands kanaal, Håverud, Vänern, Läckö slott, Forshem, Kinnekulle, Vättern, Sparlösa, Husaby, Varnhem, Sparlösasten

Bezienswaardigheden

Sparlösasten: De runensteen naast de kerk van Sparlösa is een van de geheimzinnigste van Zweden. Blz. 187

Kerken op de Kinnekulle: Husaby, Forshem, Varnhem – het historische gebied rond de Kinnekulle was in de middeleeuwen een belangrijk centrum van de cultuur. Blz. 186, 188

Mårbacka: In de bos- en bergidylle rond het Frykendal zijn de locaties te vinden uit de romans van Selma Lagerlöf en het woonhuis van de schrijfster. Blz. 194

Aktief en creatief

Draisinerijden langs het Dalslands kanal: Van Bengtsfors naar Årjäng trapt u met spierkracht langs een traject met prachtige uitzichten. Blz. 193

Sfeervol genieten

Fijn linnen uit Klässbol: Het bestaat nog, het goede oude tafeltextiel van zuiver linnen. Met de producten van de damastlinnenweverij Klässbol worden zelfs de tafels gedekt tijdens het Nobelprijsbanket. Blz. 196

Frykdalshöjden: Het uitzicht van dit uitzichtpunt over het Frykendal is eenvoudigweg sprookjesachtig. Blz. 197

Uitgaan

Het uitgaansleven speelt zich vooral af in de 'metropool' van Värmland, Karlstad. Blz. 194

Land van meren in het westen – dalen, bossen en veel water

Het **Vänern** is het grootste meer van Zweden en het op twee na grootste van Europa. Net als een echte zee heeft het een scherenkust en is het een onderdeel van de beroemde waterweg tussen de west- en de oostkust van Zweden: Het Götakanal begint in Göteborg met de Göta älv, passeert de sluizen van Trollhättan en een reeks meren totdat het bij Motala het Vättern verlaat en verder voert in de richting van de Oostzee (zie blz. 198).

Vooral de zuidelijke oever van het Vänern heeft een rijke geschiedenis – het is een van de vroegst gekerstende gebieden van Zweden. In Husaby werd met de doop van Olof Skötkonung rond het jaar 1000 de eerste steen van het Zweedse koninkrijk gelegd. De vele kerken en kastelen getuigen van het historische belang van het gebied. Door Jan Guillous spannende, min of meer historisch correcte trilogie over de avonturen van het kloosterleerling en kruis-

vaarder Arn Magnusson, die inmiddels verfilmd is, zijn de kerken van Forshem en het middeleeuwse klooster van Varnhem net als vele andere locaties uit zijn boeken in deze regio van de provincie Västra Götaland zeer populair geworden.

De tafelbergen Halleberg, Hunneberg en Kinnekulle en het schiereiland Kållandsö vormen bovendien een gevarieerd en zeer fraai landschap. U kunt hier op zoek gaan naar elanden of vanaf de rand van een van de tafelbergen genieten van het geweldige uitzicht over het Vänern en de vruchtbare vlaktes van Västergötland.

Ten westen van het Vänern, in Dalsland komt de reiziger dat tegen wat we ons meestal voorstellen als een Zweeds prentenboeklandschap: beboste heuvels, ongerepte rivieren en meren die glinsteren in de zon. Naar Dalsland reist u vanwege het landschap, want hier vindt u de ruimte om u in de natuur en op het water te ontspannen. De provincie is met ongeveer 51.000 inwoners slechts dun bevolkt.

Ten noorden van Vänern ligt Värmland. De provincie biedt relatief ver naar het zuiden gelegen een indruk van de uitgestrektheid van Noord-Zweden. Zoals in het zuidelijker gelegen, aangrenzende Dalsland zijn de langgerekte meren en rivieren een paradijs voor kanovaarders. Wie zijn tijd wil doorbrengen met vissen, vlotvaren op de Klarälven, draisinetochten, raften of wandelen en naar elanden en bevers kijken, is in dit dunbevolkte landschap, waarvoor Selma Lagerlöf in haar romans een monument heeft opgericht, precies op zijn plaats. Het noorden van de provincie is woest en verlaten.

INFO

Toeristische informatie

Visit Värmland: tel. 054 701 10 00, www.varmland.org. Info over Värmland, onder meer de adressen van turistbyrå's en het bestellen van brochures.
Västsvenska Turistrådet: tel. 031 81 83 00, www.vastsverige.com. Verantwoordelijk voor Västergötland en Dalsland.

Vervoer

Ten zuiden van het Vänern (Skaraborgs län): www.vasttrafik.se
Värmland: www.varmlandstrafik.se
Dalsland: www.dalatrafik.se

Trollhättan ▶ C 10

Als centrum van de metaal- en autoindustrie heeft Trollhättan (53.000 inwoners) naam gemaakt. Motor voor de ontwikkeling tot industriestad was de rivier de Göta älv, die op deze plek oorspronkelijk een machtige waterval met een valhoogte van meer dan 30 m vormde. Zijn energie werd al in de 15e eeuw benut.

Bezienswaardigheden

Göta älvsluizen

De belangrijkste attractie van Trollhättan zijn de sluizen van Göta älv (volg de borden 'Slussarna'). Sinds 1910 is de Göta älv afgedamd om met behulp van turbines elektriciteit op te wekken. In de zomer mag de machtige stroom in ieder geval tijdelijk ongeremd door zijn oude bedding stromen, want dan worden de sluizen op bepaalde momenten geopend (mei-juni za./zo., juli-aug. wo., za./zo. telkens om 15 uur). Midden juli duurt het spektakel onder de ogen van talrijke toeschouwers wel drie dagen. De waterval in de Göta älv was eeuwenlang een onoverkomelijk obstakel voor schepen die het Vänern vanaf de open zee wilden bereiken. In 1800 werd uiteindelijk de eerste sluis geopend en de lading van de schepen hoefde niet langer overgeslagen worden. Op een korte wandeling kunt u de hele omgeving verkennen of in de zomer met een kabelbaan over de rivier zweven.

Musea

Weetgierige kinderen en liefhebbers van de natuurwetenschap kunnen in het **Innovatum Science Center** (Åkerssjövägen 10, www.innovatum.se, juli/aug. dag. 11-17, verder di.-zo. 11-16 uur, 75 SEK, gezin 150 SEK) de werking van veel zaken multimediaal en in experimenten op het spoor komen. Het is ondergebracht als deel van een technologiepark in de voormalige fabriekshallen van de hier ooit gevestigde metaalindustrie.

Autoliefhebbers kunnen een bezoek brengen aan het **SAAB Bilmuseum** (Åkerssjövägen 1, dag. 11-16, 's zomers 9-17 uur, 60 SEK). Zo'n 100 modellen van het om zijn fraaie vormgeving bekend staande merk kunt u hier bekijken – en hoewel SAAB eind 2011 failliet ging, komen er misschien nog wel nieuwe, elektrische modellen bij. Het bedrijf is in 2012 overgenomen door het Chinese NEVS.

Overnachten en eten

Klassiek – **Ronnums Herrgård**: Vargön, tussen Trollhättan en Vänersborg, tel. 0521 26 00 00, www.ronnums.se, 1285-1695 SEK/2-pk.
Historisch herenhuis op een prachtige locatie in een park aan de voet van de Hunneberg met een uitstekend, klassiek gourmetrestaurant (3 gangen 475 SEK), goed gevulde wijnkelder.
Bij de tijd – **Albert Hotell**: Strömsberg, Trollhättan, tel. 0520 129 90, www.alberthotell.com, 1450 SEK resp. 1195 SEK (zomer) per 2-pk. Beste hotel in de stad met veel parkeergelegenheid. De smaakvol ingerichte kamers hebben een balkon met een prachtig uitzicht over de Göta älv, de watervallen en de stad. Restaurant met een uitstekende Zweedse gourmetkeuken (lunch di.-vr. 100-185 SEK, hoofdgerechten 's avonds duurder).
De berg roept – **Vandrarhem Hunnebergs gård**: Bergagårdsvägen 9B, Vargön, tel. 0521 22 03 40, www.hunnebergsgard.se, vanaf 200 SEK/pers. zonder ontbijt en beddengoed. De geel geschilderde herenboerderij aan de voet van de Hunneberg ligt slechts 2 km van het Kungajaktmuseet ▷ blz. 184

De elanden op het spoor – op de Hunneberg

Carl Linnaeus verbaasde zich al over de opvallende tafelberg aan de zuidelijke rand van het meer Vänern met zijn steile kliffen en diepe ravijnen. Vandaag de dag komen de bezoekers hier vooral om op zoek te gaan naar elanden, maar ook van het unieke landschap te genieten.

Kaart: ▶ C 10

Kungajaktmuseet Älgens Berg: www. algensberg.com, juni-aug. dag. 10-18, sept.-dec., feb.-mei di.-zo., jan. di.-vr. 11-16 uur, 60 SEK, gezin 150 SEK.
Elandsafari: Start in de maanden juli en augustus ma. en do. ca. 18.30 uur, duur ca. 1,5 uur. Bus vanaf Resecentrum Trollhättan resp. Vänersborg, boeken via tel. 0521 135 09 of per mail naar info@visittv.se, volw. 325 SEK, kinderen 175 SEK, www.visittv.se.

Rustpauze: Restaurant Spiskupan, www.spiskupan.se, dag. 11-16 uur.

Neemt u de het dichtst bij Vänersborg gelegen noordelijke toegang tot de Hunneberg, dan bereikt u het **Kungajaktmuseum Älgens Berg** in het jachthuis Bergagården, met café-restaurant en een tentoonstelling over het leven van elanden en andere wilde dieren. Hier kunt u zich inleven in de zintuiglijke wereld van de eland, waarvan de ongeëvenaarde reukzin en het uitstekende gehoor er verantwoordelijk voor zijn dat men deze dieren niet vaak te zien krijgt. Bijzonder alert is de eland overigens in de schemering. Het uitgespreide gewei van de elandstieren fungeert als 'antenne' voor het opvangen van de zachtste geluiden – vooral als ze van vrouwtjes komen. Rumoerige wandelaars maken daarom geen kans zo'n dier dan tegen te komen.

Nagenoeg ontoegankelijk

Ook over het ontstaan van de Hunneberg en zijn 'tweeling' Halleberg informeert het museum. Beide plateaubergen ontstonden toen ongeveer 300 miljoen jaar geleden heet oergesteente door de scheuren en spleten in de dikke sedimentlagen brak, die op de voormalige zeebodem waren afgezet. De magma koelde af tot diabaas, een soort basalt. De harde diabaas erodeerde veel minder dan de sedimentaire gesteenten – en bleef als kolomformatie staan. De steile rotswanden van de 90 m hoge Hunneberg bieden maar weinig bomen houvast en creëren een zeer bijzondere en voor mensen grotendeels ontoegankelijke habitat. Het staatsbosbeheerbedrijf Sveaskog beheert de Hunneberg sinds 2004 als ecopark, zodat het gebied een speciale bescherming geniet en bosbouwactiviteiten tot het minimum beperkt zijn.

Koninklijk jachtgebied

Al vroeg lieten de machtigen hun oog vallen op de wildrijke Hunneberg. In 1351 kwam hij in het bezit van de Kroon, in 1539 verklaarde Gustav Vasa het gebied tot koninklijk jachtgebied. De krachtige, natuurlijke elandenpopulatie was niet toereikend en er werden daarom ook edelherten uitgezet. In de moerassen op het plateau baltsen in het voorjaar korhoenders, auerhoenders en zelfs enkele kraanvogels broeden hier. Elanden, met een schofthoogte tot 1,90 m zijn echt reusachtig, en met hun spreidbare hoeven uitstekend uitgerust voor drassig terrein. Ondanks zijn gewicht van meer dan een halve ton slaagt een elandstier erin om zich lichtvoetig dansend over het moeras te verplaatsen. Iedere herfst wordt hier een koninklijke jacht georganiseerd, want ook de huidige koning, Carl XVI Gustaf, volgt zijn illustere voorgangers in deze traditie.

Elandensafari in de schemering

Wie de koning van het bos te zien wil krijgen bij diens favoriete activiteit, het eten van jonge berkenblaadjes van de takken, moet net als de eland in de schemering op pad gaan. De beste kansen bieden rondleidingen, die op zomeravonden op de Hunneberg worden aangeboden. Na een spannende speurtocht kunt u heerlijk worstjes roosteren op een van de speciaal ingerichte grillplekken.

Leerzame paden

Ook overdag kunt u wandelingen of trektochten vanuit het museum maken. Een 400 m kort 'jacht- en wildbeheerpad' verklaart de flora en fauna van het bos (met meertalige uitleg op bordjes). Ook worden enkele uren durende gegidste wandelingen aangeboden, onder meer naar een onverstoorde wildernis aan de zuidelijke rand van het plateau (*Södra randskogen*) – hier kunt u tot 200 jaar oude bomen zien, vooral dennen en eiken.

(zie blz. 183), eenvoudig, maar praktisch onderdak in 1- tot 6-bedskamers. Ook kampeermogelijkheden.

Info en evenementen

Toeristische informatie

Visit Trollhättan AB: Åkerssjövägen 10, 461 29 Trollhättan, tel. 0520 135 09, www.visittv.se.

Evenementen

Fallens Dagar (3 dagen in juli): De sluizen in Trollhättan worden geopend en de hele stad viert feest.

Vervoer

Trein: naar Göteborg, Oslo en Karlstad.
Bus: naar Vänersborg en Lidköping.

Lidköping ▶ C/D 10

De met 37.000 inwoners grootste stad aan de zuidelijke oever van het meer Vänern wordt door de rivier de Lidån in een oud en een nieuw deel gescheiden. Het voormalige raadhuis (**Gamla Rådhuset**), geheel van hout en een belangrijke bezienswaardigheid in Lidköping, is het voormalige jachtslot van graaf Magnus Gabriel De la Gardie, dat hierheen werd overgebracht. Het herbergt nu onder andere een populair café en het turistbyrå.

Ongeveer 300 meter van het marktplein (aan de andere zijde van het spoor) ligt het bedrijfsterrein van de beroemde **Rörstrands porslinsfabrik** (www.rorstrand-museum.se, ma.-vr. 10-17, za. 10-16, zo. 12-16 uur, toegang gratis). Een kleine tentoonstelling toont producten uit de geschiedenis van de fabriek, een café biedt versterking voor de inwendige mens en een fabriekswinkel fraai serviesgoed, glas en andere designproducten tegen lage prijzen.

Vänermuseet

Framnäsvägen 2, www.vanermuseet.se, juni-aug. ma.-vr. 10-17, za./zo. 12-17, verder di.-vr. 10-17, za./zo. 12-17 uur, 40 SEK

Net buiten het centrum, direct aan de oevers van het meer Vänern ligt het bezienswaardige Vänermuseet, gewijd aan de geschiedenis en de ecologie van het meer. Het toont visuitrusting en de resultaten van artistieke confrontaties rondom het thema water, zoals de befaamde glazen boten van Bertil Vallien. Een indrukwekkende tentoonstelling over de geologie van het Kinnekullegebied verhaalt over meteorieten en het leven in de prehistorie.

Overnachten

Handwerkersdorp – **STF Vandrarhem Hällekis/Falkängen:** tel. 0510 54 06 53, info@falkangen.se, vanaf 310 SEK/1-pk, appartement vanaf 420 SEK/2 pers. zonder ontbijt en beddengoed. Bezienswaardigheid en onderkomen in één: In huizen die ooit werden bewoond door de werknemers van de voormalige steengroeve, zijn 2 - tot 5-bedsappartementen, met douche/wc en keuken ingericht, daarnaast een klein mineralen-en fossielenmuseum, diverse kunstnijverheidswinkels en demonstraties van oude ambachten.

Alleen in de zomer – **STF Vandrarhem Vara:** Torggatan 41, Vara (ca. 35 km ten zuiden van Lidköping), tel. 0512 579 92 of 0512 579 70, vandrarhem@vara.fhsk.se, juni-3e week aug., vanaf 210 SEK/1-pk, 370 SEK/2-pk zonder ontbijt en beddengoed. De volkshogeschool verhuurt gedurende de zomervakantie aangename 1- of 2-bedskamers, met douche/wc op de gang.

Luxurieus – **KronoCamping Lidköping:** Lidköping, tel. 0510 268 04, www.kronocamping.com, gehele jaar, standplaats vanaf 200 SEK. Aan de oever van het meer, met een eigen badstrand en verwarmd zwembad, 1 km buiten de stad; hutten, vakantiehuizen, bootverhuur.

Eten en drinken

Vis – **Restaurang & Café Sjöboden:** Spiken, tel. 0510 104 08, www.sjoboden.se, Pasen, mei-aug. dag. 12-16 en 17-22, sept.-dec. di.-zo. 12-16 uur. Excellente gourmetkeuken, vooral vis uit het Vänern, terras met uitzicht over het meer, groot lunchbuffet (ma.-vr., 105 SEK), hoofdgerechten 179-225 SEK.

Aktief en creatief

Boottochten – **Ekens Skärgård:** 's zomers vanaf Läckö slott, tel. 0510 263 00, 0510 21 04 55. Vanaf de steiger bij Läckö slott tochten met de rondvaartboot 'Magnus Gabriel' door dit fraaie scherengebied.

Fietsverhuur – **STF Vandrarhem Hällekis/Falkängen:** zie Overnachten.

Info

Toeristische informatie
Destination Läckö-Kinnekulle: Gamla rådhuset, Nya stadens torg, 531 31 Lidköping, tel 0510 200 20, www.vastsverige.com, www.kinnekulle.se. In het Kinnekullegebied zijn informatiepunten te vinden in winkels en cafés.

Vervoer
Trein: Lidköping-Vara-Herrljunga met aansluiting op het hogesnelheidstraject Göteborg-Stockholm; Kinnekulletåget Lidköping-Mariestad-Laxå met halte in onder meer Hällekis.
Bus: naar Trollhättan.

Omgeving van Lidköping

Läckö slott ❋ ▶ D 10
www.lackoslott.se, rondleidingen mei en sept. ieder uur. 11-15, za./zo. 11-16, juni-aug. dag. 10-18 uur, afhankelijk van seizoen 50-80 SEK

Vanuit Lidköping is een reis naar het op het puntje van het schiereiland Kållandsö gelegen Läckö slott de moeite waard. Zijn huidige vorm heeft het voornamelijk te danken aan Magnus Gabriel De la Gardie, die het kasteel in 1652 erfde. Hij liet het verbouwen, maar zijn plannen konden wegens geldgebrek niet volledig worden uitgevoerd. Op het kleine eiland in Vänern stond al in de middeleeuwen een bisschopsburcht, die tijdens de Reformatie aan de staat kwam. Ook De la Gardie werd het imposante bouwwerk ontnomen, omdat de staat door de Dertigjarige Oorlog in geldnood was geraakt. Tegenwoordig zijn hier in de zomer thematentoonstellingen te zien en vanaf de steiger varen rondvaartboten naar de eilanden in Vänern.

Spiken
Wie van plan is te picknicken op het schiereiland Kållandsö, kan in de haven van Spiken gerookte vis kopen of in het gerenommeerde restaurant Sjöboden aanschuiven (zie Eten en drinken).

Kinnekulle ▶ D 10
De schrijvers Selma Lagerlöf en August Strindberg trokken zich op zoek naar ontspanning en inspiratie al terug op de van verre als silhouet zichtbare tafelberg Kinnekulle. Hij ontstond ongeveer 300 miljoen jaar geleden, toen uit aardbevingsspleten vloeiend lava uit het binnenste van de aarde uitliep over de met versteende planten, schelpen en vissen bedekte zeebodem. Door het stijgen van het land en erosie verdwenen latere lagen en bleef alleen de harde diabaas-

Sprookjesslot met meer dan 200 kamers: Läckö slott langs het Vänern

laag over, die zich nu boven de vlakte verheft. Onder deze harde schil rusten miljoenen jaren oude getuigenissen van de geschiedenis van de aarde.

Hoogtepunt en het beste startpunt voor korte wandelingen is de uitkijktoren op de **Högkullen** (autoweg). Ook de 45 km lange, gemarkeerde wandelroute Kinnekulleleden voert hier langs. Tot de belangrijkste bezienswaardigheden horen naast de indrukwekkende natuurlijke schoonheid enkele middeleeuwse kerken, waarvan de belangrijkste die van Husaby is. De in het begin van de 12e eeuw gebouwde zandstenen kerk was destijds bisschopszetel. In een nabijgelegen bron zou rond het jaar 1000 koning Olof Skötkonung zich hebben laten dopen.

Verder naar het noordoosten komt u bij de kerk van Forshem, waarop in gebeeldhouwde scènes de middeleeuwse bouwtradities worden getoond.

Fietstocht rond de Kinnekulle

Ongeveer 40 km is een rondtocht, die over B-wegen en onverharde landweggetjes zonder grote klimmen rondom

openbaar vervoer, zie Vervoer, blz. 185) van Lidköping naar Mariestad.

Sparlösasten ▶ C 10

Ongeveer 25 km ten zuiden van Lidköping, waar de met windmolens bezaaide vruchtbare vlakte met graan- en aardappelvelden plaats maakt voor een beboste heuvelrug, staat in een houten paviljoen naast de kerk van Sparlösa een runensteen die vermoedelijk uit het jaar 800 stamt. Hij wacht tot op de dag van vandaag op zijn uiteindelijke ontcijfering. De steen was gebruikt bij de bouw van de kerk – het inschrift werd pas ontdekt in 1937, waarna de steen voor de kerk werd geplaatst. Bezoekers kunnen zich een beeld vormen van de inscripties, terwijl de gedetailleerde toelichting op de wandpanelen een poging doet tot interpretatie van tekst en afbeeldingen. Meest opwindend is waarschijnlijk de interpretatie dat een van de afbeeldingen in de steen een Siberische joert zou weergeven – wat kan verwijzen naar de zeer uitgebreide reizen van de Zweedse Vikingen naar het oosten. Het paviljoen is altijd toegankelijk; in de zomer is er een tijdelijk café.

Skara ▶ D 10

De domstad Skara (18.500 inwoners) behoorde in de middeleeuwen tot de belangrijkste bisdommen van het land, maar tegenwoordig maakt het stadje, waar verschillende scholen en onderwijsinstellingen zijn, eerder een slaperige indruk, vooral tijdens de zomervakantie. Nadat de verfilming van Jan Guillou's Arn-trilogie, die zich rond Skara afspeelt, tot een enorme populariteit leidde, is er in de stad met de aan invloed inboetende kathedraal iets meer aan de hand en kunt u in de omgeving van de stad op veel plekken herinneringen ontdekken aan het middeleeuwse

de berg voert. Startpunt is Falkängen in Hällekis, waar u ook fietsen kunt huren. De tocht voert dooreen historisch interessant landschap, langs watervallen en orchideevelden, middeleeuwse kerken, grotten en steengroeven voor molenstenen; u kunt de tocht onderbreken om in het meer te zwemmen. U zou een picknickpakket mee moeten nemen, want er zijn weinig eetgelegenheden onderweg. De route kan gemakkelijk in etappes worden opgedeeld en u kruist een aantal malen de spoorlijn van de Kinnekulletåget (voor informatie over het

christendom, zoals de kerken en kloos-terruïnes van Forshem en Varnhem.

Västergötlands museum

www.vastergotlandsmuseum.se, mei-sept. dag. 11-16, okt.-apr. di.-vr. 10-16, za./zo. 11-16 uur, Fornbyn mei-sept. dag. 8-20 uur, toegang gratis
In het regionale museum zijn onder meer de 17 beroemde bronzen schil-den te zien die 3000 jaar geleden in een moeras op het schiereiland Kållandsö werden afgezonken. 's Zomers trekken handwerkslieden weer in de ongeveer 30 huizen van het openluchtmuseum **Fornbyn**, waar ze hun oude ambachten laten herleven.

Info

Toeristische informatie

Skara Turistbyrå/Visitor Center: Bibliotheksgatan 3, 532 88 Skara, tel. 0511 325 80, www.skara.se/turism.

Vervoer

Trein: de hogesnelheidstrein SJ 2000 Göteborg-Stockholm stopt in Falköping, per Bus verder naar Skara.
Bus: naar Falköping, Uddevalla, Örebro, Lidköping en Trollhättan.

Omgeving van Skara

Skara Sommarland ▶ D 10

Axvall, www.sommarland.se, juni-midden aug. dag. 10-17, juli tot 19 uur, 299 SEK/één dag, 459 SEK/twee dagen; ook camping
Kinderen zullen aandringen om Skara Sommarland, het grootste waterpark, én het grootste pretpark van Zweden, te bezoeken. Het ligt ten oosten van Skara naast de drafbaan langs weg 49. U kunt de weekeinden beter vermijden, want dan is het hier erg druk.

Hornborgasjö ▶ D 10

Het vogelbeschermingsgebied Hornborgasjö is het domein van ornitholo-gen, vooral in het voorjaar, wanneer ze met duizenden hierheen komen om in maart/april de dans van de meer dan 15.000 kraanvogels die zich hier jaar-lijks verzamelen te bekijken. Om akker-land te winnen werd in het verleden een groot deel van het meer drooggelegd, waardoor dit gebied lange tijd niet ge-schikt was voor watervogels als zwanen en ganzen. Dankzij beschermingsmaat-regelen is de grootste schade hersteld.

Varnhem kloster ▶ D 10

www.varnhem.se, april, sept. dag. 11-16, mei-eind aug. 10-18 uur, 40 SEK
Breed en zwaar, sereniteit uitstralend ligt de kloosterkerk van Varnhem (langs weg 49) tussen oude bomen en groene weiden. Het klooster werd in 1150 ge-sticht door de cisterciënzers van Al-vastra. In 1566 werden de klooster-gebouwen door de Denen afgebrand (de fundamenten werden ontdekt bij op-gravingen in de late jaren 20 van de vo-rige eeuw) en alleen de kerk ontsnapte aan vernietiging. Hij werd in 1654-1674 gerestaureerd door Magnus Gabriel De la Gardie, de eigenaar van Läckö slott, die er later met zijn vrouw ook begra-ven werd. Inmiddels gaat men ervan uit dat ook de in 1266 overleden stichter van Stockholm, Birger Jarl, in de kerk begra-ven werd – DNA-analyses wijzen daar althans op. In de Klostergården is er koffie en gebak.

Dalsland

Håverud ✳ ▶ C 9

In Håverud, dat u via Mellerud (E45) bereikt, bevindt zich een meesterwerk van Zweedse ingenieurskunst uit het jaar 1868: Een 32 m lange brug, het **Ak-**

Tisselskog – Een stenen plaatjesboek lezen ▶ C 9

Het in Dalsland gelegen gebied met rotstekeningen (*hällristningsområde*) ontleent zijn charme aan de nabijheid van het water. De locatie is als gemaakt om er met een boot aan te leggen en men kan zich goed voorstellen hoe de mensen in de bronstijd hier kwamen voor overleg, ceremonies en rituelen. Waren de raadselachtige tekens boodschappen voor anderen die elkaar ook hier ontmoetten? Een van de opmerkelijkste afbeeldingen is van een personage die een achterwaartse salto lijkt te maken. Vergelijkbare beelden zijn bekend uit het Middellandse Zeegebied. Of dit toeval is? Misschien niet, want de mensen hadden 3000 jaar geleden ook uitgebreide contacten.

Een fraai staaltje Zweedse ingenieurskunst: het in 1868 aangelegde Dalslands kanal

vadukt, leidt het Dalslands kanal over de rivier Upperudsälven, daarboven lopen weer een spoorwegbrug en een viaduct. De metalen platen van het aquaduct worden bij elkaar gehouden door meer dan 30.000 klinknagels. Het **Dalslands kanal** werd in 1864-68 gebouwd door Nils Ericsson (die ook verantwoordelijk was voor een aantal spoorwegprojecten en het Trollhätte kanal) om ijzererts te vervoeren van de mijnen in Värmland naar de smelterijen in Dalsland. Slechts ongeveer 10 km van de totale afstand tussen het meer Stora Le nabij de Noorse grens en Köpmannebro aan het Vänern zijn kunstmatig aangelegd, ze verbinden de bestaande natuurlijke waterwegen en meren met elkaar. Het

hoogteverschil van 66 m wordt overwonnen met 29 sluizen. Tegenwoordig is het 254 km lange kanaal slechts een toeristische attractie – de belangrijkste van het gewest – en kan in zijn geheel of in etappes worden bevaren met een eigen boot of met rondvaartboten. Een tentoonstelling in het **Dalsland Center** (mei, sept. dag. 10-16, juni, aug. 10-18, juli 10-19 uur) informeert over de geschiedenis van het Dalslands kanal.

Boottocht op het Dalslands kanal

Van Håverud naar Bengtsfors vaart het historische schip 'M/S Storholmen' (bouwjaar 1896) door 19 sluizen en door het aquaduct van Håverud over de waterwegen die het Dalslands kanal vormen, door smalle kanaalgeulen en een prachtig merensysteem (vaarschema: www.storholmen. com). Voor de terugreis kunt u kiezen voor de railbus van Dal Västra Värmlands Järnväg (eind juni-3e week aug. ma.-za., info: tel. 0531 52 68 01, www.dvvj.com). Een tweede variant breidt de reis uit naar een tweedaagse tocht: zes uur varen van Köpmannebro naar Bengtsfors, terugkeer met de bus of overnachten in Bengtsfors, het schip vaart de route de volgende dag altijd in tegengestelde richting: Rederi Dalslandia, Köpmannebro, tel. 0530 310 27, www.dalslandia.com.

Overnachten

Elegant – **Håveruds Kök Hotell & Konferens:** Upperudsvägen 12, tel. 0530 350 00, www.haverudshotell.se, ca. 1200 SEK/2-pk incl. ontbijt, pakketaanbiedeigen incl. diner en kanaaltocht vanaf 1495 SEK/pers. in 2-pk. Het hotel-restaurant in de voormalige kantine van een papierfabriek bij het aquaduct heeft nu 22 elegant ingerichte kamers, alle met uitzicht op het water. Er is een wellnesafdeling en een restaurant, in de zomer wordt er ook buiten op het terras bediend.

Eten en drinken

Direct aan het aquaduct – **Rokerij** en **Brasserie** met voordelige kleine kaart, juni-aug.

Aktief en creatief

Rondvaarten – **Dalsland Charterboat:** www.dalsland-charterboat.se. Eind juni-eind aug. dag. vanaf Dalsland Center naar het aquaduct en naar de rotstekeningen bij Tisselskog (zie blz. 189).

Info

Toeristische informatie

Håveruds Turistbyrå: Dalsland Center, 464 72 Håverud, tel. 0530 189 90 (alleen 's zomers), www.haverud-upperud.se.

Over landweggetjes naar Bengtsfors ▶ C 9

Van Håverud leidt een zeer mooie, bochtige en heuvelachtige weg naar Dals Långed en Bengtsfors, parallel aan het spoorwegtraject. Ten zuidwesten van Tisselskog kunt u een tussenstop maken bij de boerderij Högsbyn aan het meer Råvarpen voor de **rotstekeningen** uit de bronstijd (Zie Favoriet, blz. 189). Voorbij Dals Långed bereikt de weg het meer Laxsjön, waar veel industrieën (papier- en houtverwerking) te vinden zijn. Tot het midden van de 19e eeuw leefde Dalsland vooral van de ijzerverwerkende industrie, die echter wegens gebrek aan grondstoffen niet concurrerend was. In de late 19e eeuw begon men de grote water- en houtrijkdom anders te gebruiken en werd de productie van hout, papier en cellulose de belangrijkste inkomstenbron.

Aan het einde van de laatste ijstijd ontstonden de **gletsjermolens** (*jättegrytorna*) bij Steneby kyrka langs weg 172, die tot 7 m diep en 10 m in diameter zijn en nu een beschermd natuurgebied vormen.

In de stad **Bengtsfors** zijn **Halmens hus** (www.halmenshus.com, mei-aug. di.-zo. 10-17, mrt.-apr., sept.-nov. di.-vr. 10-16, 1 dec.-4e advent di.-zo. 10-16 uur; hostel en café, toegang gratis) en het openluchtmuseum Gammelgården (mei-sept. dag. 11-17 uur, 50 SEK) de moeite waard te bezoeken. Hier wordt het oeroude ambacht van strovlechten nog vakkundig uitgevoerd en verder ontwikkeld, zoals wisselende tentoonstellingen over het onderwerp laten zien. De gevlochten kerstdecoraties behoren tot de populairste souvenirs die u uit Bengtsfors mee naar huis kunt nemen.

Overnachten

In het museum – **STF Vandrarhem Bengtsfors:** Gammelgården, tel./fax 0531 610 75, www.gammelgarden.com, mei-aug., vanaf 170 SEK/pers. zonder ontbijt en beddengoed. Hoog op de berg met uitzicht over het meer Lelång ligt het gezellige, in 2011 van nieuwe matrassen voorziene onderkomen, dat onderdeel is van het openluchtmuseum.

Tip

Overnachten en eten op een herenboerderij – Baldersnäs ▶ C 9

Een zeer geslaagde combinatie van natuurlijke schoonheid, cultuur, geschiedenis en comfort biedt Baldersnäs herrgård. Omgeven door een Engelse landschapstuin die Carl Fredrik Waern, de initiatiefnemer van Dalslands kanal en eigenaar van het landgoed, in het begin van de 19e eeuw liet aanleggen, ligt het oude herenhuis, dat tegenwoordig een uitstekend restaurant heeft, omgeven door kunstnijverheidswinkeltjes en een openluchttheater, waar populaire sterren optreden. Een badplaats ontbreekt evenmin als een steiger. Vanaf het terras van het restaurant kijkt u uit over het park, het menu bestaat uit typische regionale, fijn bereide wild- en visgerechten (vanaf 250 SEK). Comfortabele kamers in het herenhuis (1195 SEK/pers. in 2-pk incl. 3-gangendiner). Info en boeking: tel. 0531 412 13, www.baldersnas. eu, dag. mei-eind aug.

Ideaal voor kanovaarders – **Dalsland Camping- & Kanotcentral:** tel. 0531 100 60, www.dalslandscamping.se, standplaats vanaf 200 SEK, eenvoudige 2-persoonshutten vanaf 350 SEK/dag. Omgeven door een uitgestrekt merensysteem tussen de meren Lelången en Ärtingen, natuurlijk met badstrand, kano- en fietsverhuur.

Aktief en creatief

Op het Dalslands kanal – **Boottochten:** www.dalslandskanal.se. Info over het bevaren van het kanaal met een eigen boot.
Kano- en draisineverhuur – **Kanalvillan:** Dals Långed, www.kanalvillan.com, tel. 0531 411 16. Kano's 260 SEK/dag. Ook gecombineerde kano- en draisinetochten langs het kanaal.

Info en evenementen

Toeristische informatie

Bengtsfors Turistbyrå: Tingshustorget, Box 24, 666 30 Bengtsfors, tel. 0531 52 63 55, www.turism.bengtsfors.se.

Evenementen

Kanomarathon (midden aug.): www.kanotmaraton.se.

Vervoer

Bus: naar Åmål en Mellerud.
Trein: Museumlijn, alleen 's zomers, info: www.dvvj.com (zie onder).

Draisinetocht met fraai uitzicht

Tussen Årjäng in Värmland, een paradijs voor liefhebbers van het buitenleven en kanoërs, en Bengtsfors in Dalsland kunt u, als u het peddelen even moe bent, zich voor de verandering individueel of op een tandem al trappend op een draisine voortbewegen. Het 52 km lange, afgesloten deel van de spoorlijn van Dal Västra Värmlands Järnväg (DVVJ) loopt parallel aan het Dalslands kanal. De afkorting DVVJ staat niet voor niets ook voor *De vackra vyernas järnväg* – de spoorweg van de mooie uitzichten. Erg populair is een rondreis – heen over het water in een kano en terug over de rails – of vice versa. Informatie: www.dvvj.com.

Värmland

Karlstad ▶ D 8

De hoofdstad van Värmland is gelegen in de delta van de Klarälven, met een lengte van 500 km een van de langste rivieren van Zweden. In Karlstad kwam in 1905 de Unie met Noorwegen vreedzaam ten einde, een gebeurtenis waaraan het Vredesstandbeeld op het Stora Torget herinnert. Bezienswaardig zijn in de bruisende winkelstad (83.000 inwoners) een aantal gebouwen die de grote brand van 1865 hebben overleefd, zoals de kathedraal, het bisschoppelijke paleis, de **Östra bron**, met twaalf bogen de langste stenen brug van Zweden, en het mooie theater.

Schilderachtig ligt op een schiereiland in de Klarälv **Värmlands museum** (Sandgrundsudden, www.varmlandsmuseum.se, ma., di., do., vr. 10-18, wo. 10-20, za./zo. 11-17 uur, 60 SEK; goed museumcafé), waarvan de spannend geënsceneerde tentoonstellingen over de meer dan 10.000 jaar geschiedenis, van de eerste jagers-verzamelaars tot nu, en de cultuur van het grensgebied met Noorwegen een bezoek meer dan waard zijn. ▶

Overnachten

Met eigen strand – **First Camp Skut-bergets Camping**: tel. 054 53 51 20, www.firstcamp.se/skutberget, gehele jaar., standplaats 170-290 SEK, goed uitgeruste hutten vanaf 790 SEK/dag. Aan het Vänern, ca. 7 km buiten de stad, nabij een uitgebreid winkelcentrum (Bergsvik).

Goed strand voor kinderen – **Swecamp Bomstadbaden**: tel. 054 53 50 68, www. bomstadbaden.se, apr.-midden okt., standplaats vanaf 150 SEK, volledig ingerichte hutten (hele jaar) vanaf 690 SEK/dag. Aan het Vänern, 9 km ten westen van de stad, met 800 m lang strand, beschaduwde plaatsen in een licht dennenbos.

Eten, Uitgaan

All you can eat – **Nöjesfabriken**: Karlagatan 42, www.nojesfabriken.se. De de gehele dag geopende 'plezierfabriek' in een voormalige gieterij biedt (behalve 's zomers) ma.-vr. 11.30-14 uur een lunchbuffet voor een vaste prijs van 85 SEK; bowling, liveconcerten en dj-avonden, za. tevens nachtclub tot 2 uur (leeftijdsgrens 20 jaar).

Aktief en creatief

Boottochten – **Båtbuss**: 's zomers varen lijndiensten over Vänern en de Klarälv. Watersport – **Kano- en kajakverhuur**: tel. mobiel 070 943 59 61, www.kajakliv. se. Ook gegidste tochten en beversafari's.

Info

Toeristische informatie
Karlstad Turistbyrå: Bibliotekshuset, Västra Torggatan 26, 652 20 Karlstad, tel. 054 540 24 70, www.destination karlstad.se.

Vervoer
Trein: naar Oslo, Stockholm en Göteborg.
Bus: naar Säffle, Ludvika.

Uitstapje naar Fryken

Rottneros Park ▶ C 8

Rottneros, www.rottnerospark.se, begin juni-midzomer, midden aug.-begin sept. dag. 10-16, midzomer-begin aug. 10-18 uur, 100-120 SEK (juli)

Aan het meer Fryken spreidt Rottneros zich uit, een uniek in de jaren 50 van de vorige eeuw aangelegd beeldenpark, onder meer met werken van Gustav Vigeland en Carl Milles. Het landhuis (niet open voor bezoekers) was voor Selma Lagerlöf het voorbeeld voor Ekeby in *Gösta Berling*, een standbeeld van de schrijfster bevindt zich in het park. Het landgoed, dat naast goed onderhouden paden, met het Nils Holgersson Äventyrspark en een motorfietstentoonstelling ook iets voor jongere en oudere kinderen te bieden heeft, is een van de populairste toeristische reisdoelen in Värmland.

Mårbacka ▶ D 8

www.marbacka.com, mei en sept. za./zo. 11-15, juni en midden-eind aug. dag. 11-16, juli-midden aug. 10-17 uur, rondleidingen 90 SEK

Bijna recht tegenover Sunne ligt aan de andere kant van het meer Fryken Mårbacka, waar op 20 november 1858 de latere schrijfster en Nobelprijswinnaar Selma Lagerlöf werd geboren. De familie Lagerlöf verarmde na de dood van haar vader en moest Mårbacka in 1907 verlaten. Dankzij het prijzengeld van de Nobelprijs voor Literatuur die Selma in

Dankzij het Nobelprijsgeld kon Selma Lagerlöf haar geliefde huis Mårbacka aan de oevers van het meer Fryken terugkopen

1909 won – en de inkomsten van haar boeken zoals *Niels Holgerssons wonderbare reis*, die bestsellers werden, was de auteur in staat het ouderlijk huis al in 1910 weer terug te kopen. Ze woonde hier tot haar dood in 1940.

Het in zijn huidige vorm in 1923 voltooide huis kan worden bezocht tijdens rondleidingen. Bijzonder mooi is de tuin, die door de schrijfster met veel enthousiasme werd aangelegd. Onder oude linden kunt u er met een kopje koffie en koekjes naar originele recepten uit Selma Lagerlöfs tijd landelijk verpozen.

Overnachten, eten

Landgoedhotel met uitzicht – **Länsmansgården:** Ulfsby Herrgård, tel. 0565 140 10, www.lansman.com, vanaf 1390 SEK/2-pk, ook golfpakketten. Typisch Värmlands herenhuis met 28 kamers aan de westelijke oever van Fryken, zo'n 4 km ten noorden van Sunne. De naam is ontleend aan Selma Lagerlöfs roman *Gösta Berling*. Het restaurant serveert Värmlandse specialiteiten. Lunch do., vr. 95 SEK, za./zo. 150 SEK, anders 105-250 SEK.

Aktief en creatief

Wellnesscenter – **Quality Spa Selma Lagerlöf:** Sundsberg, tel. 0565 166 10, www.selmaspa.se. Zeer luxueus kuuroord met fantastisch uitzicht over Fryken.

Met de stoomboot – **'Freja af Fryken':** Tochten naar Kil en Torsby, tel. 0554 415 90, www.angbatfreja.nu.

Tip

Edel textiel – linnen uit Klässbol ▶ C 8

De enige damastweverij van Zweden maakt van de vezels van inheems vlas met traditionele technieken en naar oude voorbeelden exclusieve producten. Het tafellinnen van Klässbol is zo elegant, dat het tijdens het Nobelprijsgala niet mag ontbreken (**Klässbols Linneväveri**, www.klassbols.se, fabriekswinkel ma.-vr. 9-18, za. 10-16, mei-sept. ook zo. 10-16 uur).

Info

Toeristische informatie

Sunne Turistbyrå: Kolsnäsvägen 4, 686 80 Sunne, tel. 0565 167 70, www.sunneturism.se.

Vervoer

Trein: naar Sunne en Karlstad via Kil.

Arvika ▶ C 8

Arvika (26.000 inwoners) bereikt u via de interessante weg 175, die langs de Byälven en de Glafsfjorden en voorbij Klässbols Linneväveri (zie boven) leidt. Het stadje is van oudsher een centrum van de kleinmetaalindustrie.

Rackstadmuseet

www.rackstadmuseet.se, apr., mei, sept. di.-zo., juni-aug. dag. 11-17, okt.-maart di.-zo. 11-16 uur, 60 SEK

Het museum aan het meer Racken, ten noorden van Arvika, toont schilderijen en kunstnijverheid van de kunstenaarsgroep Rackstadkolonin. Op het landgoed, waartoe het museum behoort, groeide de beeldhouwer Christian Eriksson op, die bijvoorbeeld het interieur van het Stockholmse theater Dramaten ontwierp en in het begin van de 20e eeuw in zijn huis Oppstuhage zijn kunstenaarsvrienden om zich heen verzamelde.

Overnachten

Aan de Glafsfjorden – **Arvika Swecamp Ingestrand:** tel. 0570 148 40, www.ingestrandscamping.se, gehele jaar, caravanstandplaats vanaf 160 SEK, hutten vanaf 575 SEK/dag. 4 km ten zuiden van Arvika, goede vismogelijkheden. Tentplaatsen deels in de schaduw.

Aktief en creatief

Bij het wandelen of peddelen in het uitgestrekte natuurreservaat Glaskogen heeft u voor het gebruik van picknickplaatsen en schuilhutten de Glaskogskort nodig (30 SEK/pers. per dag, resp. 150 SEK/week), verkoop in het turistbyrå.

Kanotochten naar eland en bever – **Arvika Kanot & Turistcenter:** mei-sept., tel. 0570 182 45, www.arvikacanoe.se. Kanocursussen, pakketaanbiedingen, onder meer eland- en beversafari's.

Op zoek naar kunstnijverheid – **Hantverksrundan:** met borden gemarkeerde route ten zuiden van Arvika naar kunstnijverheidsbedrijven, info: Arvika Turistbyrå.

Info

Toeristische informatie

Arvika Turistbyrå: Storgatan 22, 671 31 Arvika, tel. 0570 817 90, www.visitarvika.se/turism.

Vervoer

Trein: naar Oslo, Karlstad, Stockholm.

Tocht naar het uitzichtspunt Frykdalshöjden

Vanuit Arvika gaat het via weg 61 in oostelijke richting tot aan Finnebäck waar u via weg 238 richting Västra Ämtervik afbuigt. Vanuit de hoogte heeft u een prachtig uitzicht op de schijnbaar eindeloze dennen- en berkenbossen die fascineren door hun verschillende tinten groen. Wanneer zich daarboven nog een typisch Scandinavische hemel uitspant, felblauw en doorspekt met witte en grijze wolken, die het licht nog helderder en transparanter laten lijken, en op het uitzichtspunt Frykdalshöjden het meer Mellan Fryken in beeld komt, dan kunt u niet anders dan hopeloos verliefd worden op dit landschap.

Kristinehamn ▶ D 8

Het stadje beschikt over een bezienswaardig oud centrum, waar u leuke ambachtelijke winkeltjes en galeries vindt, zoals *Ölme diverse handel*, Norra Hamngatan (bij de jachthaven). Hier staat ook **Lusasken**, een icoon van de stad. In deze spaarpot werden oorspronkelijk vrijwillige giften verzameld voor arme zeelui. De naam verwijst naar het feit dat hij tijdens het Luciafeest (13 dec.) werd geleegd.

Het **Konstmuseum** (Dr Enwalls väg 13B, www.kristinehamnskonstmuseum. com, di.-do. 12-18, ma., vr.-zo. 12-16 uur, 40 SEK, tentoonstellingen 60 SEK) in de wijk Marieberg heeft een goede reputatie. Naast de eigen verzameling van lokale kunst zijn er regelmatig tentoonstellingen van internationale kunstenaars te zien.

Een echte **Picasso** staat 2 km ten zuiden van Kristinehamn aan de oever van Vänern, midden in het idyllische scherenlandschap: De 15 m hoge **sculptuur** werd in 1965 door de kunstenaar persoonlijk aan de stad geschonken, dankzij de Noorse kunstenaar Carl Nesjar.

Overnachten

Rustig – **Park Hotell:** Floragatan 2, tel. 0550 150 60, www.parkhotell-kristine hamn.nu, vanaf 795 SEK/2-pk. Rustig hotel met 19 kamers in een mooi park met oude bomen tussen het station en het stadscentrum.

Info

Toeristische informatie

Kristinehamns Turistbyrå: Södra Torget 3, 681 84 Kristinehamn, tel. 0550 881 87, www.kristinehamn.se.

Vervoer

Trein: naar Oslo, Stockholm, Hallsberg, Kil en Karlstad.

Naar het Nobelmuseet in Karlskoga ▶ E 8

Björksborns herrgård, www.nobelmu seetikarlskoga.se, juni-aug. di.-zo. 11-16 uur, rondleidingen 100 SEK
Ten noorden van de stad Karlskoga ligt Björksborns herrgård, waar Alfred Nobel (1833-1896), de industrieel, chemicus en stichter van de Nobelprijzen (zie blz. 56) heeft gewerkt. In 1893 nam hij de toenmalige Bofors-fabrieken over. In de directeursvilla leert u interessante feiten uit het leven van de beroemde man en kunt u onder meer een bezoek brengen aan het laboratorium met de originele inrichting van de chemicus. De geschiedenis van Bofors wordt getoond in een separate tentoonstelling. Slimme kinderen kunnen er allerlei experimenten uitproberen – misschien het begin van een carrière als Nobelprijswinnaar.

Vättern en Götakanal met Sörmland

Hoogtepunten ✳

Vadstena: De heilige Birgitta verricht nog steeds wonderen – de toeristische sector in de stad waar ze haar kloosterkerk liet bouwen, is in trek. Het indrukwekkende Vasaslot en de prachtige ligging aan het meer dragen ook bij aan de populariteit van de stad. Blz. 207

Bergs slussar: Een sluizencomplex in de overtreffende trap, dat bijna 200 jaar achter de kiezen heeft en nog steeds soepel functioneert – het beroemdste technische wonder in het Götakanal. Blz. 216

Op ontdekkingsreis

Met de fiets langs het Götakanal: Weinig heuvels, goede bewegwijzering, veel rustpunten langs de route – voor fietsers zijn de oude jaagpaden langs het kanaal perfect. Blz. 214

Risinge gamla kyrka – Wat een oude kerk verraadt: De bouwgeschiedenis van de middeleeuwse kerken spreekt vaak boekdelen, zo ook in Risinge. Blz. 220

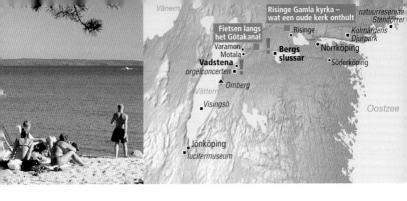

Bezienswaardigheden

Lucifermuseum in Jönköping: Het briljante idee van veiligheidslucifers komt uit Jönköping en wordt in het Tändsticksmuseet indrukwekkend gedocumenteerd. Blz. 201

Omberg: Prachtig uitzicht op het meer vanaf de panoramische weg en wandelroutes langs orchideeënvelden. Blz. 204

Kolmårdens Djurpark: Marmergroeve en brullende leeuwen – het wilde schiereiland ten noordoosten van Norrköping is een omweg meer dan waard. Blz. 219

Aktief en creatief

Zwemplezier langs Vättern: Varamobadet met een 4 km lang zandstrand lokt ten noorden van Motala. Blz. 213

Naturreservat Stendörren: Van eiland naar eiland zonder boot – hangbruggen maken het mogelijk de natuur tussen zee en land te verkennen. Blz. 222

Sfeervol genieten

Visingsö, eiland in Vättern: Tijdens een rustieke koetsrit ontdekt u het door het klimaat verwende eiland in Vättern. Blz. 204

Söderköping: Een stadje als uit een prentenboek en perfect om al wandelend te ontdekken. Blz. 217

Uitgaan

Orgelkoncerten in Vadstena: In de kloosterkerk Blå kyrka heerst een onvergelijkbare sfeer. Blz. 210

Cultuurland in het oosten – kerken, kloosters en kanalen

Het Vättern, na Vänern (zie blz. 180) het grootste meer van Zweden, is een diepe, met water gevulde depressie in het oergesteente, die ontstond door verschuivingen. Het 130 km lange, tot 31 km brede meer is maximaal 100 m diep en wordt gevoed door bronnen onder het wateroppervlak. Niet alleen daarom geldt het ondanks zijn opmerkelijk heldere water als mysterieus.

Het in 1832 ingehuldigde, ongeveer 90 km lange oostelijke deel van het **Götakanal** in Östergötland tussen Motala en Mem bij Söderköping overwint met in totaal 58 sluizen het hoogteverschil tussen het Vättern en de Oostzee – het volledige, bijna 390 km lange kanaal is een uniek monument van de ingenieurskunst. Tussen mei en eind september is het kanaal open en is het scheepvaartverkeer druk, niet langer de beroepsvaart maar de nog steeds toenemende pleziervaart met zeil- en motorjachten. Weliswaar hoeft nog maar een klein deel van de sluizen met de hand opengedraaid te worden, toch hebben de sluiswachters in het hoogseizoen er hun handen vol aan om files te voorkomen.

Langs het kanaal zijn Linköping en Norrköping twee zeer verschillende steden, de eerste een historische dom- en universiteitsstad, de tweede een industriestad, in de 19e eeuw het centrum van de textielindustrie in het land en het Zweedse equivalent van het Engelse Manchester. Vandaag de dag zijn het levendige steden met een spannende mix van cultuur, winkels en gastronomie.

Tussen Söderköping en Västervik strekt zich de 'Blauwe Kust' van Östergötland uit, waarvan de scherenkust uitstekende watersportfaciliteiten te bieden heeft. Zijwegen van de E22 leiden naar de scherenkusten van Sankt Anna en, via Valdemarsvik, die van Gryt en Loftahammar. In het zomerse hoogseizoen verbinden rondvaartboten de kleine havens langs de kust met elkaar. Ze brengen bezoekers ook naar verder afgelegen eilanden.

In **Sörmland** (Södermanland) bevindt u zich midden in het historische centrum van Svealand. De vele kastelen en landhuizen, vaak op exclusieve locaties aan het water, zoals langs de scherenkust, zijn hier de imposante getuigen van en dragen bij aan de charme van de provincie. In het noorden grenst Sörmland aan het meer Mälaren (zie Mälardal en Uppland, blz. 256)

INFO

Toeristische informatie

Smålands Turism: tel. 036 35 12 70, www.visit-smaland.com.
Östergötland: tel. 013 26 27 28, www.visitostergotland.se.
Sörmlandsturism: tel. 0155 22 27 70, www.sormland.se/turism.

Internet

www.vattern.se, www.gotakanal.se

Evenementen

Vätternrundan (midden juni): Wielerwedstrijd van 300 km rond het meer.

Vervoer

Jönköpings läns trafik: www.jlt.se
Östgötatrafik: www.ostgotatrafiken.se
Sörmland: www.lanstrafiken.se/sormland

Jönköping ▶ D 11

De hoofdstad (120.000 inwoners) van de gelijknamige provincie in het noordoosten van Småland ligt aan de zuidelijke punt van Vättern en is een belangrijk verkeersknooppunt, commercieel centrum voor de hele regio en een belangrijke industriestad. Moderne gebouwen domineren het centrum van de stad, die in het verleden herhaaldelijk geteisterd werd door vernietigende branden.

Tändsticksmuseet

Tändsticksgränd 27, www.jonkoping. se/kultur/matchmuseum, juni-aug. ma.-vr. 10-17, za./zo. 10-15, sept.-mei di.-zo. 11-15 uur, 40 SEK (mrt-okt.)

Het bekendste exportproduct van de stad waren de veiligheidslucifers, die na de Wereldtentoonstelling in Parijs in 1855 een triomftocht zonder gelijke maakten. Fabrikanten van de wereldprimeur waren de broers Johan Edvard en Carl Lundström, die hun geld in eerste instantie met de gevaarlijke fosforlucifers hadden verdiend. Het Tändsticksmuseet documenteert de geschiedenis van de luciferproductie. Het is gehuisvest in een houten huis waarin zich in 1848 de eerste luciferfabriek bevond. Deze werd in 1971 gesloten. Omdat er wel 38 Zweedse luciferfabrieken waren die elkaar tot faillissement beconcurreerden, kwam het in 1917 tot een fusie, waaruit het concern Svenska Tändsticksaktiebolaget ontstond. Onder leiding van Ivar Kreuger werd het wereldmonopolie in lucifers verworven.

Jönköpings läns museum

Dag Hammarskjölds plats, www.jkp glm.se, heropening na verbouwing gepland in het voorjaar van 2013

Het architectonisch ook interessante provinciale museum heeft de grootste collectie werken van de Zweedse kunstenaar John Bauer (1882-1918), die op de onvergelijkbare – door sommigen als kitscherig, door anderen als verontrustend beschouwd – manier verhalen over trollen, elfen, kabouters en dwergen vertellen, waardoor de kunstenaar tot op heden immens populair is in Zweden. Hij kwam met zijn vrouw en dochter op tragische wijze om tijdens een schipbreuk op Vättern.

Overnachten

Centraal – **Familjen Ericssons City Hotell:** Västra Storgatan 35, tel. 036 71 92 80, www.cityhotel.se, kleine budgetkamer vanaf 595 SEK/1-pk, 895-1700 SEK/2-pk, korting bij langer verblijf (vanaf 2 nachten) en weekeinden (vr.-zo.). Dit door een familie gerunde hotel met 80 kamers ligt tegenover het Tändsticksmuseet (en 200 m van het station).

Aktief en creatief

Waterparadijs – **Rosenlundsbadet:** www.rosenlundsbadet.se. Het is het grootste waterpark in Scandinavië, mooie ligging aan Vättern.

Voor waterratten – **Zwemplekken** en verwarmde **buitenbaden** langs Vättern, zie www.jonkoping.se/fritid.

Info

Toeristische informatie

Jönköpings Turistbyrå: Resecentrum Järnvägsstationen (in het station), 551 89 Jönköping, tel. 036 10 50 50, www. destinationjonkoping.se.

Vervoer

Trein: naar Falköping, Nässjö.
Bus: naar Gränna, Linköping, Norrköping, Vadstena, Motala en Örebro.

Tip

Waar de zuurstokken worden gerold

Kinderen zullen vooral hierom van Gränna houden: de *polkagrisar* genoemde zuurstokken. Ze worden hier sinds 1859 gemaakt. Destijds kreeg de weduwe Amalia Eriksson toestemming om met de productie van fijne bakwaren in het levensonderhoud van zichzelf en haar dochter te voorzien. In Grännas hoofdstraat rijgen de zuurstokwinkels zich tegenwoordig aaneen. Bij sommige suikerbakkers kunt u zien hoe de rood-witte zuurstokken met de hand worden gemaakt: het warme, met aroma's op smaak gebrachte zuurstokdeeg wordt gemengd en gedraaid, over een haak gegooid en uitgetrokken, zodat het vrij glad wordt. Vervolgens wordt de massa tot stangen uitgerold (**Franssons Polkagristillverkning**, Jönköpingsvägen 19, www.franssonspolkagrisar.se, dag. 9-17 uur).

Huskvarna ▶ E 11

Jönköpings buurstad werd wereldberoemd door de productie van wapens, motorfietsen en naaimachines. Nostalgische grasmaaiers, oude motoren en andere oldtimers uit de jaren 50 van de vorige eeuw zijn te zien in **Husqvarna Fabriksmuseum** (www.husqvarnamuseum.se, mei-sept. ma.-vr. 10-17, za./zo. 12-16, okt.-apr. ma.-vr. 10-15, za./zo. 12-16 uur, 50 SEK).

Een uitstapje naar het museumdorp **Åsens by** met boerderijen uit de 19e eeuw is de moeite waard (14 km ten noordoosten van de stad bij Haurida).

Overnachten

Idyllische herberg – **Rosendals herrgård:** Odengatan 10, Huskvarna, tel. 036 14 88 70, www.hhv.se. STF-Vandrarhem met centrale ligging, historisch huis uit 1774 met sfeervol ingerichte kamers, deels met bad/wc (2-pk vanaf 695 SEK, zonder bad vanaf 450 SEK).

In het museumdorp – **Åsens by:** bij Haurida, 14 km ten noordoosten van Huskvarna, tel. 036 830 55, www.asensby.com. STF-Vandrarhem in het cultuurreservat met landbouwhuisdieren en wandelpaden. Meerbedskamers, vanaf 225 SEK/pers. (geen ontbijt).

Gränna en omgeving

▶ E 11

Gränna is vooral bekend om zijn rood-witte zuurstokken, die als overgedimensioneerde reclamedragers het stadje domineren. Kijk ook eens verder dan de Brahegatan, waarover in de zomer een eindeloze rij auto's voorbij schuift op zoek naar een parkeerplaats: Daar Gränna nooit is getroffen door verwoestende stadsbranden, is het een van de best bewaarde Zweedse steden met een houten bebouwing. In **Hallska Gården** werken ambachtslieden en op de rustige binnenplaats lokt een mooi café (Brahegatan 35/Hahns Gränd, alleen in de zomer).

Grennamuseum en Polarcenter

Brahegatan 38-40, www.grennamu seum.se, midden mei-aug. dag. 10-18, verder 10-16 uur, 50 SEK

In het pand van het turistbyrå (Grenna Kulturgård) is het de moeite waard een bezoek te brengen aan het Polarcenter. Het herdenkt de in 1854 in Gränna geboren Salomon August Andrée, die in 1897 met twee metgezellen probeerde in een ballon de Noordpool te bereiken om de regio in kaart te brengen. Drie dagen na de start vanaf Spitsbergen moesten ze een noodlanding maken, zwierven drie maanden door de ijswoestenij en kamen alle drie om het leven. Te zien zijn de in 1930 gevonden restanten van de expeditie: foto's, dagboeken en apparatuur. Ter ere van Andrée wordt jaarlijks in juli een ballonvliegwedstrijd gehouden. Het Grennamuseum huisvest ook een verzameling over de lokale geschiedenis van het voormalige graafschap Gränna-Visingsö.

Overnachten

Niet alleen voor romantici – **Gyllene Uttern:** aan de E4, 3 km ten zuiden van Gränna, www.gylleneutternhotel group.com, 2-pk 1200-1700 SEK, golf-, weekend- en andere pakketaanbiedingen; ook verhur van hutten. Het hotel, in de stijl van een Scandinavische 'koningshoeve' – d.w.z. zoals men zich die in de jaren 30 van de vorige eeuw voorstelde – is zeer in trek bij bruidsparen; die kunnen zich zelfs in de eigen kapel van het hotel laten trouwen. Ook voor anderen biedt het hotel uitstekende service en comfortabele kamers. In de zomer kunt u op het terras genieten met koffie en cake van een prachtig uitzicht over het Vättern.

Aan de 'lagune' – **Grännastrandens Camping:** tel. 0390 107 06, www.gran nacamping.se, mei-sept., standplaats 180-340 SEK, hutten vanaf 500 SEK/ dag, met douche/wc vanaf 1000 SEK/ dag. Naast de aanlegsteiger van de pont naar Visingsö, bij het zwembad Gränna Badlagun.

Aktief en creatief

Langs de oevers van Vättern – **Openluchtbad Gränna Badlagun:** bij de aanlegsteiger van de pont. Het door een pier afgescheiden vlakke bassin is een echt waterpark. Middenin liggen kleine, zandige eilanden, die via plankieren kunnen worden bereikt, met glijbanen en klimrekken.

Info en evenementen

Toeristische informatie

Gränna Turistbyrå: Box 104, Brahegatan 38, Grenna Kulturgård, 563 32 Gränna, tel. 036 10 38 60, www.grm.se/ turistinfo. Ook informatie over het eiland Visingsö.

Evenementen

Andrée-dagen: rond 11 juli, de dag waarop Andrée op Spitsbergen aan zijn tocht begon, in Gränna; met ballontochten.

Vervoer

Bus: naar Stockholm, Jönköping, Linköping, via Vadstena en Motala naar Örebro.
Pont: naar Visingsö, 's zomers ieder uur, vaartijd 20 min., reservering verplicht voor auto's, tel. 0390 410 25.

Wandeling naar de ruïne van Brahehus

Vanaf de parkeerplaats ongeveer 4 km ten noorden van Gränna bij Uppgränna voert een klim door het hellingbos aan de oever van Vättern naar de kasteelruïne Brahehus. De ruïne wordt sinds 2011 gerestaureerd. De bij eerdere restauraties gebruikte cementmortel dreigde het metselwerk te vernietigen; nu wordt deze vervangen door traditionele kalkmortel. In 1708 ging het in 1636 door Per Brahe gebouwde kasteel bij een brand verloren. Aan de andere kant van de ruïne loopt de snelweg E4. Het uitzicht over Gränna en Visingsö is de moeite van de klim zeker waard.

Visingsö ▶ E 10/11

Men zou kunnen denken dat het in 20 minuten met de veerboot te bereiken Visingsö, met 25 km² het grootste eiland in Vättern, een soort buitenwijk van Gränna was. In feite is het precies andersom: De graven van het geslacht Brahe – die de titel en het leen in 1561 van Erik XIV ontvingen – bouwden op Visingsö met stenen van het verwoeste klooster van Alvastra een kasteel en stichtten in 1652 op het vasteland als hoofdstad van het graafschap Visingsborg de stad Gränna. Bij de kasteelruïne is nu weer een kruidentuin aangelegd, naar voorbeelden uit de 17e-eeuwse barok.

Mooie route langs de oever van het meer

Voor de verdere reis van Gränna naar het noorden, waar u al snel de grens met de provincie Östergötland passeert, zou u niet de E4, maar na Ödeshög de kleine weg direct langs Vättern moeten nemen (volg de borden 'Turistvägen'). U rijdt dan met het Vättern links in zicht door het vlakke weidelandschap, waardoor u steeds weer kunt genieten van het prachtige uitzicht.

Het eiland heeft een zeer mild klimaat, zodat hier bijvoorbeeld moerbeibomen kunnen groeien, waarop men in het midden van de 19e eeuw zijderupsen kweekte. Een van de grootste eikenbossen van het land werd in 1831 in het midden van het eiland aangeplant, omdat werd berekend dat er niet voldoende eikenhout zou zijn voor de vakwerkhuizen van toekomstige generaties. Het populairste vervoermiddel op Visingsö is de *remmalag*, een paardenwagen waarop ongeveer 25 mensen rug aan rug kunnen zitten om zich ontspannen over het eiland te laten rondrijden.

Omberg en omgeving

▶ E 10

Voetpaden en smalle, kronkelende wegen, vanwaar u steeds weer een spectaculair uitzicht over Vättern heeft, ontsluiten het natuurgebied tussen Alvastra en Borghamn. De kalkhoudende ondergrond laat in het voorjaar sleutelbloemen, anemonen en zelfs orchideeën ontkiemen. Vanaf de parkeerplaats bij de jeugdherberg Stocklycke leidt een panoramaweg naar het noorden, die alleen in deze richting kan worden gereden, tot aan de steengroeve van Borghamn. Deze leverde het bouwmateriaal voor het klooster van Alvastra, het klooster en het kasteel in Vadstena, het Götakanal en de vesting Karlsborg aan de andere kant van het Vättern.

Klooster van Alvastra

Franse cisterciënzers stichtten in 1143 op de zuidelijke uitlopers van de Omberg het klooster Alvastra, dat 400 jaar lang een van de machtigste in Zweden was. Tijdens de Reformatie kwam het klooster aan de Kroon en vanaf eind 16e

De hellingen van de Omberg worden gekenmerkt door een zeer rijke vegetatie

Geen gewoon slot: In Vadstena slott worden sinds 1654 opera's opgevoerd

eeuw diende het als steengroeve voor de bouw van het slot in Vadstena. Ieder jaar is de schilderachtige ruïne eind juli al meer dan 25 jaar het openluchtpodium voor het Alvastra Krönikespel, waarin historische gebeurtenissen uit de middeleeuwen worden nagespeeld.

Vogels kijken bij Tåkern

Ten oosten van Omberg spreidt het ondiepe meer Tåkern zich uit, een belangrijk vogelreservaat. De uitgestrekte rietvelden bieden ongeveer 270 vogelsoorten een ideale habitat. Vanuit enkele rondom het meer gelegen bezoekersgebieden kunt u naar de vogels kijken en proberen met behulp van een verrekijker het leven te volgen onder meer zwarte stern, roerdomp en rietzanger.

Vanaf de uitkijktoren in **Glänås** aan de zuidkant worden ornithologische rondleidingen georganiseerd (april-midden okt.). Sinds mei 2012 staat er een modern bezoekerscentrum (Naturum) met informatie over flora en fauna.

Overnachten

In de natuur – **STF Vandrarhem Omberg:** Stocklycke, tel. 0144 330 44, www.stfstocklyckevandrarhem.se. Apr.-okt., vanaf 420 SEK/2-pk zonder ontbijt en beddengoed. Een uitstekend uitgangspunt voor wandelingen in het natuurreservaat, ideaal voor groepen, 52 bedden in 15 kamers in het hoofdgebouw en in een kleiner, houten bijgebouw.

Bij de haven – **STF Vandrarhem Borghamn:** Borghamnsvägen 1, tel. 0143 203 68, www.borghamn.com, vanaf 450 SEK/2-pk zonder ontbijt en beddengoed. Fraaie ligging aan de kleine haven van Borghamn zo'n 15 km ten zuiden van Vadstena; 125 bedden verdeeld over zeven gebouwen. Café op de binnenplaats en restaurant (alleen 's zomers).

Vadstena ✳ ▶ E 10

In de welvarende, fraaie stad (7500 inwoners) heerst een heel bijzondere sfeer, een ware oase van rust en sereniteit. Pelgrims en nonnen bevolken de kerken en straten. Daarbij komt nog de prachtige ligging aan Vättern.

Haar belang – en in 1989 een pauselijke bezoek – dankt Vadstena aan de volharding van de heilige Birgitta, een van de opmerkelijkste vrouwen uit de Zweedse geschiedenis. Birgitta leefde als hofdame van koning Magnus Eriksson, van wie ze een verre verwante was, en had acht kinderen. Toen ze in 1344 op een leeftijd van 42 jaar weduwe werd, trok ze zich vijf jaar terug in het klooster van Alvastra, waar ze in visioenen de opdracht kreeg een klooster in Vadstena te bouwen. Voor haar revolutionaire idee hier een klooster te stichten voor monniken én nonnen, had ze echter de toestemming van de paus nodig, reden waarom ze in 1349 op weg ging naar Rome. Pas is 1370 kreeg ze van paus Urbanus V, die korte tijd was teruggekeerd uit Avignon, toestemming. Ze beleefde de inwijding van haar klooster niet, omdat ze in 1373 in Rome stierf. Daar ze echter duidelijke instructies had nagelaten, tot aan de afmetingen van de kerk aan toe, kwam het elf jaar na haar dood ingewijde klooster precies overeen met haar ideeën. De eerste abdis was haar dochter Catherine. Birgitta werd 1391 heilig verklaard. Ze wordt beschouwd als de eerste Zweedstalige schrijfster, omdat ze haar openbaringen die ze eerst in het Latijn schreef, later zelf vertaalde.

Ook het klooster van Vadstena kwam tijdens de Reformatie door koning Gustav Vasa aan de Kroon, de nonnen mochten slechts tot 1595 blijven. Het klooster werd eerst een koninklijk paleis, later een ziekenhuis, daarna een gekkenhuis, totdat het hele complex halverwege de 20e eeuw werd gerestaureerd. Tegenwoordig is er het gerenommeerde Klosterhotel gevestigd. Inmiddels zijn de birgittinessen teruggekeerd naar Vadstena; de nonnen leven in een nieuw gebouwd klooster.

Blå kyrkan

Mei, juni, aug. 9-19, juli 9-20, verder 11-15.30 uur

De 'blauwe kerk', de kloosterkerk, waarvan het uiterlijk en de afmetingen door Birgitta werden bepaald, werd pas in 1430 ingewijd. Hier zijn de relikwieën van Birgitta te vinden, naast een grote verzameling middeleeuwse beeldhouwwerken. Daar monnikken en nonnen geen oogcontact mochten hebben, zaten de nonnen boven het hoogaltaar in een galerij, die nu niet meer bestaat. De kerk werd 'blauw' genoemd ter onderscheid van de rode Sankt Perskyrka, waarvan de toren als klokkentoren dient.

Klostermuseum

www.sanctabirgitta.com, juni, midden-eind aug. dag. 11-16, juli-midden aug. 10.30-17, mei, sept. za./zo. 11-16 uur, 60 SEK

In 1346 schonk koning Magnus Eriksson zijn hofdame Birgitta het voormalige paleis van het geslacht Bjälbo. Het is naar verluidt het oudste profane gebouw van Zweden, gebouwd rond 1250 door Birger Jarl (ook Glimmingehus in Skåne maakt aanspraak op deze vermelding). Hier leefden in de niddeleeuwen de nonnen van de birgittijner orde.

Vadstena slott

www.vadstenadirect.se, midden-eind mei, begin-midden sept. ma.-vr. 12-16, juni, midden-eind aug. dag. 11-16, juli 11-18, midden-eind sept. ▷ blz. 210

Favoriet

Vitsand strand – Zwemmen en de geur van dennen opsnuiven
▶ E 9

Vitsand in het nationalpark Tiveden is een zeer afgelegen plek om te zwemmen. De rit ernaartoe leidt al door de oerbossen van het nationale park. Op dit strand verwacht niemand infrastructuur, maar wel veel natuur. Het zand van de wijde baai wordt afgewisseld met kiezelsteentjes en dennenappels en het zachte, venige water van het meer Stora Trehörningen wordt snel opgewarmd door de zon. U kunt zo'n 100 meter ver het meer in waden zonder dat het water u tot boven de knieën komt. Wandelpaden leiden van de zwemplekken naar verschillende natuurlijke bezienswaardigheden, zoals de Stenkälla ('steenbron', 1,6 km). De bron ontspringt onder huizenhoge zwerfkeien. Zouden reuzen hier de hand in hebben gehad?

za./zo. en jan.-midden mei za. rondleiding 14 uur, 60 SEK (rondleiding
90 SEK)
De bezichtiging van het door koning
Gustav Vasa in 1545 gebouwde kasteel
geeft een goede indruk van de uitdagende trots van een typisch Vasaslot.
Sinds 1654 worden hier regelmatig opera's opgevoerd. De in 1864 opgerichte
Vadstena akademien zet deze traditie
voort en maakt het jonge musici mogelijk elke zomer (juli en augustus) voor
een geïnteresseerd publiek op te treden.

Overnachten

Vadstena is een toeristische magneet. In
in het hoogseizoen is er ruim voldoende
onderdak; informatie bij het turistbyrå.
Op stand in het klooster – **Klosterhotel:** tel. 0143 315 30, www.klosterhotel.
se. In de historische kloostergebouwen
zijn kamers en suites ingericht met uitstekend, modern comfort. Aanbiedingen vanaf 1200 SEK/2-pk.
Centraal – **STF Vandrarhem Vadstena:**
Skänningegatan 20, tel. 0143 765 60,
www.sevadstena.com. Voormalig ver-
pleeghuis met conferentiefaciliteiten.
De onlangs gerenoveerde kamers met
eigen douche/wc hebben hotelstandaard (600 SEK/2-pk zonder ontbijt en
beddengoed). Ook goedkopere kamers
(stapelbedden, vanaf 220 SEK/bed).
Met mooi badstrand – **Vadstena Camping:** tel. 0143 127 30, www.vadstena
camping.se, mei-midden sept., kamers
en standplaatsen 200-250 SEK, hutten
vanaf 350 SEK/dag. 3 km ten noorden
van Vadstena aan de oever van het meer
bij het badstrand Vätterviksbadet.

Eten en drinken

Goede kloosterkeuken – **Restaurant
Munkklostret:** in het Klosterhotel (zie

boven), tel. 0143 130 00, www.klosterho
tel.se, ma.-za. 12-14, 18-21 uur. Specialiteit is Vättern-*röding* (forel), driegangenmenu ca. 450 SEK.
Eerlijke gerechten – **Vadstena Valven:**
Storgatan 18, tel. 0143 123 40, www.val
ven.se, ma.-vr. 11.30-14, 18-22, za. 12-15,
18-22, zo. 12-15 uur. Rustieke sfeer in de
gewelfde zaal van het restaurant, waar
typisch Zweedse gerechten worden geserveerd; dagschotels ca. 80 SEK.

Uitgaan

Indrukwekkend – **Orgelconcerten**
('s zomers) in de Blå kyrkan zijn een belevenis, vooral als de zon achter het koor
in het westen ondergaat.
Een bijzondere sfeer – **Operauitvoe-
ringen in Vadstena slott:** Informatie bij Vadstena Akademien, tel. 0143
122 29, www.vadstena-akademien.org,
kaartjes bij Vadstena Kulturcentrum,
tel. 0143 150 37.

Info

Toeristische informatie

Vadstena Turistbyrå: Rödtornet, 592 80
Vadstena, tel. 0143 315 70 of 0143 315 71,
www.vadstena.se.

Vervoer

Bus: naar Jönköping, Motala, Linköping, Örebro.

Askersund en omgeving ▶ E 9

De rustige stad Askersund (11.500 inwoners), aan het noordelijke uiteinde van
Vättern biedt zichzelf aan als een startpunt voor excursies naar de uit ongeveer 50 eilanden bestaande scherenkust
langs de oevers van het Vättern.

Zo'n 5 km ten zuiden van Askersund ligt **Stjärnsund slott** (www.vitterhetsa kad.se/kulturfastigheter/stjernsunds_ slott, rondleidingen midden mei-aug.), een classicistisch paleis uit de vroege 19e eeuw in een heerlijk park.

Info en evenementen

Toeristische informatie

Askersunds Turistbyrå: Torget, 696 30 Askersund, tel. 0583 810 88, fax 0583 100 68, www.askersund.se.

Evenementen

Tradjazzfestival (midden juni, het weekeinde voor midzomer): Jazzfestival met dixielandgroepen.
Antiekmarkt: begin aug. met veilingen in Askersund.

Vervoer

Bus: naar Örebro en via Medevi, Motala, Vadstena naar Jönköping.

Overnachten en eten

Kasteelidylle aan het meer – **Aspa Herrgård:** Aspa bruk, tel. 0583 502 10, www.aspaherrgard.se, ca. 2280 SEK/ pers. in 2-pk. Het landgoedhotel-restaurant (hoofdgerechten ca. 150-300 SEK) ligt 13 km ten zuiden van Askersund aan de westelijke oever van het Vättern met een tuin in Engelse stijl. Een klein museum is gewijd aan de 18e-eeuwse troubadour Carl Mikael Bellman.
Aan het meer – **Husabergsudde Camping:** tel. 0583 71 14 35, www.husa bergsudde.se, mei-begin sept., standplaats 150-170 SEK. 1,5 km ten zuiden

In de 19e eeuw naar een ontwerp van Carl Frederik Sundvall gebouwd: Stjärnsund slott

van Askersund, hutten met uitzicht op meer en slot.

Actief en creatief

Uitstapjes – **Boottochten:** Op het meer Alsen met de meer dan 100 jaar oude stoomboot 'Motala Express'; naar de brug over Stora Hammarsundet met de 'M/S Wettervik', tel. 0583 810 88.

Nationalpark Tiveden

▶ E 9

www.tiveden.se
Vanuit Askersund is een tocht van ongeveer 20 km langs de westelijke oever van het Vättern de moeite waard. Hier ligt in Tiveden een echte wildernis: Nadat het bos eeuwenlang gebruikt werd voor de productie van houtskool, ontwikkelt zich nu in het 1983 onder natuurbescherming gestelde gebied zonder menselijke tussenkomst weer een 'oerbos'. Bosvogels als ruigpootuil en drieteenspecht hebben zich er gevestigd. Hier kunt u heel duidelijk zien welke krachten aan het einde van de ijstijd de oppervlakte van dit land hebben gevormd.

Een andere bezienswaardigheid in de omgeving van Tiveden is, naast het strand Vitsand (zie Favoriet, blz. 208) het meer Fagertärn, waar de zeldzame rode waterlelie groeit, die als eerste plant in Zweden in 1905 onder bescherming werd gesteld en van midden juli tot in augustus bloeit.

Götakanal

Motala ▶ E 10

In de voormalige industriestad (42.000 inwoners) tussen Vättern en Boren begint het door Östergötland leidende deel van het Götakanaal, dat Motala en Mem bij Söderköping met elkaar verbindt en in 1832 werd geopend. Hoofdingenieur was Baltzar von Platen. Hij ontwierp ook de waaiervormige plattegrond voor de direct aan de Vätternbaai gelegen wijk. Zijn graf met een imposante grafsteen ligt aan de oostzijde van het museum direct aan het kanaal.

In de machinefabriek **Motala verkstad** (juni-aug. zo. 13-16 uur) uit 1822 zijn stoommachines en andere oude machines te zien. Een tentoonstelling aan de haven (Dockanområdet), **Götakanalutställning** (Varvsgatan, midzomer-aug. dag. 9-18 uur) is gewijd aan de levensader Götakanaal en zijn geschiedenis. Eveneens aan de haven laat het **Motormuseum** (www.motormuseum.se, dag. 10-20 uur, 70 SEK) bezoekers in nostalgie zwelgen met een jukebox en een compleet benzinestation uit de jaren 50 van de vorige eeuw – ook de bromfiets van de Zweedse koning, waarmee hij de grasvelden rondom het kasteel onveilig maakte, staat hier.

Uitstapje naar Medevi brunn

▶ E 9/10

Vijftien kilometer ten noorden van Motala werd in 1678 na de ontdekking van het licht radioactieve bronwater Medevi brunn, het oudste kuuroord van Zweden, gesticht. Tegenwoordig is de collectie oude huizen in het park een kleine idylle met onder andere een apotheekmuseum, 's avonds dans en theater op het door een band gespeelde 'Grötlunken' (juni-aug. hotel, vandrarhem vanaf 380 SEK/2-pk en restaurant, tel. 0141 911 00, hotell@medevibrunn.se).

Overnachten en eten

Langs het kanaal rijgen de cafés, restaurants en voordelig onderdak, zoals B & B's en vandrarhem zich aaneen, maar voor vele daarvan begint al midden augustus de winterslaap, ook al is het kanaal nog tot in september open.

Nostalgie – **Göta Hotell:** Borensberg, tel./fax 0141 400 60, www.gotahotell.se, mei-sept., dec., 1300 SEK/2-pk met douche/wc, 800 SEK/2-pk douche/wc op de gang. Prachtig ouderwets hotel uit 1908 met twaalf ruime kamers, niet allemaal met eigen douche/wc, maar wel met veel sfeer.

Industrieel erfgoed – **STF Vandrarhem Motala verkstad:** Varvsgatan 17, Motala, tel. 0141 21 09 23, mallboden@ hotmail.com, vanaf 175 SEK/pers., vanaf 350 SEK/2-pk. Het hostel in de voorbeeldige gerestaureerde fabrieksgebouwen heeft ook zeven appartementen voor de verhuur, in totaal 32 bedden, direct aan het kanaal.

Aktief en creatief

Fietsen – **Info over fietstochten** en pakketaanbiedingen over het turistbyrå. Fietsverhuur aan de haven.

Baden – **Varamobadet,** ca. 4 km ten noorden van Motala, 4 km lang strand, diverse watersportmogelijkheden.

Info

Toeristische informatie

Motala Turistbyrå: Ham- ▷ blz. 216

Over het Götakanal van Göteborg naar Stockholm

Door het Götakanal en het Trollhätte kanaal is een doorgaande scheepsroute van Göteborg naar Stockholm mogelijk. De reis door de kanalen en de meren Vänern, Viken, Vättern, Roxen en Boren kan worden afgelegd met een lijnboot of met uw eigen boot en duurt vier tot zes dagen. De stijlvolste variant is een tocht met een van de traditionele stoomschepen 'Juno', 'Wilhelm Tham' of 'Diana'.

Informatie: Rederi AB Götakanal, tel. 031 80 63 150, www.stromma.se/Gota_ Kanal. De reis is ook te boeken via verschillende touroperators in Nederland en België.

Sluizentocht per fiets – langs het Götakanal

Zelfs iemand die niet bijzonder sportief is, kan de afstand Borensberg-Berg al fietsend overbruggen. Over oude jaagpaden gaat het door een vlak, agrarisch landschap langs historische bruggen en aquaducten.

Kaart: ▶ E/F 10

Route: van Borensberg naar Berg en weer terug (met omwegen ca. 50 km).

Fietsverhuur: mei-sept., bijvoorbeeld bij STF Vandrarhem Glasbruket in Borensberg, waar u ook voordelig kunt overnachten (vanaf 410 SEK/2-pk), www.glasbruket.eu. Boeken van fietspakketten, incl. fietshuur, onderdak/volpension: tel. 085 592 65 94, www.cy kelaventyr.se.

Meer informatie: Fabriekswinkel Brunneby Musteri, www.brunneby musteri.se. Ljungs slott, www.ljungs slott.com, tel. 070 287 82 22; www. gotakanal.se.

Bij het beginpunt van de tocht neemt u in Borensberg de vooraf bestelde fiets in ontvangst en kan de rit langs het kanaal beginnen. Misschien ontmoet u onderweg een van de historische kanaalboten, die zoals 100 jaar geleden met het rustige tempo van vijf knopen tussen Göteborg en Stockholm op en neer varen – de tocht duurt zes dagen. De schepen werden speciaal gebouwd voor de smalle vaargeul van het Götakanaal. Maar dagtochten zijn ook mogelijk over delen van het kanaal. Zo tuft de 'M/S Wasa Lejon' 's ochtends van Berg naar Borensberg en keert hij na een korte pauze in de namiddag weer terug, u krijgt zo weer een heel andere kijk op het Götakanaal.

Een molen vol herinneringen

Aan de rand van Borensberg passeert u na 2 km de voormalige graanmolen van Ljungs slott, de gevel toont het bouwjaar 1775. Tegenwoordig is in dit historische gebouw een Hembygdsmuseum (alleen in juli, dag. 10-16 uur) ondergebracht. Het toont oude landbouwwerktuigen en lokale geschiedenis. Kort daarop bereikt u het eerste aquaduct op deze route.

Koninklijke marmelade

Wie nu al dorst heeft, kan een korte omweg naar het zuiden maken om bij de hofleverancier van de Zweedse koning inkopen te doen: Brunneby Musteri (ma.-vr. 9-18, za. 10-16, zo. 11-16 uur, restaurant ma. gesl.) produceert vruchtensappen en marmelades, die u in de fabriekswinkel kunt aanschaffen – misschien een geschikte aanvulling voor de picknick onderweg.

De kerk van Brunneby met de originele tien spitsen op de dakruiter werd in het midden van de 13e eeuw gebouwd, toen het landgoed in bezit was van een familielid van de later heilig verklaarde Birgitta.

Ontvlammende harten en kachels

Tegenover de brug van Ljung is een afzwaaier naar Ljungs slott de moeite waard, ook al is het meestal slechts van buitenaf te bekijken (het wordt particulier bewoond). Een van de vroegere eigenaren van het slot, Axel von Fersen, zou een affaire met de Franse koningin Marie-Antoinette hebben gehad. Of het gerucht enige waarheid bevat, zult u hier niet kunnen ontdekken. De gustaviaanse kachels daarentegen, waarin het vuur zeker brandde, en deuren uit de late 18e eeuw kunnen tijdens rondleidingen (in juli zo. 13 en 15 uur) en in het kader van evenementen worden bekeken. De kerk van Ljung met een mooie bomenlaan is een ander juweeltje uit die tijd.

Afstanden overbruggen

Een van de hoogtepunten van de tocht is ongetwijfeld het aquaduct, waarmee het kanaal in Ljungsbro de weg kruist. Aansluitend passeert u de sluizen van Heda en Brunnby. Het absolute hoogtepunt vormt de beroemde Carl-Johansluis, een van de drie sluiscomplexen van Bergs slussar, die met zijn zeven opeenvolgende sluistrappen 18,9 m hoogteverschil overwint (zie blz. 216).

Zin in wat lekkers?

Veel fietsers zullen een omweg van het Götakanaal naar de fabriekswinkel van Cloetta Choklad (ma.-vr. 9-18, za. 10-14 uur, met café) in Ljungsbro niet kunnen weerstaan – ter aanvulling van de koolhydraatreserves. Het in 1873 opgerichte bedrijf is de oudste chocoladefabriek in het land en maakt nu deel uit van het Fazerconcern. Kex (chocoladewafels) behoren in vrijwel alle Zweedse kiosken tot het standaardassortiment, in de winkel in Ljungsbro worden de zoete waren echter bijzonder voordelig aan de man gebracht.

nen (aan de haven), 591 86 Motala, tel. 0141 22 52 54, www.motala.se/turism.

Vervoer
Trein: naar Mjölby, Linköping en via Hallsberg naar Örebro en verder naar Stockholm.
Bus: naar Vadstena, Jönköping, Linköping, Örebro.

Bergs slussar ✳ ▶ F 10

Ten noordwesten van Linköping overbruggen in Berg verschillende sluizen het hoogteverschil tussen het Götakanal en het meer Roxen. De in 1815-1818 gebouwde sluizentrap van de Carl Johans sluss is met 18,9 m recordhouder in het kanaal. Met nog twee dubbele sluizen direct ernaast overwinnen de boten een hoogteverschil van bijna 29 meter.

Linköping ▶ F 10

Met 140.000 inwoners is Linköping de op vier na grootste stad van Zweden, bovendien een universiteitsstad. In de domstad zijn sinds de 13e eeuw een aantal koningen gekroond.

Rond het Stora Torget in het centrum liggen de gotische kathedraal uit de 15e eeuw, het stadhuis, de voormalige residentie van de bisschop en statige herenhuizen. Parel van de stad is de door Carl Milles geschapen fontein met de ruiter Folke Filbyter, een figuur uit de Noordse mythologie.

Gamla Linköping

Terrein altijd toegankelijk, huizen, musea, winkels en werkplaatsen ma.-vr. 10-17.30, za./zo., feestd. 12-16 uur; wo. en in het weekeinde zijn niet alle werkplaatsen open

Het openluchtmuseum ten zuidwesten van de stad met houten huizen uit de 18e en 19e eeuw is de grootste bezienswaardigheid van Linköping. De 90 huizen stammen uit de periode van wederopbouw na de grote brand van 1700 en werden in de jaren 50 van de vorige eeuw verplaatst naar het museum.

Een van de populairste attracties van het openluchtmuseum is **Fenomenmagasinet** (www.fenomenmagasinet.se, dag. 10-16 uur, 40 SEK), waar in het historische magazijn van een voormalige suikerfabriek ongeveer 200 natuurwetenschappelijke fenomenen zintuiglijk waarneembaar verklaard worden. Maar er zijn ook opgezette dieren en andere delen van een natuurhistorische collectie te zien.

Naar Vreta kloster ▶ E/F 10

In Östergötland waren er al in de 12e eeuw veel koningshoeven. Koning Inge en zijn vrouw Helena stichtten in 1120 het eerste klooster van Zweden, Vreta kloster (10 km noordwestelijk). Naast de kerk uit de 12e eeuw liggen de romantische ruïnes van het klooster. Cisterciënzers namen de oorspronkelijk voor de koning bedoelde kerk over. In de prachtige kloosterkerk werden verschillende middeleeuwse Zweedse koningen begraven.

Overnachten

Luxueuze herberg – **STF Vandrarhem Linköping:** Klostergatan 52A, tel. 013 35 90 90, www.lvh.se, 2-pk vanaf 590 SEK zonder ontbijt en beddengoed. Midden in het centrum; hotelstandaard: alle kamers hebben douche/wc; 2-persoonsappartement vanaf 800 SEK.

Met grote speeltuin – **Glyttinge Camping:** Berggårdsvägen, Linköping, tel. 013 17 49 28, www.camping.se/E28, www.nordiccamping.se, standplaats vanaf 165 SEK. 4 km buiten de stad, kindvriendelijk, ook trekkershutten.

Eten en drinken

Aan de rivier – **Stångs Magasin:** Södra Stånggatan 1, tel. 013 31 21 00, www.stangsmagasin.se, ma.-vr. 11.30-14, 18-24, za. 16-24 uur. Gourmetrestaurant in een oud graanmagazijn, bijzonder populair is 's zomers het terras aan de rivier. Klassieke gerechten met een mediterraan tintje, zoals bouillabaisse en biefstuk met ratatouille en gebakken aardappelen, voordelige lunch 115 SEK (ma.-vr.), hoofdgerechten 's avonds ca. 250-350 SEK.

Info

Toeristische informatie

Linköpings Turistbyrå: Storgatan 15, S:t Larsparken, 582 23 Linköping, tel. 013 190 00 70, www.visitlinkoping.se, www.ostergotland.info.

Vervoer

Trein: naar Stockholm, Malmö, Helsingborg, Norrköping, Västervik, Kalmar.
Bus: onder meer naar Jönköping, Norrköping, Vadstena, Motala.

Söderköping ▶ F 10

Het stadje, dat tot een van de mooiste langs de kust wordt gerekend, werd in het begin van de 13e eeuw gesticht door Lübeckse kooplieden. Nadat Deense aanvallers het in 1567 platgebrand hadden, besloot koning Johan III het weliswaar te laten herbouwen, maar verlegde tegelijkertijd het bestuur van Östergötland naar Norrköping. De bewoners vonden alternatieven in de visserij en hadden vanaf het midden van de 17e eeuw tientallen jaren het monopolie daarop. Begin 19e eeuw vond men een

Een houten idylle gered: Gamla Linköping met winkels en cafés in de stijl van rond 1900

Tip

IJsparadijs

In het **Glassrestaurang Smultronstallet** staat u een ijzige verrassing te wachten: Uit zo'n 60 ijssoorten kunt u kiezen, de grootste sortering in Zweden. Originele nieuwe creaties met bijzondere namen als 'Bora Bora' of 'Tick Tack' leveren buitengewone smaakbelevenissen op. Het koude lekkers kunt u op een fraaie plek met zicht op de sluizen en het scheepvaartverkeer tot u nemen (Kanalgatan, Söderköping, www.smultronstallet.se, mei-aug. dag. 10-19 resp. 21 uur).

Zomers verblijf – STF Vandrarhem Sankt Anna: Gamla Färjeläget, tel. 0121 513 12, www.stannagarden.se, juni-aug., vanaf 400 SEK/2-pk zonder ontbijt en beddengoed. Fraaie jeugdherberg (32 bedden) aan het water met een steiger voor de deur, openbaar vervoer naar Söderköping, fiets- en bootverhuur.

Bij het natuurreservaat – Eköns Camping: Gryt, tel. 0123 402 83, www.ekonscamping.se, mei-sept., standplaats vanaf 180 SEK, hutten afhankelijk van comfort vanaf 400 resp. 500 SEK/dag. Op een schiereiland langs de scherenkust 5 km ten zuiden van Gryt, schitterende wandelmogelijkheden, zwemplekken op de rotsen.

minerale bron en werd er een kuuroord gebouwd. Met de opening in 1832 van het Götakanal hoopte men te kunnen profiteren van het economisch herstel. De hoop vervloog: Al in 1870 werd de eerste spoorlijn door Östergötland geopend en was het kanaal niet meer nodig. Nu is het kanaal met het sluizensysteem opnieuw de belangrijkste bron van inkomsten. Het idyllische stadje met zijn kleurrijke houten huizen – in het bijzonder in het gebied rond **Drothems kyrka**, waarvan de oorsprong in de middeleeuwen ligt – en vormde het decor voor de Madickenfilms naar de gelijknamige boeken van Astrid Lindgren. Uit de middeleeuwen stamt ook de kasteelruïne **Stegeborg** die de ingang van het kanaal ongeveer 15 km ten oosten van Söderköping bewaakt.

Overnachten

Kuurhotel – Söderköpings Brunn: Skönbergagatan 35, tel. 0121 109 00, www.soderkopingsbrunn.se, 2-pk vanaf 1650 SEK. Traditioneel kuurhotel met Wellness-afdeling (ook daggasten).

Aktief en creatief

Onderweg zijn – Uitstapjes: Fiets- en boottochtjes langs en op het Götakanal: te boeken via het turistbyrå; boottochtjes langs de scherenkust van Sankt Anna.

Info

Toeristische informatie

Söderköpings Turistbyrå: Stinsen, Margaretagatan 19, 614 80 Söderköping, tel. 0121 181 60, www.soderkoping.se/turism.

Internet: www.sanktanna.com, startpagina in het Zweeds met tips over uitstapjes, onderdak, enz.

Vervoer

Bus: onder meer naar Norrköping, Linköping.

Norrköping ▶ F 10

De industriestad (124.000 inwoners) aan de Motala ström stond vroeger vanwege de vele textielfabrieken en katoenspinnerijen bekend als het 'Manchester van Zweden'. Gebleven zijn de talrijke getuigen van dit industriële verleden, die voor het grootste deel in de 18e en 19e eeuw ontstonden en nu nog indruk maken door hun samenhang en omvang.

Arbetets museum

www.arbetetsmuseum.se, dag. 11-17 uur, toegang gratis

In het midden van de rivier, op het eiland Laxholmen, staat het Museum van de Arbeid. Het 'Strijkijzerhuis' werd in 1917 gebouwd als weverij. Om optimaal gebruik te maken van de ruimte, ontwierp de architect een zeshoekig gebouw, dat het hele eiland in beslag neemt. Het museum documenteert met didactische uitzonderlijk goed ontwikkelde tijdelijke en permanente tentoonstellingen de geschiedenis van de leef- en werkomstandigheden in de industriële samenleving.

Konstmuseet

Kristinaplatsen, www.norrkoping. se/konstmuseet, juni-aug. di., do.-zo. 12-16, wo. 12-20, sept.-mei wo., vr.-zo. 11-17, di., do. 11- 20 uur, toegang gratis

In Norrköping ligt een van de belangrijkste musea voor de 20e-eeuwse Zweedse kunst, onder meer met Isaac Grünewalds schilderij 'Det sjungande trädet' (De zingende boom) uit 1915. Bij het museum hoort een beeldenpark.

Overnachten

Aan de Motala Ström – **Himmelstalunds Camping:** tel. 011 17 11 90, www. norrkopingscamping.com, april-midden okt., standplaats vanaf 220 SEK. Afrit van de E4, 2 km ten zuiden van de stad, met eenvoudige hutten.

Luxueus – **FirstCamp Kolmården:** tel. 011 39 82 50, www.firstcamp.se/kolmar den, mei-midden sept., standplaats ca.

200-300 SEK incl. stroom. 22 km ten noorden van Norrköping aan de zeearm Bråviken. Ook kortingspakketten, incl. dierentuinbezoek.

Uitgaan en eten

Allerlei cultuurevenementen – **Louis de Geer Konsert & Kongress:** www. louisdegeer.se. In de zeer modern gerenoveerde voormalige papierfabriek Holmens Bruk op een eiland in de rivier worden uiteenlopende evenementen georganiseerd: klassieke concerten, musicals, comedy. Bovendien tentoonstellingen en nog veel meer; restaurant.

Info en evenementen

Toeristische informatie

Upplev Norrköping: Kallvindsgatan 1, 601 81 Norrköping, tel. 011 15 50 00, www.upplev.norrkoping.se.

Evenementen

Augustifesten (voorlaatste week in aug.): Groot stadsfeest met markt, kermis, kindercarneval en vuurwerk.

Vervoer

Trein: onder meer naar Stockholm, Malmö, Helsingborg, Linköping, Västervik, Kalmar en Västerås.

Uitstapje naar Kolmårdens Djurpark

▶ F 9

www.kolmarden.com, ca. 27 km ten oosten van Norrköping, juni-aug. dag. 10-19, mei, sept. 10-17, overige vakantieperioden 10-16 uur, 395 SEK, parkeergeld 50 SEK

Met 250 hectare is Kolmårdens Djurpark de grootste dierentuin van ▷ blz. 222

Risinge gamla kyrka – wat een oude kerk te vertellen heeft

De mooie Risinge gamla kyrka bij Finspång, een juweel onder de vele Zweedse middeleeuwse kerken, maakt de ontwikkeling van het christendom in Zweden zichtbaar.

Kaart: ▶ F 9

Ligging en route: Afslag links vanaf weg 51 Norrköping-Finspång kort voor Finspång (ca. 6 km ten zuidoosten van de stad).

Voor wie: cultuurhistorisch geïnteresseerden en liefhebbers van middeleeuwse kerkkunst.

Info: 's zomers rondleidingen, voor tijden zie www.svenskakyrkan.se/fin spang-risinge, kerk geopend midzomer-midden aug. zo.-vr. 13-17 uur, verder na afspraak met de koster via tel. 0122 857 00 (bereikbaar ma.-vr. 7-15 uur).

Het oude en het nieuwe geloof

Een roze geschilderde deur aan de lange zijde van Risinge gamla kyrka (oude kerk van Risinge) voert u terug naar het begin van het christendom in Noord-Europa. Links van de deur ligt een uitgeholde steen, die een speciale betekenis heeft: De Vikingen aanbaden Odin, de god van de wijsheid, Frey, de god van de vruchtbaarheid, en de dondergod Thor met zijn hamer. Gezamenlijk beschermden deze goden de mensen tegen de reuzen, die de wereld bedreigden. Geconfronteerd met deze krachtige triade van goden, viel het de missionarissen niet licht om de Vikingen te overtuigen van het christelijk geloof, daar hun eigen religie al een antwoord bood op alle belangrijke vraagstukken.

De stenen kerk van Risinge werd gebouwd rond 1150, midden op een uitgestrekt grafveld – zeker niet toevallig bouwde men christelijke kerken bij voorkeur op dergelijke locaties. Het was de bekeerlingen in eerste instantie kennelijk toegestaan hun oude rituelen te behouden – en daartoe diende de hiervoor genoemde steen in Risinge. De kerkgangers konden offers brengen aan hun oude goden, voordat zij de christelijke kerk betraden om de nieuwe god te aanbidden. Al snel had deze strategie het gewenste effect; het christendom begon zich geleidelijk in het noorden te verspreiden.

Muur- en plafondschilderingen

Beroemd is de Risinge gamla kyrka vooral voor de schilderingen die de muren en het plafond van de kerk van boven tot onder bedekken. Vooral de gewelven zijn het aanzien meer dan waard: ze tonen personages uit verhalen van het Oude Testament – een compleet beeldverhaal van de Bijbel, waaronder de blinde Samson, de ten onrechte veroordeelde Susanna en haar redding door David. Bijzonder intrigerend is

de weergave van een vaak afgebeelde passage: het verhaal van Judith en Holofernes, een geliefd motief van schilders door de eeuwen heen. De goed bewaard gebleven schilderingen dateren uit de periode 1430-1460. De naam van de kunstenaar is niet bekend, hij wordt daarom wel de 'meester van Risinge' genoemd en zijn aansprekende schilderstijl is in veel kerken in de regio rond Finspång te zien.

Reformatie en beeldenstorm

Ongeveer 100 jaar nadat de kleine kerk van Risinge werd beschilderd, brak koning Gustav Vasa met Rome. In Zweden deed de evangelisch-lutherse belijdenis haar intrede: zonder heiligen, zonder afbeeldingen. Toen de afbeeldingen in de kerk van Risinge tijdens de Reformatie witgekalkt moesten worden, verzette de gemeenschap zich daar met alle kracht tegen. Voor de gelovigen, die meestal analfabeet waren, waren de schilderingen de enige manier om bijbelse teksten te begrijpen; ze zagen de legendes en verhalen uit de Bijbel letterlijk voor zich. En dank zij hun protest kunt u de indrukwekkende voorstellingen ook vandaag de dag nog zien, ook al zijn de kleuren van de minerale verfstoffen iets verbleekt.

De kerk nu

De Kerk van Zweden, Svenska kyrkan, gebruikt Risinge gamla kyrka tegenwoordig alleen in de zomer voor kerkdiensten. Al in de 19e eeuw werd op een andere plek een comfortabelere parochiekerk gebouwd, onder andere voorzien van een kachel. De sinds de tijd van Gustav Vasa door de wet voorgeschreven Svenska kyrkan is pas sinds 2000 geen staatskerk meer – ook al is ze nog steeds nauw verbonden met de staat, onder meer door het opleggen van een kerkbelasting (*kyrkoavgift*) aan de leden van de Svenska kyrkan.

Noord-Europa: Op het woeste terrein van een voormalige marmergroeve met uitzicht op Bråviken voelen pinguïns en giraffen, olifanten en zebra's zich thuis in hun ruime behuizingen. Ernaast ligt het enige safaripark van Zweden waar u leeuwen en Scandinavische dieren vanuit uw auto kunt bekijken.

Sörmland (Södermanland)

Nyköping ▶ G 9

Nyköping (49.000 inwoners), de hoofdstad van Södermanland en voorheen na Norrköping de belangrijkste textielproducent van Zweden, wordt door de rivier de Nyköpingsån gescheiden in een oostelijk en een westelijk deel. Daarom dragen veel straten de toevoeging *västra* (westelijk) of *östra* (oostelijk). Vanuit het centrum voert een rustig wandelpad langs de rivier (Åpromenaden) naar de **haven**. Hier leggen de rondvaartboten aan, die ook naar Trosa varen, in het cafetaria kunt u een hapje eten en in een oude havenloods presenteren lokale ambachtslieden hun fraaie producten.

In de bezienswaardige ruïne van Nyköpingshus, voorheen een prachtig renaissancekasteel, dat in 1655 bij een grote brand werd vernietigd, wordt jaarlijks in juli het historische toneelstuk *Nyköpings Gästabud* opgevoerd. Het is gebaseerd op een gebeurtenis in 1317, toen koning Birger zijn broers uitgenodigde voor een verzoeningsmaal op het kasteel, hen gevangen nam en in de kerkers liet verhongeren.

Nynäs slott

www.nynasslott.se, rondleidingen midzomer-midden aug. dag., midden mei-midzomer, midden aug.-begin sept. za./zo. 11-15.30 uur, 60 SEK
Nynäs slott kreeg zijn huidige uiterlijk in de 17e eeuw en toont, daar het tot 1985 in familiebezit was, nog de originele meubels uit de vroege 19e eeuw in laatgustaviaanse stijl. Het park gaat over in een langs de kust gelegen natuurreservaat. Op het terrein bevinden zich een café, een glasblazerij en een winkel.

Peddelen en wandelen

Kajakkers vinden hun dorado in de scherenkust tussen Nyköping en Trosa. Maar ook al heeft u geen boot, kunt u in het natuurreservaat **Stendörren** ongeveer 30 km ten oosten van Nyköping kleinere eilanden voor de scherenkust bereiken en in de amfibische natuur wandelen: De schaars met dennen en berken begroeide eilandjes zijn via hangbruggen en plankieren met elkaar verbonden. Een Naturum informeert over de scherenkust (juni-aug. dag. 10-18, mei, sept. ma.-vr. 12-16, za./zo. 10-18 uur).

Overnachten

Gunstig gelegen – **Gamla Bygget:** Biblioteksvägen 1, Nävekvarn, tel. 0155 536 44, mobiel 070 570 73 15, http:// gamlabygget.se, gehele jaar, zo'n 20 km ten zuidwesten van Nyköping in het Kolmården-gebied. Tien appartementen in voormalige arbeidershuisjes uit het midden van de 19e eeuw, 2-bedskamers vanaf 650 SEK, ook 6-bedsappartementen voor gezinnen voor 1650 SEK.

Info en evenementen

Toeristische informatie

Nyköpings Turistbyrå: Stadshuset, Stora Torget, 611 83 Nyköping, tel. 0155 24 82 00, www.nykopingsguiden.se.
Internet: www.utflyktsvagen.se, website met kaarten, tips voor uitstapjes,

onderdak, winkelen en eten langs de prachtige scherenkust tussen Södertälje en Trosa.

Evenementen

Nyköpings Festdagar (begin aug.): muziek, theater, vlooienmarkt en andere attracties.

Vervoer

Trein: naar Malmö, Stockholm, Linköping, Västervik en Kalmar.
Bus: naar Norrköping en via Södertälje naar Stockholm.
Vliegtuig: Luchthaven Skavsta (10 km), onder meer naar Eindhoven (voor taxi- en busverbinding, zie www.lanstrafi ken.se).

Trosa ▶ G 9

Carl Linnaeus heeft het stadje beschreven als 'Världens ände'. Helemaal fout had hij het niet, hoewel tegenwoordig veel toeristen naar het 'einde van de wereld' komen, vooral in het hoogseizoen. Wat ze vinden is een ware idylle, want ongeveer 80 km ten zuiden van Stockholm lijkt de tijd stil te hebben gestaan: Het marktplein toont met zijn kleine winkeltjes schilderachtig ouderwets. Een smalle rivier, de Trosaån, doorsnijdt het stadje, met op beide oevers een promenade. De pastelkleurige houten huizen hebben, wanneer ze aan de Trosaån liggen, bijna allemaal een eigen steiger voor roei- en motorboten, de andere huizen rijgen zich aaneen langs rustige met kinderkopjes geplaveide straten en worden omgeven door prachtige tuinen, heel wat huisvesten kunstnijverheidswinkeltjes, cafés en restaurants.

Midden in de natuur belandt u op het kleine eiland **Öbolandet**, dat over de weg te bereiken is. Hier vindt u naast rotsen, berken en dennen en veel zomer-

huisjes ook de camping- en badplaats Trosa Havsbad.

Overnachten

Klein en fijn – Bomans Hotell: Östra Hamnplan, tel. 0156 525 00, www.bo mans.se, vanaf 1750 SEK/2-pk. Familiehotel. 32 ruime kamers in een romantische landhuisstijl of volgens enkele thema's zeer individueel ingericht (zie website).
Met zandstrand – Trosa Havsbad: tel. 0156 124 94, www.trosahavsbad.se, laatste week april-sept., standplaats 170-210 SEK. Camping, verhuur van hutten, fietsen en boten, kiosk, populair badstrand, kindvriendelijk.

Eten en drinken

Direct aan de haven – Bomans Hotell: zie hierboven. Hoofdgerechten 135-235 SEK. Regionale keuken.
Visgerechten – Fina Fisken: aan de haven, tel. 0156 138 47, www.finafisken. com, apr.-sept. Regionale specialiteiten van het land of uit de zee.
Tuincafé – Café Garvaregården: Västra Långgatan 40, juni-aug. di.-zo. 11-16 uur. Heerlijke tuin.

Info

Toeristische informatie

Trosa Turistbyrå: Rådhuset, Torget, 619 22 Trosa, tel. 0156 522 22, www. trosa.com.

Vervoer

Trein: van Stockholm tot Vagnhärad, Bus verder naar Trosa.
Bus: onder meer naar Nyköping en Södertälje. Dag. met de Trosabussen van/ naar Stockholm-Liljeholmen (ca. 1 uur).

Stockholm en omgeving

Hoogtepunt ✳

Stockholm: De ongeëvenaarde ligging op 14 rotsige eilanden vormt de charme van de Zweedse hoofdstad, waar u zelfs in het centrum nooit lang hoeft te zoeken om na een uitgebreide sightseeing of het bezoeken van een museum even te ontspannen in de natuur. Blz. 226

Op ontdekkingsreis

Kunst onder grond – Stockholms metrostations: Veel metrostations in de hoofdstad van Zweden zijn gedecoreerd door kunstenaars. Het loont de moeite om uit te stappen en ze wat beter te bekijken. Blz. 236

Utö – Leven op een schereneiland vroeger en nu: Bij een bezoek aan dit eiland in de zuidelijke scherenkust van Stockholm wordt u ondergedompeld in een uniek landschap. Relicten van de industriële geschiedenis verhalen over het leven en werk van de scherenkustbewoners in vroeger tijden. Blz. 252

Bezienswaardigheden

Vasamuseet: Een museum voor één schip – een barok oorlogsschip, spannend gepresenteerd. **22** Blz. 239

Skansen: Openluchtmuseum met boerderijen en andere gebouwen uit alle delen van Zweden, ook een dierentuin met beren en een kinderboerderij. **26** Blz. 242

Drottningholm slott: Aankomen per stoomboot over het meer, indrukwekkende pracht en praal in het paleis, het historische theater en het park met het Chinese Paviljoen vormen een perfecte bestemming voor een dagje uit. Blz. 244

Aktief en creatief

Natuurbelevenis Ekoparken: Een wandeling of fietstocht ontsluit de wilde kant van het eiland Djurgården. Blz. 238

Badplaatsen midden in de stad: Långholmen is het eiland met de mooiste badplaatsen nabij het centrum. Blz. 243

Sfeervol genieten

Muziek in het koninklijke slot: De zomerconcerten zijn niet alleen door de muziek zelf, maar ook door het feestelijke kader een genot. **2** Blz. 228

Östermalmshallen: Wie van culinaire hoogstandjes houdt, zal lijden onder de veelvoud – kramen en restaurants bieden te veel om te proeven. **8** Blz. 247

Uitgaan

Gröna Lund: In het klassieke pretpark met een reuzenrad, draaimolens en live optredens van bekende artiesten gebeurt altijd wel wat. **25** Blz. 239

Absolut Ice Bar: Een echt 'coole' bar met een ijzig concept. Cocktails worden geserveerd in 'glaasjes' van ijs. **1** Blz. 249

Mosebacke: Livemuziek, dj-mix, hoogstaand theater en als bonus vanaf het terras een prachtig uitzicht op het nachtelijke Stockholm. **5** Blz. 243, 250

Groenkoperen daken en statige huizen in warme okertinten schitteren in de zomerzon, een lichte bries vanaf de zee waait door de straten, op de brug bij het kasteel staan vissers en voor het eiland Långholmen stoeien zwemmers in het water. De magie van deze stad in woorden te willen vatten is zo goed als onmogelijk. U moet de stad zien en u laten boeien, dan zal de 'drijvende stad' Stockholm u niet meer loslaten.

De nuchtere feiten geven een idee van wat de bijzondere charme van Stockholm vormt: Op 14 eilanden op de overgang van Mälaren en Oostzee gebouwd met een uitzonderlijk goed bewaard gebleven gebouwen, met name uit de 18e en 19e eeuw en vele parken: de stad presenteert zich vriendelijker dan andere steden van vergelijkbare grootte. In de regio Stockholm wonen ongeveer 1,92 miljoen mensen, in de stad zelf ongeveer 861.000 (2011). Van de totale oppervlakte van 4900 km² bestaat 30% uit water en nog eens 30% wordt ingenomen door parken en andere groene gebieden. Sinds 1995 kan Stockholm zich erop beroemen met het eiland Djurgården het eerste stedelijke nationale park ter wereld te hebben.

Het kleine eiland Helgeandsholmen waarop zich tegenwoordig de *Riksdag* (het parlementsgebouw) bevindt, is het oudste bewoonde deel van de stad, die in 1252 werd gesticht door Birger Jarl. De opkomst als een belangrijk handelscentrum dankt het 'paaleiland', zoals de letterlijke vertaling van Stockholm luidt, niet in de laatste plaats aan het proces van de landstijging, die hier voorheen liefst 40-50 cm per eeuw bedroeg (en nog steeds doorgaat). Aan het begin van de middeleeuwen was het vasteland zo veel gestegen dat het waterpeil van het meer Mälaren boven dat van de Oostzee lag. Op de overgang was bij het eiland Helgeandsholmen een stroomversnelling gevormd. Handelswaren moesten van schepen worden gelost en voorbij deze hindernis worden getransporteerd.

In de 14e en 15e eeuw bepaalde handelaren van de machtige Hanze het lot van de stad. De dominantie van de Duitsers was zo sterk, dat er een wet werd aangenomen, waarin werd vastgelegd dat ten minste de helft van alle raadsleden Zweden moesten zijn. En zelfs in de 17e

INFO

Stadsplattegronden
Binnenstad: Blz. 230/231
Groot-Stockholm: Achterzijde uitvouwkaart

Toeristische informatie
Stockholm Tourist Centre: Box 16282, 103 25 Stockholm, tel. 08 50 82 85 08, www.visitstockholm.com. Balie op het vliegveld (Arlanda Visitor Centre) en op Vasagatan 14 (bij het station), ma.-vr. 9-19, za. 10-17, zo. 10-16 uur. Informatie, boeken van excursies, verkoop van de Stockholmskort, kaartjes voor bus en metro, stadsplattegronden en boeken.

Per auto naar en in de stad
Sinds 2007 kent Stockholm een tolsysteem. Dit geldt niet voor auto's met een buitenlands kenteken, maar wel voor Zweedse huurauto's. Het goede openbaar vervoer van Storstockholms Lokaltrafik (SL) maakt het gebruik van een auto eigenlijk overbodig. Parkeerplekken zijn moeilijk te vinden en duur. Meer informatie over openbaar vervoer, zie blz. 251.

eeuw was bijna een op de drie Stockholmers nog van Duitse afkomst.

In 1634 werd Stockholm hoofdstad van het land, wat leidde tot een enorme groei. In 1697 verwoestte een brand het oude kasteel Tre Kronor. Er werd onmiddellijk begonnen met de bouw van een nieuw paleis en werd het vanwege het constante brand gevaar verboden nog houten huizen te bouwen. Nadat Stockholm onder Gustav III was uitgegroeid tot het onbetwiste spirituele en culturele centrum van Zweden, werd de stad in de 19e eeuw ook de belangrijkste industriestad. De bevolking verdubbelde in korte tijd, er kwamen huurwoningen met verdiepingen en de stad werd volgens een strak plan uitgebreid. De leefomstandigheden verbeterden pas in de tweede helft van de 19e eeuw: vanaf 1853 waren er gaslantaarns in de straten, vanaf 1860 reden er treinen en vanaf 1877 ook trams.

De uitbreiding van de stad duurt voort. In de jaren 50 van de vorige eeuw ontstonden er voorsteden en een infrastructuur, die toen als voorbeeldig werden gezien, maar tegenwoordig juist sociaal achtergesteld zijn. In het centrum vinden nu de grootste veranderingen plaats. De buurt ten noorden van het station werd geheel opnieuw ingericht en het Waterfrontcongrescentrum met zijn energiebesparende zwarte glasgevel werd gebouwd. Het spoorvervoer binnen het centrum werd uitgebreid en aan een traject onder de binnenstad door wordt gewerkt.

Kungsholmen

Een prachtig begin van de stadsbezichtiging is een bezoek aan het eiland Kungsholmen, want vanaf de toren van het Stadshuset kunt u een goed overzicht van Stockholm krijgen. Kungsholmen is een van de populairste woonwijken in de stad. Het eiland werd relatief laat ontwikkeld en de meeste gebouwen dateren van de vroege 20e eeuw. Aan te bevelen is een wandeling langs het water over het Norr Mälarstrand met zijn woonboten en prachtige gevels.

Stadshuset 1 ▶ Kaart 2, D/E 6

www.stockholm.se/cityhall, rondleidingen juni-aug. dag. 10, 11, 12, 14, 15, mei, sept. 10, 12, 13, 14, okt.-apr. 10, 12 uur, 90 SEK, nov./dec. 50 SEK; toren juni-aug. dag. 9-17, mei en sept. 9-16, apr. za./zo. 10-16 uur, lift en trappen, 40 SEK

Het Stadshuset werd 1911-1923 gebouwd naar een ontwerp van Ragnar Östberg. De 106 meter hoge toren van het gebouw, het icoon van de stad, is getooid met drie kronen, die de koninkrijken symboliseren waaruit Zweden is ontstaan. Het interieur van het administratieve en representatieve gebouw van waaruit de stad Stockholm wordt bestuurd, is tijdens een rondleiding te bezichtigen. In de Blå hallen (blauwe hal), die overigens niet blauw is, vindt jaarlijks op 10 december het banket voor de Nobelprijswinnaars plaats. De Gyllene salen (gouden zaal) werd door de kunstenaar Einar Forseth met 18,6 miljoen gouden mozaïektegeltjes bekleed en de Prinsens galleri toont romantische stadsgezichten van de schilderende prins Eugen, die in frescotechniek aangebracht zijn op de kalk.

Gamla Stan

Gamla Stan (de oude stad), ook wel *Staden mellan broarna* – stad tussen de bruggen – genoemd, bestaat uit drie eilanden: **Stadsholmen** met het slot, **Helgeandsholmen** met de Riksdag en **Riddarholmen** met veel voormalige stadspaleizen van de 17e-eeuwse adel, nu in gebruik door overheidsinstanties.

Stadsholmen

Vooral op het grootste eiland Stadsholmen heerst een heel bijzondere sfeer. In de smalle, meestal met hoge huizen uit de Zweedse Gouden Eeuw omzoomde straten is slechts weinig licht, en daar de zijstraten naar het water toe alle haaks op de hoofdstraten staan, openen er zich steeds weer onverwachte uitzichten. Stegen en pleinen dienen als podium voor straatmuzikanten; galeries en winkels nodigen uit om geld uit te geven en de vele cafés en restaurants zorgen ervoor dat u niet van honger of dorst omkomt.

De twee belangrijkste straten **Västerlånggatan** en **Österlånggatan** liepen in de middeleeuwen langs de westelijke en oostelijke oevers van het eiland Stadsholmen, dat pas door het proces van landstijging zijn huidige omvang bereikte. Tegenwoordig zijn ze de belangrijkste wandelstraten van Gamla Stan. U moet zeker niet vergeten door de kleine steegjes te dwalen, die zo hun eigen charme hebben. Vanaf Järntorget loopt u bijvoorbeeld door het smalste steegje van de stad, de soms slechts 90

Wisseling van de wacht bij het Kungliga slottet

Bijzonder populair bij toeristen is de wisseling van de wacht (*högvakten*). Daar de soldaten echter weinig spectaculair zijn gekleed, verloopt het veel minder fotogeniek dan de wisseling van de wacht bij sommige koninklijke paleizen elders in Europa. Verschillende regimenten van het Zweedse leger vervullen om beurten de rol van Koninklijke Garde, marsmuziek weerklinkt, terwijl de soldaten opmarcheren van het Armémuseum via de Artillerigatan en de Strandvägen (juni-aug. ma.-za., sept.-mei wo., za. 12.10, zo. 13.10 uur).

---

cm brede **Mårten Trotzigs gränd**, naar de Prästgatan waar in 1853 op nr. 78 de schilder Carl Larsson werd geboren.

Kungliga slottet (Koninklijk paleis) 2

www.kungahuset.se, midden mei-midden sept. dag. 10-17, midden sept.-midden mei di.-zo. 12-16 uur, rondleiding incl. Skattkammaren en het museum Tre Kronor 150 SEK

Het markantste gebouw van Stadsholmen is het Kungliga slottet, met meer dan 600 kamers het grootste in de wereld. De koninklijke familie is echter in 1981 vanwege de betere lucht verhuisd naar Drottningholm (zie blz. 244), het kasteel is nu het werk- en representatiepaleis. De bouw begon in 1697 nadat een brand het oude kasteel Tre Kronor had vernietigd, maar dure oorlogen vertraagden de voltooiing aanzienlijk. In 1754 kon de toekomstige koning Gustav III er met zijn ouders en broers en zussen uiteindelijk zijn intrek in nemen. Nicodemus Tessin de Jongere ontwierp het grote kubusvormige gebouw, Carl Hårleman ontwierp het interieur. Bouw- en interieurstijl tonen de overgang van de late renaissance naar de gustaviaanse stijl.

Binnenin zijn de *Rikssalen* met koningin Kristina's zilveren troon van 1650, de prachtige feestzalen en een aantal musea te bezoeken: **Skattkammaren** (schatkamer) met de koninklijke regalia en het tafelzilver en het **Gustav III:s Antikmuseum**. In het **Museum Tre Kronor** zijn de keldergewelven van het oude kasteel te zien.

De wapenkamer, **Livrustkammaren** (mei/juni, dag. 11-17, juli/aug. 11-18, sept.-apr. di.-wo., vr.-zo. 11-17, do. 11-20, uur, 80 SEK) toont rijtuigen, wapens en kroningsgewaden. Bijzonder is het opgezette paard Streiff dat Gustav II Adolf bereed toen hij in 1632 tijdens de Slag bij Lützen sneuvelde.

Storkyrkan 3

www.stockholmsdomkyrkoforsam
ling.se, mei en sept. dag. 9-16, juni
ma.-za. 9-17, zo. 9-16, luli/aug. ma.-za.
9-18, zo. 9-16, okt. ma.-za. 10-16, zo.
9-16 uur, mei-sept. 40 SEK, verder
toegang vrij

Stockholms kathedraal en kroningskerk
is een van de oudste gebouwen van de
stad en werd in 1306 ingehuldigd, maar
daarna nog aanzienlijk verbouwd, voor
het laatst in 1740. Het pronkstuk van het
overwegend barokke interieur is de in de
late middeleeuwen door Bernt Notke
gemaakte sculptuur van St.-Joris en de
Draak. Deze werd gemaakt in opdracht
van Sten Sture de Oudere om de overwinning op de Denen bij Brunkeberg in
1471 te herdenken. Sankt Göran (St.-Jo-
ris) symboliseert de overwinnende Zweden, de vuurspuwende draak de verslagen Denen. Een kopie in brons van de
beeldengroep staat op Köpmantorget.
In de Storkyrkan hangt ook het oudste
stadsgezicht op Stockholm uit 1535.

Stortorget met Nobelmuseet

Het plein Stortorget met in warme oker-
en roodtinten gestuukte huisgevels uit
de 17e eeuw wordt gedomineerd door de
voormalige Beurs, die Erik Palmstedt in
1778 in opdracht van Gustav III bouwde.
Op de bovenverdieping komen eenmaal
per week de leden van de Svenska Akademien bijeen. Zij zijn het die ieder jaar
verantwoordelijk zijn voor het bekend-
maken van de Nobelprijswinnaars. De
ruim 100 jaar oude geschiedenis van wat
wel de beroemdste onderscheiding ter
wereld is, wordt getoond ▷ blz. 232

Al slenterend door de steegjes ontdekt u steeds meer details: Stockholms Gamla Stan

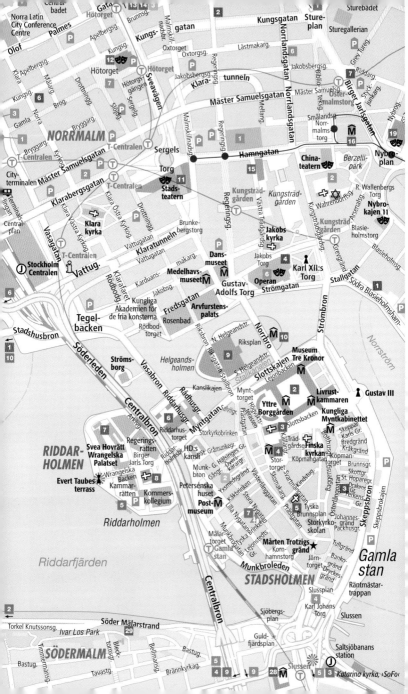

Stockholm

Bezienswaardigheden
1. Stadshuset (stadhuis)
2. Kungliga slottet (koninklijk paleis)
3. Storkyrkan
4. Nobelmuseet
5. Tyska kyrkan
6. Riddarhuset
7. Birger Jarls torn
8. Riddarholmskyrkan
9. Riksdagshuset (parlementsgebouw)
10. Stockholms Medeltidsmuseum
11. Kulturhuset
12. Konserthuset
13. Strindbergsmuseet
14. Stadsbibliotek
15. Kungsträdgården
16. Hallwylska museet
17. Nationalmuseum
18. Moderna Museet en Arkitekturmuseet
19. Dramaten
20. Historiska Museet
21. Kaknästornet
22. Vasamuseet
23. Junibacken
24. Nordiska Museet
25. Gröna Lund
26. Openluchtmuseum Skansen
27. Prins Eugens Waldemarsudde
28. Stockholms stadsmuseum
29. Monteliusvägen

Overnachten
1. Hotel Birger Jarl
2. Långholmen
3. Columbus Hotell
4. Zinkensdamm
5. Mälardrottningen
6. STF Vandrarhem Fridhemsplan
7. Archipelago Hostel
8. STF Vandrarhem 'af Chapman'
9. Bredäng Camping
10. Ängby Camping

Eten en drinken
1. Mathias Dahlgren
2. 1900
3. Den Gyldene Freden
4. Operakällarens bakficka
5. Ciao Ciao Grande
6. Café Vete-Katten
7. Café Sturekatten
8. Café Blå Porten

Winkelen
1. NK
2. Åhlens City
3. Svenskt Tenn
4. Carl Malmsten
5. blås & knåda
6. Svensk Hemslöjd
7. Hötorget/Hötorgshallen
8. Östermalmshallen
9. Söderhallarna

Actief en creatief
1. Bike Sweden
2. Gamla Stans Cykel
3. Brunnsvikens Kanot-central
4. Djurgårdsbrons Sjöcafé

Uitgaan
1. Absolut Ice Bar
2. Berns
3. Fasching
4. Debaser Slussen
5. Mosebacke (Södra teatern)
6. Kungliga Operan (koninklijke opera)
7. Dansens hus

Adressen buiten het centrum, zie achterzijde van de uitneembare kaart

in het **Nobelmuseet**  (www.nobel museum.se, midden mei-midden sept. dag. 10-18, verder di. 11-20, wo.-zo. 11-17 uur, 60 SEK).

Tyska kyrkan 5

Apr.-sept. dag., okt.-mrt za./zo. 12-16 uur

Sankt Gertrud is nog steeds de kerk van de Duitse gemeenschap en wordt daarom ook Tyska kyrkan (Duitse kerk) genoemd. Het gebouw van het Duitse Sankt Gertrudgilde, waarvan de invloed onder Gustav Vasa sterk was beperkt, werd in het midden van de 17e eeuw door Hans Jacob Kristler tot kerk verbouwd.

Riddarhuset 6

www.riddarhuset.se, ma.-vr. 11.30-12.30 uur, 50 SEK

Riddarhuset werd door Justus Vingboons en Jean de la Vallée in 1641-1674 gebouwd en diende voor bijeenkomsten van de adel. De wapenschilden van alle Zweedse adelijke geslachten – meer dan 2300 – bedekken de wanden van de Ridderzaal in het buitengewoon fraaie barokgebouw.

Riddarholmen en Helgeandsholmen

Op Riddarholmen liet de adel in de Gouden Eeuw prachtige paleizen bouwen, de meeste huisvesten tegenwoordig overheidsinstanties. De ronde **Birger Jarls torn** 7 op de noordwestelijke punt van het eiland is een restant van de middeleeuwse bebouwing en werd later een deel van de stadsmuren van Gustav Vasa. De oudste delen van de voormalige kloosterkerk **Riddarholmskyrkan** 8 (midden mei-3e week sept. dag. 10-17, 40 SEK), waarin onder meer Gustav II Adolf en de in 1950 overleden Gustaf V begraven zijn, ontstonden rond 1280.

Via de Myntgatan en de Stallbron komt u op het eiland Helgeandsholmen. Het westelijke deel van het **Riksdagshuset** (parlementsgebouw) 9 met de vergaderzaal huisvestte tot 1976 de Riksbanken. Onder het Riksdaghuset ligt – onder de grond – het bezienswaardige **Stockholms medeltidsmuseum** 10 (www.medeltidsmuseet.stockholm.se; juni-aug. dag., verder di., do.-zo. 12-17, wo. 12-19 uur, 70 SEK combinatieticket met Stockholms stadsmuseum, blz. 242). Het museum toont stukken uit de tijd dat de stad in de middeleeuwen werd gesticht. Daartoe behoren een paar meter van de oorspronkelijke stadsmuren, de restanten van een begraafplaats uit de 13e eeuw en de overblijfselen van

Stad op het water, Venetië van het noorden: Stockholm van boven gezien

schepen, die in de Strömmen werden gevonden.

Norrmalm-City

Vanaf het Riksdagshuset loopt u via de Drottninggatan door de regeringswijk naar een geheel ander deel van de stad. Moderne gebouwen en winkelcentra domineren Norrmalm.

Sergels torg

Het naar de beeldhouwer Johan Tobias Sergel vernoemde plein is gemaakt als onderdeel van de volledige herbouw van de wijk in de periode 1940-1970. Het stadsplein met de zwart-witte bestra-ting en 's avonds fraai verlichte fontein is een ontmoetingsplaats voor allerlei mensen: politieke groepen komen hier samen om te demonstreren, nieuwe bandjes brengen hier live muziek ten gehore, straatverkopers zetten er hun kraampjes op. Daar zich bij Sergels Torg ook een van de ingangen naar het metroknooppunt T-Centralen bevindt, is alles hier voortdurend in beweging.

Kulturhuset 11

www.kulturhuset.stockholm.se, di.-vr. 11-18, za./zo. 11-16 uur, 's zomers langer geopend, toegang gratis
Geflankeerd wordt Sergels Torg aan de ene kant door het Kulturhuset met het stadstheater en tentoonstellings- en

evenementenzalen. Vanaf het café op de bovenste verdieping kijkt u uit over geheel Norrmalm, in de zomer is ook het dakterras van het Café Panorama toegankelijk, dat het beste uitzicht op het Sergels Torg biedt.

Hötorget

Op de 'Hooimarkt' en in de markthal **Hötorgshallen** `7` kunt u verse etenswaren inkopen of een hapje eten. In het in 1926 door Ivar Tengbom ontworpen blauwe **Konserthuset** `12` (concertgebouw) vindt jaarlijk op 10 december de uitreiking van de Nobelprijzen voor literatuur, natuurkunde, chemie, geneeskunde en economie plaats. De rest van het jaar wordt het bespeeld door het Kungliga Filharmoniska Orkestern en regelmatig spelen er ook internationaal bekende musici en orkesten. Carl Milles' **Orfeusbrunnen** voor het Konserthuset verrast met zijn expressieve, naar de hemel strevende bronsfiguren.

Drottninggatan en Strindbergsmuseet `13`
▶ Kaart 2, E 4

www.strindbergsmuseet.se, juli-aug. 10-16, sept.-juni di., do.-zo. 12-17, wo. 12-19 uur, 50 SEK
Zelfs al zien alle voetgangerszones van de wereld er bijna hetzelfde uit, zou u over de Drottninggatan toch een wandeling naar het noorden moeten maken. Waar het winkelgebied eindigt, bracht August Strindberg op nummer 85 in 1908-1912 zijn laatste jaren door in Blå Tornet (de blauwe toren), zoals het deftige huurhuis op de hoek met de Tegnérgatan destijds werd genoemd. De woning van de beroemde schrijver kan nu worden bezichtigd en ziet eruit alsof de schrijver net weg is.

Stadsbibliotek `14` ▶ Kaart 2, E 3

www.biblioteket.stockholm.se, ma.-do. 9-21, vr. 9-19, za./zo. 12-16 uur

In Observatorielunden, een prachtig, rustig park, ligt op de top van een heuvel het door Carl Hårleman gebouwde Observatorium (met museum). Daaronder pronkt in warm oker een toonbeeld van het functionalisme, de in 1925 door Gunnar Asplund gebouwde Stadsbibliotek. U zou beslist eens een kijkje moeten nemen in deze boekentempel. Wanneer u binnenkomt via de hoofdingang, dwalen uw ogen naar boven naar de met boeken gevulde schappen van de ronde toren.

Kungsträdgården `15`

Tussen de drukke en overvolle Hamngatan en het slot ligt de populaire stedelijke oase in Stockholm, Kungsträdgården. De voormalige koninklijke moestuin werd eerst omgevormd tot een lusthof, daarna in de 18e eeuw vrijgegeven voor het gewone volk. Er wordt tegenwoordig druk gebruik gemaakt van 'Kungsan': er zijn concerten op het podium, men speelt er schaak of streetball, eet een ijsje, leest de krant of praat er met mensen. 's Winters, wanneer een deel onder water wordt gezet, is het park een ontmoetingsplaats voor schaatsers. In de kersttijd is er een kerstmarkt.

Het zuidelijke einde van Kungsträdgården wordt gevormd door **Karl XII:s torg**, met een standbeeld van de expansie- en machtsbeluste heerser Karel XII. Als 18-jarige versloeg hij Peter de Grote in 1700 in de Slag bij Narva, deze revancheerde zich in 1709 bij Poltava en dit leidde uiteindelijk tot het einde van de Gouden Eeuw van Zweden.

Hallwylska museet `16`

www.hallwylskamuseet.se, juli/aug. di.-zo. 10-16, overige tijd di., do.-zo. 12-16, wo. ook 16-19 uur, 70 SEK, rondleidingen 100 SEK
Een kijkje in de burgerlijke wooncultuur van rond 1900 is mogelijk in het

in 1895 gebouwd woonhuis van gravin von Hallwyl op Hamngatan 4. Ze was als erfgename van een houtzagerij-eigenaar rijk geworden. Het enkele verdiepingen tellende herenhuis, dat van de buitenkant doet denken aan een Moors paleis, is ook te bezichtigen tijdens een rondleiding – gekleed in historische kostuums geven de gidsen een levendig beeld van de geschiedenis van het huis.

Nationalmuseum 17

www.nationalmuseum.se, jan., juni-aug. di. 11-20, wo.-zo. 11-17, feb.-mei, sept.-dec. di., do. 11-20, wo., vr.-zo. 11-17 uur (vanaf eind 2012 wegens verbouwing deels gesl.), 100 SEK
Net voordat u over de fraaie brug naar het 'museumeiland' Skeppsholmen gaat, passeert u links het in 1846-1866 gebouwde, door de Pruisische architect F.A. Stüler ontworpen Nationalmuseum. Tot de collectie behoort onder

meer een grote collectie Vlaamse schilderijen uit de 17e eeuw, die als oorlogsbuit tijdens de Dertigjarige Oorlog in Zweden terecht kwam. Ook Zweedse kunstenaars uit alle tijdperken zijn vertegenwoordigd. Carl Larsson ontwierp het trappenhuis.

Skeppsholmen

Skeppsholmen en het eiland Kastellholmen maakten ooit deel uit van de verdedigingswerken van de stad, nu zijn ze het domein van de kunst: Naast de Kunstakademie en het Östasiatiska museet met kunst uit China, Japan en Korea lokt het wereldvermaarde **Moderna Museet** 18 met de grootste collectie van moderne kunst in Zweden en spannende tentoonstellingen. In hetzelfde gebouw presenteert het **Arkitekturmuseet** de geschiedenis van de Europese architectuur (www.moderna ▷ blz. 238

Ontspanning voor iedereen: de voormalige koninklijke moestuin, Kungsträdgården

Kunst onder de grond – de metrostations van Stockholm

Een grote T geeft aan waar het naar beneden gaat in het ondergrondse metronetwerk van de hoofdstad, het enige in Zweden. De in de rotsen uitgehakte 'Tunnelbana' is meer dan alleen maar een buis voor openbaar vervoer en geenszins saai, maar een echte bezienswaardigheid. Men noemt het 110 km lange metronetwerk ook wel de 'langste kunstgalerie ter wereld'.

Metroplattegrond: ▶ Achterzijde uitneembare kaart.

Info: Een gratis brochure met de namen van de kunstenaars enzovoort is te verkrijgen bij het Tourist Centre of bij Storstockhoms Lokaltrafik (SL).

Rondleidingen: SL organiseert *Konst-åkningar*, kunstritten, een normaal kaartje volstaat, www.sl.se/sv/Om-SL/Det-har-ar-SL/Konsten-i-trafiken.

Heel praktisch zijn de drie hoofdlijnen van de metro van Stockholm te onderscheiden aan de kleur: blauw, rood en groen. Het merendeel van de kunstwerken zijn te vinden langs de Blauwe Lijn. Ze dateren uit de jaren 1970 tot 1990. In totaal ontwierpen tot nu toe 152 kunstenaars in nauwe samenwerking met architecten en ingenieurs 70 van de 100 stations, waarvan 47 ondergronds. Voor het onderhoud van de kunstwerken en de aankoop van nieuwe geeft Storstockholms Lokaltrafik jaarlijks meer dan 10 miljoen kronen uit.

Robuuste kunst voor iedereen

De door de kunstenaars ingediende voorstellen voor de vormgeving moeten voldoen aan strenge criteria: De kunst moet makkelijk schoon te maken en vrijwel onverwoestbaar zijn – ook kunst is niet veilig voor vandalisme. Als materiaal staan bijvoorbeeld keramische tegels ter beschikking, maar ze kunnen ook spuitbeton beschilderen en zandstralen.

Niet alle met werken vertegenwoordigde kunstenaars zijn zo bekend als Siri Derkert (1888-1973), die zich op het station Östermalmstorg (Rode Lijn, 1965) in tekst en beeld wijdde aan de thema's 'rechten van vrouwen, vrede en milieubewegingen'. In het midden van de jaren 50 van de vorige eeuw was zij een belangrijke pleitbezorgster voor het niet onbetwiste kunstproject in de metro.

Tweemaal, in Åkeshov (Blauwe Lijn) en in Fittja (Rode Lijn), maant een kleinere versie van het beeld 'Non-violence' tot geweldloosheid: De revolver met de knoop in de loop van Carl Fredrik Reuterswärd (1998) staat onder meer voor het gebouw van de VN in New York.

Langs de Blauwe Lijn

Elk station van de Blauwe Lijn van Kungsträdgården naar Akalla respectievelijk Hjulsta is interessant vormgeven en de moeite waard er even uit te stappen. Op het station **Kungsträdgården** wordt de metroreiziger sinds 1977 ontvangen in een fraai uitgelichte grot met betonnen wanden, die lijken op echte rotswanden. Onder de grond herinneren afgietsels van sculptuurfragmenten aan het legendarische eerste koninklijke paleis Makalös dat op deze plek stond (kunstenaar: Ulrik Samuelsson, 1977). Bloempatronen in blauw verfraaien de ingang van het Blauwe Lijnstation bij **T-Centralen** (kunstenaar: Per Olof Ultvedt, 1975).

Wie uitstapt in **Solna Centrum** denkt aanvankelijk in een bos te zijn: bosarbeiders zagen, fabrieken roken, terwijl bessenverzamelaars gebukt hun werk doen – de in 1975 gemaakte muurschilderingen verbeelden hier, zo'n 30 meter onder de grond, de voortschrijdende vernietiging van het milieu (kunstenaars: Karl-Olov Björk en Anders Åberg).

Pure romantiek begroet de reiziger bij het volgende station, **Näckrosen**. De gewelven van spuitbeton worden gesierd met waterlelies – een toespeling op de naam van het station, 'Waterlelie', naar de lelievijver, die hier ooit was. In scène gezette filmrekwisieten herinneren aan de studios in Solna – in de eerste helft van de 20e eeuw werden ongeveer 400 films gemaakt in deze 'filmstad', onder andere met latere wereldsterren als Greta Garbo (kunstenaar: Lizzie-Arle Olsson, 1975).

Sculpturen als wachtbank

Een recentere creatie is de compositie van verlicht glas in regenboogkleuren in het station **Bagarmossen** van 1994 (kunstenaar: Gert Marcus; Groene Lijn naar het zuidoosten). Het mooie met het praktische verbinden de 17 granieten sculpturen in **Skarpnäck**, die door de reizigers bij voorkeur worden gebruikt als wachtbanken (kunstenaar: Richard Nonas, 1994).

museet.se, beide musea di. 10-20, wo.-zo. 10-18 uur, 100 SEK resp. 60 SEK).

Aan de oever van het eiland ligt een zeilschip voor anker, waarvan de hutten tot de meest gewilde overnachtingsplaatsen in Stockholm behoren. Vernoemd is de 'af Chapman' **8**, die tegenwoordig als jeugdherberg dient, naar de scheepsbouwer Fredrik Hendrik af Chapman (1721-1808), die vanaf 1780 als chef van de werf in Karlskrona betrokken was bij de opbouw van de Zweedse marine.

Östermalm

Rijk en voornaam, maar tamelijk levenloos karakteriseren sommigen dit pas in de 19e eeuw gebouwde deel van de stad. Helemaal ongelijk hebben ze niet, want de pracht van de deftige herenhuizen en de exclusieve winkels toont vrij kil. Winkelen kunt u in de Nybrogatan en de Sibyllegatan met hun mode- en designwinkels die toonaangevend zijn; voor wie trek heeft is de markthal **Östermalmshallen 8** (zie blz. 247) op Östermalmstorg ideaal.

Dramaten **19**

Kunglig dramatiska teatern, kortweg Dramaten, is het belangrijkste Zweedse theater. Hier regisseerde onder meer Ingmar Bergman. Het in 1901-1908 door Fredrik Lilljekvist ontworpen gebouw is een fraai voorbeeld van de jugendstil.

Nybroplan en Strandvägen

Op het plein Nybroplan bevindt zich – net als bij de Strömkajen voor het Grand Hôtel – een steiger voor de pontjes (Nybrokajen). Op het Nybroplan begint een van de mooiste lanen van Stockholm, Strandvägen. Tegen het einde van de 19e eeuw lieten welvarende industriëlen en kooplieden hier hun representatieve huizen met reusachtige woningen

bouwen, die nu meestal in kleinere eenheden zijn opgedeeld of in gebruik zijn genomen als kantoor of hotel.

Historiska Museet **20**

www.historiska.se, mei-sept. dag. 10-17, okt.-apr. di., do.-zo. 11-17, wo. 11-20 uur, 80 SEK

Het belangrijkste historische museum van Zweden toont onder meer een indrukwekkende vikingtentoonstelling en unieke goud- en zilverschatten uit de 4e eeuw. Het staan aan de Narvavägen, die als grootschalig aangelegde boulevard eindigt op het Karlaplan, een naar Parijs' voorbeeld aangelegd plein, van waaruit zich acht straten stervormig aftakken.

Kaknästornet **21** ▶ Kaart 2, K 4

www.kaknastornet.se, ma.-za. 10-21, zo. 10-18 uur, 45 SEK

Ladugårdsgärdet is een enorme groene ruimte, die onder Karl XIV Johan nog oefenterrein voor zijn troepen was en tegenwoordig dient als weide voor de schaapskudde van de koning, terwijl veel Stockholmers er joggen. Boven de onbebouwde grasvlakte verheft zich de 155 m hoge televisietoren Kaknästornet, van waaruit u een een prachtig uitzicht over de stad hebt – de lift brengt bezoekers in een halve minuut tot aan het beglaasde uitkijkplatform.

Djurgården

De naam van dit eiland, dat onderdeel uitmaakt van het Nationalpark Ekoparken, betekent dierentuin; oorspronkelijk was het het koninklijke jachtdomein. Hoe verder u op Djurgården naar het oosten doordringt, hoe wilder, in ieder geval voor stedelijke omstandigheden, de natuur wordt.

Er zijn verschillende manieren om op het eiland Djurgården te komen, onder meer met de tram. Ongeëvenaard is de reis met de pont vanaf Nybroplan, want dan heeft u het beste zicht op de prachtige gevels langs de Strandvägen.

Vasamuseet 22 ▶ Kaart 2, G 5/6

www.vasamuseet.se, juni-aug. dag. 8.30-18, verder do.-di. 10-17, wo. 10-20 uur, 110 SEK

Op Djurgården bevindt zich een absolute parel in het aan hoogtepunten niet bepaald arme museumlandschap van Stockholm: het gebouw van het Vasamuseet is gemodelleerd naar een schip. Het werd in 1990 gebouwd voor het op 10 augustus 1628 op zijn eerste reis nog in de haven van Stockholm gezonken oorlogsschip 'Vasa'. Dit in opdracht van Gustav II Adolf gebouwde oorlogsschip is een symbool van de grootheidswaanzin tijdens de Dertigjarige Oorlog, want het zonk omdat het voor de vele kanonnen te weinig diepgang had en kapseisde door een windvlaag. In 1961 werd het teruggevonden. De berging en restauratie duurde bijna 35 jaar en bleken erg moeilijk, omdat men het schip met zijn talrijke decoraties onder water moest demonteren en conserveren, om te voorkomen dat het hout bij contact met zuurstof volledig uiteen zou vallen.

Junibacken 23 ▶ Kaart 2, G 5

www.junibacken.se, juni, aug. dag. 10-17, juli 10-18, jan.-mei, sept.-dec. di.-zo. 10-17 uur, 125-145 SEK

Een bijzondere attractie voor kleine en grote fans van Pippi en Karlsson & Co: In Junibacken komt u de figuren uit Astrid Lindgrens verhalen tegen, de jonge en oude bezoekers beleven ze terwijl ze in een gondel voorbij zweven. De met poppen in scène gezette verhalen, naar ontwerp van de Zweeds/Nederlandse illustratrice Marit Törnquist, tonen verbazingwekkend levend. In de zomer tuimelt Pippi soms zelf rond in het gebouw. Daarachter bevindt zich het park dat afloopt tot aan het water, met rustige picknickplekken en een bronzen buste van de schrijfster.

Nordiska Museet 24 ▶ Kaart 2, H 5

www.nordiskamuseet.se, juni-aug. dag. 10-17, sept.-mei ma./di., do./vr. 10-16, wo. 10-20, za./zo. 11-17 uur, 90 SEK

Twee musea dankt Djurgården aan het initiatief van de etnograaf Artur Hazelius (1833-1901). Hij wilde verhinderen dat met de opkomst van de industrialisatie de landelijke cultuur verloren ging. Daarom verzamelde hij in heel Noord-Europa voorwerpen uit het dagelijkse leven, van houten borden tot compleet ingerichte kamers, die hij onderbracht in het in 1873 gestichte Nordiska Museet en in het openluchtmuseum Skansen.

Gröna Lund 25 ▶ Kaart 2, H 6

www.gronalund.com, juli/aug. dag. 11-23/24 uur, rest van het jaar afw. tijden, toegangsprijs afhankelijk van periode

Direct tegenover Skansen ligt Gröna Lund, een reusachtig pretpark met achtbanen en alles wat daar zo'n beetje bij hoort. In de zomer zijn er ook concerten. Erg populair zijn de optredens van Sven-Bertil Taube, die zich ▷ blz. 242

'Toegangskaart' voor Stockholm

Stockholmskortet geeft u toegang tot meer dan 70 musea en monumenten, daarnaast kunt u gebruikmaken van het openbaar vervoer (te koop bij het Stockholm Tourist Centre, www.visitstockholm.com). Een andere mogelijkheid biedt **Stockholm à la Carte**, een kortingspakket dat bovendien de overnachting in een van ongeveer 50 hotels omvat (boeken via www.stockholm-zweden.com).

Favoriet

Prins Eugens Waldemarsudde – Zwelgen in de kunst 27

▶ Kaart 2, J 7

De voormalige villa van de schilder-prins Eugen (1865-1947), zoon van koning Oscar II en een van de beste Zweedse schilders van de vorige eeuw, is prachtig gelegen op een klif boven het water. De residentie van de prins toont zijn kunstcollectie, vooral de schilderijen van zijn beroemde schildervrienden – Anders Zorn, Carl Larsson en Edvard Munch zijn de grootste namen – en altijd interessante wisseltentoonstellingen. Ook het mooie park, waar u kunt kijken naar de Finse veerboten, is een bezoek waard. Van hieruit kunt u heerlijke wandelingen langs het water maken (zie blz. 242).

inzet voor het behoud van de traditionele Zweedse liederen.

Openluchtmuseum Skansen 26
▶ kaart 2, J/H 6

www.skansen.se, mrt/apr. okt. dag.
10-16, mei-midzomer 10-20, midzomer-aug. 10-22, sept 10-18, jan./feb.
ma.-vr. 10-15, za./zo. 10-16, huizen,
boerderijen mei-sept. dag. 11-17, verder 11-15/16 uur, 70-140 SEK
Het lievelingsproject van Artur Hazelius (zie blz. 239) was altijd het in 1891
gestichte openluchtmuseum Skansen,
het oudste van de wereld. Hier werden
zo'n 150 oude gebouwen uit heel Zweden opnieuw opgebouwd. Een stadswijk werd gereconstrueerd en in werkplaatsen kunt u ambachtslieden, zoals
glasblazers en meubelmakers, aan het
werk zien. Skansen is ook een populaire locatie voor feesten en muziekvoorstellingen. Hoogtepunt is het midzomerfeest, waarbij ook de koninklijke
familie aanwezig is. En wie op zijn tocht
door Zweden nog geen eland heeft gezien, zal hier zeker geluk hebben, want
tot de dierentuin met inheemse dieren
behoort naast de beer en de wolf ook dit
schuwe dier.

Prins Eugens Waldemarsudde 27

www.waldemarsudde.se, di./wo.,
vr.-zo. 11-17, do. 11-20 uur, 100 SEK,
zie blz. 240

Södermalm

De bezienswaardigheden zijn op het eiland Södermalm niet zo dicht gezaaid
als elders in het centrum van Stockholm, daarentegen heeft de wijk veel
sfeer te bieden. Het nachtleven in de
oude volkswijk is levendiger dan in het
centrum, er zijn onopvallende, gezellige hoek- en buurtkroegen, maar ook

trendy winkels met designerkleding,
alternatieve cafés, galeries en winkels
die er uitzien alsof er in 40 jaar niets is
veranderd.

Slussen

In zekere zin is het verkeersknooppunt
Slussen (de sluis), dat in 1935 werd voltooid, de ingang tot Södermalm. De
tand des tijds knaagt aan het beton van
Slussen en dat het zal worden gesloopt
is een uitgemaakte zaak. Gepland is
een nieuw modern verkeersplein, dat
ook rekening houdt met het stijgende
niveau van Mälaren. De bouw start op
zijn vroegst in het najaar van 2013.

Stockholms stadsmuseum 28

Ryssgården,www.stadsmuseum.
stockholm.se, di., wo., vr.-zo. 11-17, do.
11-20 uur, 70 SEK (combinatiebiljet
met het Medeltidsmuseet)
Het stedelijk museum op slechts een
steenworp afstand van de metro-ingang
Slussen is gewijd aan 1000 jaar stedelijke ontwikkeling; hier beginnen ook
rondleidingen met als thema's ABBA
en de locaties uit de Millenniumtrilogie van Stieg Larsson.

Monteliusvägen 29

De hoogte van Södermalm brengt het
met zich mee, dat u bijna vanaf elk
punt vanaf de zijde die gericht is op de
stad, een adembenemend uitzicht heeft.
Vooral leuk is de met banken uitgeruste
voetgangerstraat Monteliusvägen. Deze
loopt over de Mariaberget langs tuinen
en eeuwenoude bomen naar het einde
van de Skolgränd parallel aan de Bastugatan – met een voortreffelijk uitzicht
op het Stadshuset en de drukte in het
centrum van de stad.

Katarinawijk

Ook vanaf de **Fjällgatan** heeft u een
mooi uitzicht over de stad. In de richting van de **Katarina kyrka** (▶ kaart 2,

F 7), die met haar koepel het silhouet van Södermalm domineert, kunt u door het kleine Cornelisparken en de Mäster Mikaelsgatan wandelen en komt u in steegjes als de Roddargatan of de Fiskargatan kleine houten huizen en met kinderkopjes geplaveide straten tegen – zo zag dit deel van de stad eruit, totdat het vanaf de 18e eeuw als reactie op de talrijke branden verboden werd houten huizen te bouwen. Op het hoogste punt van Södermalm staat ook het theater- en muziekgebouw **Mosebacke** 5 met een groot terras (zie blz. 250). Een paar passen verder komt u uit in de trendy winkelstraat Götgatan, niet ver van het gezellige marktplein Medborgarplatsen.

Fotografiska (▶ kaart 2, G 7)

Stadsgårdshamnen 22, www.fotografiska.eu, dag. 10-21 uur, 110 SEK

In het historische tolhuis langs de noordoever van Södermalm werd in 2010 een tentoonstellingsruimte voor fotografie ingericht, dat het werk van gerenommeerde fotograferen laat zien. Niet vergeten: het indrukwekkende uitzicht op de binnenstad.

SoFo (▶ kaart 2, F-G 8)

De sfeer is ongedwongen en ontspannen, waarop de bewoners van 'Söder', zoals de Stockholmers het eiland liefdevol noemen, trots zijn. Met name in de wijk ten zuiden van Folkungagatan (SoFo) heeft zich een alternatieve culturele scene ontwikkeld. Deze is te vinden rond Nytorget, waar nog enkele eenvoudige houten huizen van de voormalige volksbuurt bewaard gebleven zijn, in de Skånegatan, Bondegatan of Åsögatan kunt u winkelen of wat eten en drinken in een bar.

Geen spoor van het hectische stadsleven: Mariaberget op Södermalm in de avond

Badstranden in de stad

Midden in de stad in schoon water springen en zich na de ontberingen van een stadsbezichtiging met een zwemtochtje verfrissen, dat is in principe overal mogelijk in Stockholm; zwemmen is toegestaan bij de rotsen van Fredhäll tot maximaal 10 meter uit de oever. Badplaatsen bij de stad met *Tunnelbana*-aansluiting zijn bovendien: Hässelby Strandbad, Rålambshovsparken, Smedsuddsbadet in Marieberg, Mälarhöjdsbad bij Bredäng (zie ook Overnachten, camping).

Buiten het centrum

Drottningholm slott

www.kungahuset.se, mei-aug. dag. 10-16.30, sept. 11-15.30, okt.-begin dec., 2e week jan.-april za./zo. 12-15.30 uur, 100 SEK; boot vanaf Stadshuskajen (50 min.) of metro vanaf T-Bromma-plan, daarna bus 301-323 (30-60 min.)
Nicodemus Tessin de Oudere kreeg in 1662 van koningin Hedvig Eleonora de opdracht om op het eiland Lovön in Mälaren een paleis te bouwen. Na de dood van de hofarchitect zette zijn zoon het werk aan Drottningholm slott voort en ontwierp ook het interieur, voor de uitvoering ervan vertrouwde hij op grote namen als Burchard Precht en David Klöcker Ehrenstrahl. In de 18e eeuw werden onder leiding van Carl Hårleman en Jean Eric Rehn de zijvleugels uitgebreid en het interieur gemoderniseerd in de rococostijl. Tegenwoordig bewoont de koninklijke familie het paleis. Omdat het paleis met het omringende park representatief zijn voor de Europese paleisarchitectuur van de 18e eeuw, werd het opgenomen op de Werelderfgoedlijst van de UNESCO.

Het door koning Gustav III gebouwde theater, Slottsteatern, met zijn slimme toneeltechniek bevindt zich nog in de originele staat en er worden 's zomers opera- en balletvoorstellingen georganiseerd. Het aanpalende **Theatermuseum** (www.dtm.se, dag. rondleidingen mei-aug. 11-16.30, sept. 12-15 uur, 90 SEK) toont kostuums uit de 18e eeuw. Nicodemus Tessin de Jongere legde ook een **baroktuin** aan. Versailles diende zowel voor de tuin als voor het gehele complex tot voorbeeld. Een bijzondere attractie is het Chinese paviljoen, **Kina slott** (mei-aug. dag. 11-16.30, sept. 12-15.30 uur, 80 SEK, combinatiebiljet met het paleis 145 SEK), dat in de 18e eeuw werd gebouwd als zomerverblijf voor de koninklijke familie.

Hagapark

Metro tot Odenplan, daarna bus 515 tot Haga norra grindar
Aan de oever van Brunnsviken in Solna wilde Gustav III eigenlijk een imposant kasteel bouwen. De in 1786 begonnen bouw werd na zijn dood in 1792 gestaakt. In Haga ziet u tegenwoordig temidden van de door F. M. Piper aangelegde landschapstuin voor de gustaviaanse periode kenmerkende architectonische gimmicks, zoals de koperen tent die de koninklijke wacht huisvestte en een aantal paviljoens. De interieurs, zoals het door Louis Masreliez ingerichte **Turkse Paviljoen** of in **Gustav III:s Paviljoen** (alleen tijdens rondleiding toegankelijk, juni-aug. di.-zo. 12, 13, 14, 15 uur, 80 SEK) tonen het handschrift van de koning, wiens classissistisch georiënteerde smaak stijlvormend was. In Haga slott woont nu kroonprinses Victoria met haar jonge gezin.

Ulriksdals slott

www.kungahuset.se, T-Bergshamra, daarna bus 503 tot Ulriksdals Wärdshus, 500 m te voet naar het kasteel

Ulriksdals slott ten noorden van Stockholm werd in 1639-1644 in de Deens-Hollandse renaissancestijl gebouwd, door Nicodemus Tessin de Oudere en Jean de la Vallée verbouwd en kreeg zijn huidige uiterlijk onder Fredrik I door G. J. Adelcrantz. In de jaren 20 van de vorige eeuw moderniseerde men het voor de latere koning Gustaf VI Adolf. Het door Carl Malmsten (zie blz. 62) ontworpen interieur, dat de koning naar aanleiding van zijn bruiloft in 1923 ten geschenke kreeg van de burgers van Stockholm, is tijdens een rondleiding te bezichtigen (juni-aug. di.-zo. 12, 13, 14, 15 uur, 70 SEK). In de **Orangerie** (juni-aug. di.-zo. 12-16 uur) uit 1705 worden tegenwoordig beeldhouwwerken van de 18e tot de 20e eeuw uit de collectie van het Nationalmuseum getoond, onder meer werken van de Zweedse beeldhouwers Johan Tobias Sergel en Carl Milles. Bovendien wordt in Ulriksdal de koets bewaard, waarin koningin Kristina in 1650 naar haar kroning reed.

Millesgården

www.millesgarden.se, midden mei-sept. dag. 11-17, okt.-midden mei di.-zo. 12-17 uur, metro tot Ropsten, daana bus 207 tot Millesgården resp. bus 202, 204-206 tot Torsvikstorg, daarna 10 min. te voet, 95 SEK

Op het zonneterras van de atelierwoning van Carl Milles (1875-1955) staan tal van bronzen sculpturen van de beroemde Zweedse beeldhouwer, waarvan u de fonteinen en standbeelden in veel Zweedse steden zult tegenkomen – zoals in Helsingborg het scheepvaartmonument, in Göteborg de Poseidon- of in Stockholm op Hötorget de Orfeusfontein. In de voormalige atelierwoning Millesgården ziet u de door de kunstenaar samengebrachte verzameling antieke en middeleeuwse kunst. Het uitstapje naar Lidingö is ook de moeite waard vanwege het prachtige uitzicht

over de uitgestrekte watervlakte in de laagte.

Globen/SkyView

www.globearenas.se, midden juni-midden aug. ma.-vr. 9-20, za./zo. 10-18, verder ma.-vr. 10-19, za./zo. 10-17 uur, vanaf 130 SEK

De witte koepel van het grootste sferische bouwwerk ter wereld biedt vanuit de SkyViewgondel, waarmee u aan de buitenzijde van de koepel een tochtje maakt, een onvergelijkbaar panoramisch uitzicht over de stad. De Globen zelf is in gebruik als ijshockeyarena en concertzaal.

Overnachten

Voordelige hotelkamers zijn zeldzaam, u dient daarom vroegtijdig te boeken, goede aanbiedingen heeft het turistbyrå, www.visitstockholm.com. Het vooraf boeken is gratis (creditcard vereist).

Rechttoe, rechtaan – **Hotel Birger Jarl** ▮1▮ (▶ Kaart 2, E3): Tulegatan 8, tel. 08 674 18 00, www.birgerjarl.se, 1190-2490 SEK/2-pk, voordelige zomer- en weekendaanbiedingen. Skandinavisch design van topklasse, maar rechttoe,

Als bij vrienden

Bed & Breakfast is voordeliger dan een overnachting in een hotel en u krijgt tegelijk een kijkje in de leefomstandigheden van en contacten met de Stockholmers: Bed & Breakfast Service Stockholm, tel. 08 660 55 65, www.bed breakfast.se; Gästrummet, tel. 08 650 10 06, www.gastrummet.com; ca. 400-500 SEK/1-pk, ca. 600 SEK/2-pk. Gebruikelijk is een aanbetaling (Engels: *deposit*) van max. 25% bij het bemiddelingsbureau, de rest betaalt u bij aankomst aan de gastheer.

rechtaan ingericht, een grootschalighotel met 235 kamers.

Badplaats voor de deur – **Långholmen 2** (▶ Kaart 2, B 7): Långholmsmuren 20, tel. 08 720 85 00, www.langholmen.com, hotel 1490-1890 SEK/2-pk, STF Vandrarhem vanaf 220 SEK/pers. zonder ontbijt en beddengoed. De vroegere gevangenis (kronohäktet) boeit zijn gasten door de prachtige, afgelegen ligging op het groene eiland Långholmen, vooral 's zomers. In het hoteldeel 1- en 2-persoonscellen met ontbijt; eenvoudige variant zonder douche/wc in het STF Vandrarhem.

Comfortabel – **Columbus Hotell 3** (▶ Kaart 2, G 7): Tjärhovsgatan 11, tel. 08 50 31 12 00, www.columbushotell.se, afhankelijk van comfort 1350-2495 SEK/2-pk. 40 hotelkamers in een voormalige brouwerij uit 1780 rondom een leuke, rustige binnenplaats, ook suites, bijv. de 38 m² grote Lorentz-Sifvertsuite met eigen sauna.

Idyllisch – **Zinkensdamm 4** (▶ Kaart 2, D 8): Zinkens väg 20, Södermalm, tel. 08 616 81 00, www.zinkensdamm.com. achter de hoge gevels van de Hornsgatan op Södermalm verbergen zich kleine houten huizen. Binnenin vindt u comfortabele hotelkamers (vanaf ca. 1200 SEK/2-pk) met ontbijt of in het STF Vandrarhem 2- tot 4-bedskamers. Bed vanaf 235 SEK/pers., 2-pk vanaf 530 SEK zonder ontbijt en beddengoed (ledenprijs).

Dobberend – **Mälardrottningen 5**: Riddarholmen, tel. 08 54 51 87 80, www.malardrottningen.se, 1-pk vanaf 750 SEK, 2-pk vanaf 1150 SEK. Het in 1924 in Kiel gebouwde, voormalige luxejacht van Barbara Hutton werd verbouwd tot een 3-sterrenhotel met 60 1- en 2-persoonskajuiten en dobbert tegenwoordig op de golven van Mälaren voor Riddarholmen met uitzicht op het Stadshuset.

Goed bereikbaar – **STF Vandrarhem Fridhemsplan 6** (▶ Kaart 2, C 5):

Sankt Eriksgatan 20 (Fridhemsplan), tel. 08 653 88 00, www.fridhemsplan.se. Meer dan 100 kamers met een centrale ligging met max. vier bedden (geen stapelbedden), kabel-tv, internet; enkele 2-pk met douche/wc (vanaf 725 SEK/2-pk), verder douche/wc op de gang; vanaf 625 SEK/2-pk (ledenprijs zonder ontbijt en beddengoed).

Centraal – **Archipelago Hostel 7**: Stora Nygatan 38, Gamla stan, tel. 08 22 99 40, www.archipelagohostel.se, 695-760 SEK/2-pk zonder ontbijt en beddengoed. Het bij de SVIF-organisatie aangesloten budgethotel met 43 bedden in een oud huis in de met kasseien geplaveide Stora Nygatan biedt flinke meerbedskamers en kleine 2-pk met twee afzonderlijke bedden. Als u langer blijft, zijn de comfortabelere kamers op de tweede verdieping aan te bevelen. Café in de buurt met speciale ontbijtaanbiedingen voor de gasten. Kleine keuken en gratis internet.

Historisch – **STF Vandrarhem 'af Chapman' 8**: tel. 08 463 22 66, www.stfchapman.com. 590 SEK/2-pk, 260 SEK/kooi. Maritieme sfeer heerst op dit opleidingsschip (1888) met in 2008 gerenoveerde meerbedskajuiten.

Met stoombootsteiger – **Bredäng Camping 9** (▶ Kaart 2, zuidelijk B 8), Skärholmen, tel. 08 97 70 71, www.bredangcamping.se, midden apr.-begin okt., standplaats vanaf 250 SEK (incl. douche). Op fraaie locatie 10 km ten zuiden aan Mälaren, met badstrand.

Bij Drottningholm – **Ängby Camping 10** (▶ Kaart 2, westelijk B 5), Bromma, tel. 08 37 04 20, www.angbycamping.se, standplaats vanaf 175 SEK. Ong. 10 km ten westen aan Mälaren.

Eten en drinken

Voordelig eten kunt u in alle markthallen (zie blz. 249):

Tip

Winkelparadijs voor fijnproevers in de Östermalmshallen [8]

De edelste onder de overdekte markthallen in Stockholm is de in het al even chique Östermalm gelegen Östermalms Saluhall, ook wel Östermalmshallen genoemd. Fijnproevers komen ogen te kort als ze het aanbod zien: worst- en kaasspecialiteiten, luxegebak, veel verse vis en schelp- en schaaldieren, zoals ri-

vierkreeften. Wie aan wil schuiven aan een tafeltje om te proeven van het aanbod, moet vroeg in de middag komen, anders staat u lang in de rij. Of u kunt de gerechten laten inpakken voor een picknick op Djurgården (Östermalmstorg, www.ostermalmshallen.se, ma.-do. 10-18, vr. 10-18.30, za. 10-16 uur).

Gourmetklasse – **Mathias Dahlgren** [1]: naast Grand Hôtel, Södra Blasieholmshamnen 6, tel. 08 679 35 84, www.mdghs.com, ma.-vr. 12-14, 18-24, za. 18-24 uur, 100-300 SEK. Waar de veelvuldig bekroonde topkok Mathias Dahlgren de keuken onder zijn hoede heeft, komen fijnproevers aan hun trekken – het accent ligt op regionale ingrediënten; met de seizoenen wisselende menu's, lokale gerechten met verrassingen.

Modern – **1900** [2]: Regeringsgatan 66, tel. 08 20 60 10, www.r1900.se, ma.-vr. 11.30-14, 17-23 (vr. 17-2), za. 18-2 uur,

Lunch 135 SEK. Hoofdgerechten avondmenu 185-425 SEK. De naam '1900' verwart: geen spoor van de flair die bij de eeuwwisseling hoort, want het is een modern vormgegeven restaurant, met open keuken, waaruit de fijnste Skandinavische gerechten komen, vooral wild en vis in klassieke en innovatieve combinaties. Geen wonder, want het restaurant wordt bestierd door de in Zweden als tv-kok bekende Niklas Ekstedt uit Skåne.

De klassieker – **Den Gyldene Freden** [3]: Österlånggatan 51, tel. 08 24 97 60, www.gyldenefreden.se, ma.-vr.

11.30-23, za. 17-23 uur. het vaste adres van de leden van de Svenska Akademien, die de Nobelprijskandidaten selecteren. Gewone stervelingen eten er typisch Zweedse, modern aangepaste gerechten in het elegante rococo-interieur, lunch vanaf 125 SEK, hoofdgerechten ca. 250 SEK.

Lokale kost – **Operakällarens bakficka** 4 : Karl XII:s torg, tel. 08 676 58 00, ma.-vr. 11.30-23, za. 12-22, za. 13-19 uur. De 'achterkamer' van het operarestaurant serveert relatief goedkope gerechten van een goede kwaliteit. Het wordt gedomineerd door klassieke Zweedse gerechten, zoals *isterband* (worst) of *ärtsoppa* (erwtensoep) met veel vlees (165 SEK).

Pasta en pizza – **Ciao Ciao Grande** 5 : Storgatan 11, tel. 08 667 64 20, www. ciaociaogrande.com. ma.-vr. 11-22.30, za. 12-23, zo. 12-22 uur. Italiaanse keuken met weinig hoofdgerechten, grote keuze uit pasta's (ca. 150 SEK) en pizza's (76-137 SEK), goede wijnen.

Gezellig – **Café Vete-Katten** 6 : Kungsgatan 55, ma.-vr. 8-20, za. 9.30-17 uur. Bakkerij met café; vooraan is de broodwinkel, achter zit men gezellig. Ontbijt, kleine gerechten (*paj* en pasta) en *wienerbröd,* taarten en koeken. Lunch ca. 80 SEK.

Ouderwets – **Café Sturekatten** 7 : Riddargatan 4, ma.-vr. 8-20, za. 9-17, zo. 12-17 uur. Koffiedrinken als in grootmoeders tijd: de kleine zalen met kromme wanden zijn over twee verdiepingen verdeeld, met bijpassende ouderwetse sofa's en stoelen.

Kunstzinnige sfeer – **Café Blå Porten** 8 (▶ Kaart 2, H 6): naast Liljevalchs konsthall, Djurgården, ma.-vr. 11-22, za./zo. 11-19 uur Lunch ca. 100-150 SEK. 's Zomers is het terras naast de kunsthal een schaduwrijke oase. 's Middags warme gerechten met een mediterrane invloed, ook thee, koffie en lekkere gebakjes.

Winkelen

Warenhuizen

Traditioneel – **NK** 1 : Hamngatan 18-20, www.nk.se. Het luxewarenhuis Nordiska Kompaniet (NK) verkoopt onder meer internationale mode en design.

Breed aanbod – **Åhlens City** 2 : Klarabergsgatan 50, www.ahlens.com. Warenhuis met filialen in alle wijken.

Mode

In de **Drottninggatan** en de **Hamngatan** en aangrenzende winkelpassages (Gallerian, Sergelgången, enz.) zijn alle grote modeketens vertegenwoordigd. Rondom **Norrmalmstorg/Biblioteksgatan** zijn de designwinkels en de dure boutiques te vinden. Tweedehands en originele mode van jonge ontwerpers vindt u in 'SoFo', dat wil zeggen in de straten ten zuiden van de Folkungagatan (Bondegatan, Åsögatan en Skånegatan).

Design

Klassiek design – **Svenskt Tenn** 3 : Strandvägen 5, www.svenskttenn. se. Al sinds de jaren 30 van de vorige eeuw wijdt deze zaak zich aan de ontwikkeling van een gematigd moderne Zweedse woonstijl; meubels, lampen, textiel en accessoires.

Comfortabele zetels – **Carl Malmsten** 4 : Strandvägen 5, www.malmsten.se. Klassieke Zweedse meubelen, bekend uit de jaren 30 tot 50 van de vorige eeuw, mooi en slank, waaronder de beroemde zetel Jättepaddan ('reuzenschildpad'). Filialen in de Birger Jarlsgatan, Sibyllegatan en Nybrogatan.

Leuke ideeën – **Designtorget**: in het Kulturhuset 11 , Sergels torg, www.de signtorget.se. Slimme ideeën met praktische voordelen voor de kleine portemonnee. Ze variëren van kastjes voor badkamer of keuken tot gereedschappen, sieraden en textiel (filialen: Nybrogatan 16, Östermalm, en Götgatan, Södermalm).

Souvenirs en kunstnijverheid

In Gamla stan vindt u op de kleinst mogelijke oppervlakte het grootste aanbod aan goede (maar ook slechte) souvenirs. Talrijke gerenommeerde galeries met kunstnijverheid liggen op Södermalm aan het begin van de Hornsgatan en langs de Götgatan.

Kunst van klei en glas – **blås & knåda** 5: Hornsgatan 26, www.blasknada.com. Producten van de leden van een kunstcoöperatie, vooral keramiek en glaskunst.

Made in Sweden – **Svensk Hemslöjd** 6 (▶ Kaart 2, E 4): Norrlandsgatan 20, www.svenskhemslojd.com. Fraaie producten van hout, gietijzer, linnen of wol.

Markten en markthallen

Veel – **Hötorget/Hötorgshallen** 7: www.hotorgshallen.se, ma.-za. fruit en groenten, in de hal andere levensmiddelen en snacks; za. vlooienmarkt.

Inkopen en eten – **Östermalmshallen** 8: zie blz. 247

Leuke markthallen – **Söderhallarna** 9 (▶ Kaart 2, F 8): Medborgarplatsen, www.soderhallarna.com. Culinaire specialiteiten, mode- en andere winkels.

Aktief en creatief

Fiets uit de automaat – **City Bikes:** www.citybikes.se. Apr.-okt. Na de aanschaf van een magneetkaart (250 SEK/ seizoen) in het turistbyrå kunt u op verschillende plekken in de stad een fiets pakken.

Fietsverhuur en -tochten – **Bike Sweden** 1 (▶ Kaart 2, H 5): Narvavägen 13-17, www.bikesweden.se, mei-okt. Vanaf 200 SEK/dag.

Fietsverhuur – **Gamla Stans Cykel** 2: Stora Nygatan 20, www.gamlastanscy kel.se. Fietswinkel met fietsverhuur. Fiets met 3 versnellingen 220 SEK/dag.

Kanoverhuur – **Brunnsvikens Kanotcentral** 3 (▶ Kaart 2, noordelijk. D/E 3): Frescati Hagväg 5, tel. 08 15 50 60, www.bkk. se. Ideaal startpunt voor kanotochten.

Breed palet – **Djurgårdsbrons Sjöcafé** 4 (▶ Kaart 2, H 5): Djurgårdsbron, tel. 08 660 57 57. Verhuur van zeilboten, kano's, fietsen en inline skates.

Uitgaan

In de bars rond het Stureplan ontmoet een jong publiek elkaar, op de Götgatan en Folkungagatan (Södermalm) zijn trendy clubs te vinden. Voor sommige clubs geldt een minimum leeftijd van 20 jaar, voor enkele zelfs 23 jaar.

Heel cool – **Absolut Ice Bar** 1: in het Nordic Sea Hotel, Vasaplan, www.nordicseahotel.se, reserveren via tel. 08 50 56 31 24. Een echt coole bar met een ijzig concept. De cocktails in ijsglaasjes drinkt u in een geleende bontjas – die is inbegrepen in de prijs van de drankjes.

Brits design – **Berns** 2: Berzeliiparken, www.berns.se. Zeer populaire cocktailbar, 's zomers met terras in het park.

Evenementen en fesitiveiten in een oogopslag

Bij het turistbyrå ligt de gratis brochure *What's on in Stockholm*, die naast informatie over evenementen, onder meer de openingstijden en entreeprijzen van de musea geeft. Het blad verschijnt maandelijks (zomer) of tweemaandelijks (winter) in het Engels/Zweeds; u kunt het ook downloaden op de website van het Stockholm Tourist Centre. Waardevolle tips over wat er gebeurt, vindt u ook in de weekendbijlagen van de kranten.

Voor jazzfans – **Fasching** 3: Kungsgatan 63, tel. 08 53 48 29 60, www.fasching.se. Jazzclub met rijke geschiedenis; hier treden wereldsterren op.

Voor rockers – **Debaser Slussen** 4: Karl Johans torg 1, www.debaser.nu. Belangrijkste club in Stockholm met filiaal Debaser-Medis op de Medborgarplatsen.

Met uitzicht – **Mosebacke (Södra Teatern)** 5 (▶ Kaart 2, F 7): Mosebacke torg, Södermalm, www.sodrateatern.se. Veel interessante muziek in clubs, met concerten, theater en een prachtig uitzicht vanaf het terras over de stad.

Voor operaliefhebbers – **Kungliga Operan** 6 (Koninklijke Opera): Jakobs torg 2, www.operan.se. Opera-avonden en balletvoorstellingen.

Modern danstheater – **Dansens hus** 7: Norra Bantorget, www.dansenshus.se. Een van de beste theaters voor dans in Europa: moderne dans en danstheater.

Voor concertgangers – **Konserthuset** 12: Hötorget, www.konserthuset. se. De vaste bespeler Kungliga Filharmonikerna biedt hier een afwisselend programma.

Info en evenementen

zie ook blz. 226

Evenementen

Stockholm Marathon (begin juni): www.stockholmmarathon.se.

Stad met zowel overdag als 's avonds sfeer: Stockholm mag u niet missen

Nationaldagen (6 juni): Dag van de open deuren in het Slott, overal wordt gevlagd, een reden om feest te vieren, vooral in de hoofdstad.

Stockholm Jazz Festival (midden juli): onder meer concerten op Skeppsholmen; www.stockholmjazz.com.

Stockholm Pride (eind juli/begin aug.): parade voor homoseksuele, biseksuele en transseksuele personen; www.stockholmpride.org.

Kulturfestivalen (6 dagen, midden aug.): onder meer theater, muziek – het meeste gratis; www.kulturfestivalen.stockholm.se.

Musik på slottet (aug./sept.): concerten in een feestelijk kader; www.royalfestivals.se.

Segelbåtens dag (in sept.): regatta en samenkomst van de mooiste zeilboten.

Vervoer

Vliegtuig: Zeer goede nationale en internationale vliegverbindingen van Stockholm-Arlanda (44 km ten noorden van de stad). Van daar reist u per bus (4-6 x uur, reistijd 50 min.; tickets via www.flygbussarna.se) of trein (Arlanda Express, 4 x uur, reistijd 20 min.) naar het centraal station (Centralen) in het centrum. Het kleine vliegveld Skavsta, dat wordt gebruikt door budgetmaatschappijen, ligt ver van de stad: ca. 100 km zuidelijker in de buurt van Nyköping (zie blz. 223).

Trein en interlokale bus: Treinen en bussen naar alle delen van het land vertrekken van het centraal station (Centralen) en het busstation Cityterminalen (ernaast). Regionale treinen (*pendeltåg*) ontsluiten het gehele gebied rond Mälaren (Mälarbana).

Stadsvervoer: Metro *(tunnelbana),* waarvan de stations te herkennen zijn aan de wit-blauwe borden met een 'T', en bussen – blauwe expressbussen en 'normale' rode bussen – rijden frequent. Daarnaast rijdt een moderne tramlijn (Spårväg City) van Sergels torg in het centrum via de Strandvägen naar Waldemarsudde op Djurgården. Het net is in drie zones opgedeeld, hoe meer zones u doorkruist, hoe hoger de prijs. Kaartjes zijn niet bij de chauffeur te koop, die koopt u in automaten of u koopt een magneetkaart (Accesskort) bij een van de verkooppunten van Storstockholms Lokaltrafik (SL) of bij de kiosken van Pressbyrån. Het meest praktisch is een abonnement (1, 3 of 7 dagen). Wie de Stockholmskortet (zie blz. 239) koopt, kan vrij reizen met bus en trein. Prijzen en rijtijden: www.sl.se.

Boot: Het routenet op het water strekt zich tot ver buiten de stad ▷ blz. 254

Utö – leven op een schereneiland vroeger en nu

Een dagje doorbrengen in de zuidelijke scherenkust van Stockholm in een uniek landschap. Op Utö herinneren talrijke overblijfselen aan de industriële geschiedenis en het leven en werk van de bewoners van de schereneilanden in de voorgaande eeuwen.

Kaart: ▶ H 9

Info: www.utoturistbyra.se.

Aankomst: Boot het hele jaar vanaf Årsta brygga (45 min., stoptrein tot Västerhaninge, daarna bus 846), 's zomers van Strömkajen in Stockholm (za./zo. stoomschip, 3,5-4 uur.). Vanaf Ålö boot naar Nynäshamn (stoptrein naar Stockholm). Rooster: www.waxholmsbolaget.se.

Fietsverhuur: op de steiger.

Gruvmuseum: 's Zomers dag. 13-15 uur.

Meteen bij de steiger Gruvbryggan, waar de lijnboten en stoomschepen aanleggen die van het vasteland naar Utö varen, begint de lange geschiedenis van menselijke activiteiten op het schereneiland, dat al minstens 1000 jaar wordt bewoond. Bij het turistbyrå op de steiger kunt u de benodigde kaarten aanschaffen en wie wil, kan er een fiets huren om het eiland samen met buureiland Ålö grondig te verkennen.

Mijnen en werk voor de eilandbewoners

Hoewel er in de huidige idyllische natuur van Utö nauwelijks nog iets van valt te ontwaren: vanaf de 17e eeuw was de ontginning van ijzererts de belangrijkste bedrijvigheid op het eiland. De ijzerertsmijnen hebben toch veel sporen nagelaten. Zo staat er in het mijndorp **Gruvbyn** langs de Lurgatan nog een rijtje huizen uit de 18e eeuw, waarin zich oorspronkelijk de woningen van de mijnwerkers bevonden.

Klein eiland, grote ontdekking

Een mijnmuseum, het **Gruvmuseum**, documenteert de vroege industriële en culturele geschiedenis. In de mijn op het eiland Utö werd zelfs wetenschappelijke geschiedenis geschreven. In 1817 ontdekte de chemicus Johan August Arfwedson (1792-1841) in een monster van het mineraal petaliet van Utö het chemische element lithium. In 1841 werd hij daarvoor beloond met de gouden medaille van de Academie van Wetenschappen.

De ontginning van ijzererts was al in de 12e eeuw begonnen. De groeven op Utö behoren daarmee tot de oudste van heel Zweden. Buiten voert een bewegwijzerde route over het voormalige mijnterrein langs de nu met water gevulde schachten, waarvan er één een diepte van 215 m bereikt.

Vast punt in het landschap

Tot de sluiting in 1878 waren verschillende groeven in bedrijf en leverden als bijproduct het bouwmateriaal voor de in 1850 in gebruik genomen **Utö kyrka**. Het is de grootste stenen kerk in de scherenkust en bezit bovendien het oudste kerkorgel van Zweden (1745).

Naast het mijnterrein staat de windmolen **Utö Kvarn** (1791) met zijn originele inrichting. Vanaf de heuvel zelf heeft u een prachtig uitzicht over het eiland.

Frisse lucht voor stedelingen

Na het einde van de mijnbouw werd het eiland Utö ontdekt voor het toerisme. In 1889 kocht een ondernemer het eiland en maakte er een vakantieoord van voor de gegoede burgerij. Daarvoor liet hij fraaie houten villa's bouwen. Onder de gasten die zich hier ontspanden, was de actrice Greta Garbo. Utö is door de goede toeristische infrastructuur een populaire bestemming van Stockholmers gebleven. In 1973 kocht de vereniging Skärgårdsstiftelsen een deel van het eiland en zorgde ervoor dat Utö gedurende het hele jaar bewoond bleef. Tegenwoordig wonen er ongeveer 240 mensen, die vooral leven van het toerisme.

Met de fiets naar Ålö

Naast de industrie- en cultuurhistorische aspecten moet het toeristische aspect van de scherenkust niet uit het oog worden verloren. De afwisselende natuur van Utö, waarvan die op het noordelijke deel beschermd is, is zeker de moeite waard, evenals een fietstocht over de brug naar het naburige eiland Ålö met zijn prachtige zandstrand Storsand in het zuidoosten. Onderweg kunt u een stop maken bij het restaurant Båtshaket of er gerookte vis kopen voor een picknick op een rustig plekje langs de kust.

uit: De eilanden in de scherenkust zijn het hele jaar met lijnboten te bereiken; u kunt een voordelige Båtluffarkort (www.waxholmsbolaget.se) aanschaffen.

Dagtochten vanuit Stockholm

Birka ▶ G 8

www.raa.se/birka, mei-sept. ma.-vr. 11-16, za./zo. 11-17, juli/aug. 11-18 uur, boten van en naat de Stadshusbron 310 SEK

In Mälaren, zo'n 30 km ten westen van Stockholm, herleeft op het eiland Björkö het tijdperk van de Vikingen. Birka was tussen 750 en 970 een handelspost van belang, maar behalve enkele grafheuvels is daarvan niet veel meer te zien. Recente archeologische vondsten, onder meer een smidse, leverden belangrijke informatie over het dagelijks leven in de vikingtijd. Demonstraties door ambachtslieden geven daarvan een duidelijk beeld. In de vele graven op het eiland werd handelswaar als Frankisch glas, Chinese zijde, Fries keramiek en Arabische zilveren munten gevonden, die in een museum zijn te bezichtigen. Het eiland is alleen per boot bereikbaar. De rustige boottocht (ongeveer 2 uur) over het Mälaren is een heel bijzondere ervaring.

Tom Tits Experiment
▶ G 8

Storgatan 33, Södertälje, www.tomtit. se, juli-midden aug. dag. 11-18, verder di.-vr. 10-16, za./zo. 11-17 uur, 195 SEK, gezin 595 SEK

In een voormalige fabriek met een binnenplaats en een tuin in Södertälje (38 km ten zuidwesten van Stockholm) wachten 600 spannende experimen-

ten op nieuwsgierige bezoekers. De onderzoeksstations zijn verspreid over de vier verdiepingen van het bakstenen gebouw. Alledaagse verschijnselen worden aanschouwelijk en soms letterlijk aan den lijve voelbaar gemaakt.

Scherenkust van Stockholm

Ook al zijn enkele van de 24.000 eilanden en eilandjes met de auto te bereiken, u zou een boottocht moeten maken langs de scherenkust, die zich tussen Arholma in het noorden en Landsort in het zuiden over 150 km lengte uitstrekt.

Fjäderholmarna
▶ Kaart 2, oostelijk K 7

In zekere zin voor de deur, achter Djurgården, ligt de eilandengroep Fjäderholmarna (25 min. per boot vanaf Nybrokajen), die ook zeer in trek is bij

mensen die 's zomers in de stad gebleven zijn, met restaurant, kunstnijverheidswinkels en een museum, dat informeert over de visserij in de scherenkust.

Saltsjöbaden ▶ H 8

In de zuidelijke scherenkust lokken vooral Utö en Ålö (zie blz. 252). Langs de weg, 19 km ten zuidoosten van het centrum van de stad, ligt Saltsjöbaden dat in 1891 is ontstaan op initiatief van de industrieel K. A. Wallenberg als een exclusieve woon- en badplaats. De plaats straalt ook nu nog veel welstand uit, zoals het Grand Hotel Saltsjöbaden, een met torentjes getooid gebouw dat dateert uit het einde van de 19e eeuw. In Saltsjöbaden kijkt u uw ogen uit vanwege de vele – dure – jachten (stoptrein Saltsjöbanan vanaf Slussen).

Vaxholm ▶ H 8

Vaxholm is in een uur met de boot te bereiken. De vesting zou ooit de ingang van de haven van Stockholm moeten beschermen, maar was al verouderd voordat hij klaar was, want de muren zouden niet bestand zijn geweest tegen de krachtigere kanonnen. Interessanter dan de militaire geschiedenis is voor de meeste mensen een wandeling door de houten stad met haar leuke winkeltjes en gezellige cafés.

Sandhamn ▶ H 8

'Het mooie Sandhamn wordt aan drie zijden door water omspoeld en aan de vierde door de zee'. Ook de schrijver August Strindberg hield van dit eiland, dat rotsachtig en met bossen bedekt aan de uiterste oostrand van de scherenkust ligt (ongeveer 3 uur varen vanaf Nybroplan). Ooit een belangrijk loods- en douanestation is Sandhamn tegenwoordig populair bij zeilers, niet alleen omdat het *Kungliga Svenska Segel Sällskapet* (Koninklijke zeilvereniging) hier een steunpunt heeft.

Aan doelen voor een dagtocht geen gebrek: eiland in de scherenkust van Stockholm

IN EEN OOGOPSLAG

Mälardal en Uppland

Hoogtepunt ✳

Uppsala: De universiteitsstad ten noorden van Stockholm biedt een druk bezichtigingsprogramma voor een hele dag: kathedraal, slot, rariteitenkabinet, Zilverbijbel. Blz. 270

Op ontdekkingsreis

Gotland, eiland in de Oostzee: Midden in de Oostzee ligt het grootste eiland van Zweden, Gotland. De hoofdstad Visby is de enige ommuurde stad van het land en op het eiland staan nog zo'n 100 middeleeuwse kerkjes. Op Fårö vindt u de fraaiste kalkstenen *raukar*. Blz. 268

De natuur in met Carl Linnaeus: De tuin van de natuuronderzoeker, zijn woning in Uppsala en zijn zomerhuis, Linnés Hammarby zijn nog bewaard gebleven. Na een bezichtiging kunt u een excursie maken door het landschap, zoals professor Carl Linnaeus dat 250 jaar geleden samen met zijn studenten ook deed. Blz. 272

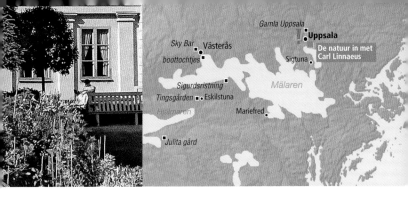

Bezienswaardigheden

Sigurdsristning: De opvallende runensteen in een mooi, oud beukenbos vertelt een spannend verhaal, waarin een draak een rol speelt. Blz. 262

Mariefred: Dit stadje aan Mälaren met Gripsholm slott, galeries, stoomboot, jachthaven en gezellige steegjes is ideaal voor een dagtocht. Blz. 266

Gamla Uppsala: Een bezoek aan de grafheuvels brengt u terug naar het begin van de Zweedse cultuurgeschiedenis. Blz. 275

Aktief en creatief

Boottochten: Naar kastelen en buitenplaatsen langs Mälaren vertrekt u onder meer vanuit Västerås. Blz. 264

Sfeervol genieten

Julita gård: Een tijdreis naar de 18e eeuw maakt u als u enkele nachten verblijft in de zijvleugel van de buitenplaats Julita – wonen in een museum. Blz. 262

Tingsgården in Eskilstuna: Winkelen en feesten in het oude centrum, mooie dingen in de glasblazerij kopen of gewoon genieten van de mediterrane keuken op het terras van het restaurant langs de rivier. Blz. 263

Sigtuna: Oudste stad van Zweden langs Mälaren met het kleinste raadhuis van het land. Blz. 279

Uitgaan

Sky Bar in Västerås: Cocktailbar boven de daken van de stad en hoog boven Mälaren. Blz. 264

Het hart van Zweden – oude steden en koninklijke kastelen langs het meer

Ten noorden van het Vättern doorkruist de E20 het kleinste *landskap* van Zweden, Närke, een bos- en ertsrijke regio die van oudsher een belangrijke rol speelde als transportroute tussen de grote meren van Midden-Zweden. Een belangrijk verkeersknooppunt is de stad Örebro aan het meer Hjälmaren. Dit meer ligt op de grens van Zuid- en Midden-Zweden, op de overgang van de laagvlakte van Götaland naar het Mälardal: Hier gaf de in de millennia na de ijstijd langzaam inzettende maar gestage land-

INFO

Internet

Voor Örebro en het Hjälmarengebied:
www.orebrotown.com
Voor de regio ten zuiden van Mälaren:
www.sormland.se/turism
Voor Uppland (noordoostelijk van Mälaren): www.uppland.nu
Voor Västmanland (ten noorden van Mälaren): www.vastmanland.se

Vervoer

Door het goede openbaar vervoer in het Mälardal zijn excursies vanuit de hoofdstad zonder auto mogelijk; daarbij komen 's zomers nog de bootverbindingen over het meer, zodat interessante tochten over land en water kunnen worden gecombineerd. De minder dicht bevolkte delen van Bergslagen ten noorden van het meer (Västmanland) en rondom Hjälmaren worden minder goed ontsloten door het openbaar vervoer. Info: www.tim.se (Trafik i Mälardalen) en www.vl.se (Länstrafiken Västmanland).

stijging vruchtbare landbouwgronden vrij, waardoor het langs de oevers van het meer Mälaren ook toen al goed leven was.

De regio rondom het Mälaren valt op door het grote aantal bezienswaardigheden, door de soms slaperig, soms bruisende steden, maar ook door de landschappelijke schoonheid. Wie de tijd heeft, kan altijd een omweg maken door naar een van de vele schiereilanden te rijden, die vaak met een kasteel en al in het Mälaren uitsteken. In de dichte rietvelden rond het meer is er soms wat ruimte over – een plek voor een stoombootsteiger, een kleine jachthaven of een zwemsteiger die uitstekende mogelijkheden biedt voor een verfrissende duik.

Ten noorden van Stockholm en het Mälardal tot aan de Dalälven die al de grens met Noord-Zweden markeert, ligt het gewest Uppland met mooie kastelen, fraaie stadjes en zijn hoofdstad, de oude universiteits-, dom- en residentiestad Uppsala.

Uppland kan met recht als de bakermat van het Zweedse Rijk worden omschreven: waar tegenwoordig ten noorden van Uppsala het dorpje Vendel ligt, bestond vóór de vikingtijd al een hoog ontwikkeld en welvarend koninkrijk; de belangrijkste Oudnoordse tempel stond tot aan het begin van de 12e eeuw in Gamla Uppsala. Van hieruit trokken ook de Zweedse Vikingen (varjagen) naar het oosten (Rusland dankt zijn naam aan Roslagen in Uppland). De stad Sigtuna is de oudste nog bestaande stad van in Zweden, de eerste Zweedse aartsbisschop resideerde in Uppsala en ook de hoofdstad Stockholm behoort historisch tot Uppland.

Rondom Hjälmaren

Örebro ▶ E 8/9

Örebro (127.000 inwoners) behoort weliswaar tot de tien grootste steden van Zweden, maar het centrum, waardoor de groen omzoomde rivier Svartån slingert, maakt alles behalve de indruk van een bruisende metropool.

Waar de verkeersvrije straten Drottninggata en Storgata tegenwoordig door de 'grote brug' Storbron met elkaar worden verbonden, bevond zich vroeger al een natuurlijke 'grindbrug' in de Svartån, die Örebro zijn naam gaf (Oudzweeds: *öre* = grind, *bro* = brug) – als een 'stad van de bruggen' ligt Örebro op de belangrijkste route tussen de westkust van Zweden en de Oostzee.

Örebro slott

Tentoonstellingen juli-midden aug. ma.-vr. 10.45-18, za./zo. 10.45-17, verder ma.-vr. 12-18, za./zo. 12-17 uur, toegang gratis

Het slot, dat sinds het begin van de bouw tot 1860 ook als gevangenis werd gebruikt, werd in de 13e eeuw als vesting gebouwd en vanaf 1570 uitgebreid in de stijl van de Vasarenaissance met de vier typische, ronde torens. In de noordoostelijke toren worden episodes uit de geschiedenis van het kasteel en modellen getoond. In het kasteel werd in 1810 Jean-Baptiste Bernadotte, een maarschalk van Napoleon en de latere koning Karl XIV Johan, verkozen tot de Zweedse troonopvolger. Nu worden er diverse evenementen georganiseerd.

Openluchtmuseum Wadköping

Mei-aug. dag. 11-17, sept.-apr. di.-zo. 11-16 uur, toegang gratis

Een rustige wandeling leidt van het kasteel langs de rivier Svartån naar het openluchtmuseum Wadköping, waar-heen in de vroege jaren 60 van de vorige eeuw veel huizen van de oude stad werden verplaatst. De centraal gelegen wijken met hun smalle, kronkelende straatjes en lage houten huizen trokken in de jaren 30 en 40 de begerige blikken van stedenbouwkundigen, die de ruimte nodig hadden voor nieuwe gebouwen. In plaats van de oude huizen te slopen werden ze afgebroken en in het openluchtmuseum weer opgebouwd. Wadköping ontleent zijn naam aan een roman van Hjalmar Bergman, die zijn kinderjaren doorbracht in Örebro.

Watertoren Svampen

Dalbygatan, www.svampen.nu, dag. 10-18 uur, AquaNova Upplevelsecentrum 50 SEK

De buiten het centrum gelegen, 58 m hoge watertoren Svampen ('paddenstoel') werd in 1958 geopend en heeft met zijn opvallende strepenpatroon wereldwijd veel navolging gevonden. Een vergrote versie staat bijvoorbeeld in Riyad in Saoedi-Arabië. Vanuit het **Café-restaurant** op een hoogte van 50 m heeft u een weids uitzicht over de stad. De tentoonstelling in het attractiecentrum **AquaNova** gaat over water.

Speeltuin Barnens Ö

Juni-aug. dag. 10-16, za./zo. vanaf 11 uur

Op het eiland Stora Holmen in de Svartån ligt Barnens Ö ('kindereiland') met een miniatuurspoorbaan, trapauto's, verkeersschool en minidierentuin. Het eiland is met een pontje vanuit het stadspark te bereiken.

Overnachten

In het centrum van Örebro – **STF Vandrarhem Livin:** Järnvägsgatan 22, tel. 019 31 02 40, www.livin.se, bed in 8-bedskamer vanaf 250 SEK, 1-pk vanaf

Ooit de zetel van het Zweedse parlement: het renaissancekasteel Örebro slott

500 SEK, 2-pk vanaf 640 SEK. De jeugd-herberg in de buurt van het station heeft ook comfortabelere, duurdere kamers.

Luxusklasse – **Gustavsvik Camping:** tel. 019 19 69 50, www.gustavsvik.se, mei-okt., standplaats vanaf 210 SEK, vakantiehuisjes met internet, gehele jaar vanaf 870 SEK. De 5-sterrencamping 2 km ten zuiden van het centrum geldt als een van de beste in Europa en ligt naast het zwemparadijs Gustavsvik.

Info

Toeristische informatie

Örebrokompaniet: Medborgarhuset, Olof Palmes torg 3, 701 35 Örebro, tel. 019 21 21 21, www.orebrotown.com.

Vervoer

Trein: via Eskilstuna en Västerås naar Stockholm; naar Borlänge en Hallsberg.

Bus: naar Askersund, Arboga en Eskilstuna.

Arboga ▶ F 8

Het idyllische Arboga ten noorden van Hjälmaren was lange tijd de tweede stad van Zweden. Hier werd Engelbrekt Engelbrektsson in 1435 verkozen tot *hövitsman* (commandant) van de Zweedse legers. Deze vergadering wordt algemeen beschouwd als de eerste *riksdag* (parlement) van Zweden.

Vandaag de dag is een bezoek aan de kleine stad de moeite waard, vooral vanwege de ongewoon goed bewaard gebleven houten gebouwen langs de **Storgatan** en de **Västerlånggatan**, die u tijdens een wandeling of vanuit een van de cafés langs de rivier Arbogaån kunt bekijken: In het prachtige koopmanshuis **Örströmska huset** (www.arboga

museum.se, di.-do. 13-16, za. 13-15 uur) uit 1846 in de Nygatan is tegenwoordig het kleine stadsmuseum ondergebracht. Tussen de tuinen en de oever loopt een smal pad langs de rivier. Dit werd aangelegd om in geval van brand een snelle toegang tot het water te hebben.

Bezienswaardig is ook de **Heliga Trefaldighetskyrka**, die ooit deel uitmaakte van een franciscaner klooster. Er zijn middeleeuwse fresco's met scènes uit het leven van Sint.-Franciscus te zien.

Inzicht in de Zweedse brouwgeschiedenis geeft het bijzondere **Bryggerimuseum** (Nygatan 37, midden juni-midden aug. di.-do., za. 11-14 uur) met brouwbenodigdheden in een graanmagazijn.

Hjälmare kanal

www.hjalmarekanal.se, in de zomer ma.-vr. 10-20, za./zo. 10-22 uur

Arboga verloor onder meer door de opening van het Hjälmare kanal in de 17e eeuw haar betekenis als handels- en overslagplaats voor ijzer uit Bergslagen, de regio ten noorden van de grote meren. De oudste waterweg van Zweden, het 13,7 km lange Hjälmare kanal, werd gebouwd in 1629-1639 en overbrugt nog altijd met negen sluizen het hoogteverschil van 22 m tussen de Arbogaån en Hjälmaren. Het bezoekerscentrum in een voormalig magazijngebouw informeert over de geschiedenis van het kanaal en over de flora en fauna langs zijn oevers.

Info en evenementen

Toeristische informatie

Arboga Turistbyrå: Arboga station (in het station), Box 45, 732 30 Arboga, tel. 0589 871 51, www.arboga.se.

Evenementen

Medeltidsdagarna (2e week van aug.):

Heel Arboga steekt zich in middeleeuwse dracht; roeiwedstrijden op de rivier, markt, concerten en demonstraties van oude ambachten; www.arboga medeltid.se.

Vervoer

Trein: naar Västerås, Eskilstuna en Stockholm, via Frövi naar Örebro.
Bus: naar Örebro, Eskilstuna en Västerås.

Julita gård ▶ F 9

Julita gård, 25 km ten noordwesten van Katrineholm, www.nordiskamuseet.se, mei, 4e week aug.-3e week sept. za./zo. 11-16, juni-3e week aug. dag. 11-17 uur, 90 SEK

Onder de vele Zweedse openluchtmusea neemt Julita een speciale plaats in: het is een volledig bewaard gebleven landgoed met landbouw, bosbouw, visserij, ambachten, boeren- en dagloonershuisjes en een statig landhuis, waarvan het oorspronkelijke interieur van omstreeks 1900 alleen tijdens rondleidingen te bezichtigen is. In de tuinen worden fruitbomen en voor de regio kenmerkende gewassen gekweekt om een genetische database van oude variëteiten op te bouwen.

Vanaf 1180 bevond zich hier een cisterciënzer klooster. Het kleine, bijna vierkante huis aan de oevers van Öljaren diende in de 13e eeuw als woning van de abt. In 1527 onteigende Gustav Vasa het klooster en werden bijna alle gebouwen afgebroken om bouwmateriaal te verkrijgen voor de bouw vanzijn kastelen. In de abtswoning ontmoette de jongste zoon van Gustav Vasa, de latere koning Karl IX, zijn minnares Karin Nilsdotter, en toen zij hem in 1573 een zoon baarde, schonk hij haar het landgoed.

Latere eigenaren verbouwden er tabak en vestigden er onder meer een steenbakkerij, een brandweerkazerne en een smederij. De laatste particuliere eigenaar, luitenant Arthur Bäckström, een cultuurhistorisch zeer betrokken man, kocht huizen in de buurt op, herbouwde ze hier, zette een kerk neer, legde het park aan en verzamelde gebruiksvoorwerpen, die hij opnam in zijn museum, voordat het gehele complex in 1941 als schenking in het bezit kwam van het Nordiska Museet in Stockholm.

Julita is bij uitstek geschikt om met het hele gezin te bezoeken: Behalve in de Lekstuga (speelkamer) kunnen kinderen zich vermaken in de hut van Pettsson en Findus, die eruit ziet alsof ze zijn ontsproten aan de boeken van Sven Nordqvist – geen wonder, want hij werd door de kinderboekenschrijver persoonlijk geautoriseerd.

Overnachten

Naast het museum – **STF Vandrarhem Julita:** tel. 0150 48 75 55, www.nordiskamuseet.se, vanaf 400 SEK/2-pk zonder ontbijt en beddengoed. Een alternatief is een overnachting in de historische sfeer van het landhuis in een van de vleugels die in 18e-eeuwse stijl is ingericht (zonder douche/wc vanaf 800 SEK/2-pk, met douche/wc vanaf 1200 SEK/2-pk – zonder ontbijt, korting na de tweede nacht en incl. toegang tot Julita gård).

Eten en drinken

Ambitieus – **Julita Wärdshus:** tel. 0150 910 50, www.julitawardshus.se, afhankelijk van seizoen wisselende openingstijden, hoofdgerechten 215-275 SEK. Chef-kok Tommy Myllymäki, in 2007 Kok van het Jaar in Zweden, serveert klassieke, verfijnde gerechten met ingrediënten afkomstig van het landgoed zelf.

Rondom Mälaren

Eskilstuna ▶ F 8

Bezienswaardig in de oude handelsstad (91 000 inwoners), die ook terug kan kijken op een lange traditie van ijzerbewerking, is het idyllische centrum rond de Köpmangatan.

Een andere attractie zijn de **Rademachersmedjorna** (Rademachersmederijen; huizen geopend juli-aug. wo.-zo. 11-17 uur, openingstijden van de individuele ambachtslieden via het turistbyrå) van 1658, genoemd naar de Lijflander Reinhold Rademacher, die door privileges van Karl X Gustav naar Zweden was gelokt om messen, scharen, stijgbeugels en sloten te vervaardigen. Het ontwerp voor de smederijen kwam van hofarchitect Jean de la Vallée, die ook het rechthoekige stadsplan van Eskilstuna ontwikkelde.

In de 19e eeuw ontwikkelde Eskilstuna zich tot een belangrijk centrum voor de machinebouw. In de voormalige fabriekshal van de firma Bolinder-Munktell, nu het **Munktellmuseet** (Munktellstorget 6, http://munktell museet.volvo.com, ma.-vr. 10-16, za./zo. 12-16 uur), staan de tractoren en bouwmachines opgesteld, die hier sinds 1913 worden gemaakt.

Eveneens in een voormalige fabriekshal toont het **Kunstmuseum** (www.es kilstuna.se/konstmuseet, di., wo., vr. 11-16, do. 11-20, za./zo. 12-16 uur, toegang gratis) Zweedse kunst uit de 20e eeuw.

Uitstapje naar Sundbyholms slott en de Sigurdsristning

Op een prachtige locatie staat aan de oever van Mälaren 11 km ten noorden van Eskilstuna het in 1648 gebouwde **Sundbyholms slott**. Het huisvest een tegenwoordig een restaurant met bijbehorend romantisch hotel, daarnaast liggen een badstrand en een jachthaven. In de buurt van het slot ziet u in een voor de breedtegraden opmerkelijk beukenbos de **Sigurdsristning**, een interessante getuigenis uit de vikingtijd (met borden aangegeven). De opmerkelijke runensteen is versierd met een slangvormige runenband, waarvan de tekst een overleden persoon gedenkt, en een reeks afbeeldingen. Weergegeven wordt een episode uit de *Völsungasaga*: Sigurds gevecht met de draak.

Info

Toeristische informatie

Eskilstuna Turistbyrå: Rothoffsvillan, Tullgatan 4, 632 20 Eskilstuna, tel. 016 710 70 00, www.eskilstuna.nu.

Vervoer

Trein: naar Stockholm, Örebro, Flen en Västerås/Sala.
Bus: naar Arboga, Örebro, Strängnäs.

Västerås ▶ F 8

Västerås (131.000 inwoners) heette oorspronkelijk Västra Aros – 'Mälarstaden Västerås' noemt de hoofdstad van Västmanland zich tegenwoordig. Met zijn haven aan Mälaren is het een uitstekend startpunt voor boottochten naar de voor de stad in het meer liggende scherenkust met zo'n 400 eilanden.

Västerås is een historische plaats, onder meer vond hier in een dominicaner klooster de Riksdag van 1527 plaats, waarop tot de invoering van de Reformatie werd besloten.

Bezienswaardig is de vanaf 1240 gebouwde **Domkyrka**, waar een koning begraven ligt, zoals te zien is aan de kroon op de kerktoren: Gustav Vasa's zoon Erik XIV, die in 1577 in gevangen-

Tip

Tingsgården in Eskilstuna

Het historisch complex in Gamla Staden, het oude centrum van Eskilstuna, dateert uit de 18e eeuw en bestaat eigenlijk uit boerderijen met veel bijgebouwen. Ooit diende de Tingsgården als rechtbank, daarna trok hier een industrie in en tegenwoordig is het complex een centrum voor glazeniers, waar glas wordt geblazen, gegraveerd, geslepen en beschilderd. In een statig houten huis met mooi terras en uitzicht op de rivier zit een restaurant met Griekse keuken, een paar stappen verder krijgt u in een café huisgemaakte cake (Rådhustorget 2, Gamla staden, www.tingsgarden.com).

schap van zijn broer stierf – het gerucht gaat dat hij werd vergiftigd. Het standbeeld van Carl Milles op het plein stelt Johannes Rudbeckius voor, die in 1623 in Västerås het eerste Zweedse gymnasium stichtte. Daarachter ziet u **Kyrkbacken**, een van de oudste wijken, die bij de brand van 1714 werd gespaard. Met kasseien geplaveide straatjes, omzoomd met liefdevol onderhouden huizen uit de 17e en 18e eeuw rijgen zich op de hellingen van de lage heuvel aaneen. Ook langs de rivier Svartån staan schilderachtige houten huizen.

In een voormalige fabriek uit het begin van de 20e eeuw is het **Konstmuseum** gevestigd (Karlsgatan 2, www.vasteraskonstmuseum.se, di., wo., vr. 10-17, do. 10-20, za./zo. 12-16 uur, toegang gratis).

Overnachten

Met badstrand – **Lövuddens Konferens och Fritidscenter:** tel. 021 18 52 30, www.

lovudden.se, 900-1100 SEK/2-pk. 4 km buiten Västerås, 3-sterrenhotel met 32 kamers, deels met uitzicht op Mälaren (steiger, bootje naar de stad). Bijgebouwen met 2- tot 6-bedskamers, zonder ontbijt/beddengoed 200 SEK/pers.).
Vlakbij – **Västerås Mälarcamping:** Johannisbergsvägen, tel. 021 14 02 79, www.nordiccamping.se, standplaats vanaf 190-260 SEK, trekkershutten 400-900 SEK/dag. Ten zuiden van het centrum aan Mälaren, kanoverhuur.

Winkelen, eten

Mühlendorf – **Nykvarns Hantverksby:** 22 km oostelijk, www.nykvarnshantverks by.com. Smederij, houtbewerking, weverij. Uitstekend restaurant.

Aktief en creatief

Mooie doelen – **Boottochten:** www.re derimalarstaden.se. Naar de kastelen Tidö en Engsö, naar Birka en naar Mariefred, mei-sept. Pont naar de eilanden Östra Holmen en Elba in Mälaren.
Kanoverhuur – **Björnö Stug- & Aktivitetscenter:** Björnö (eiland in Mälaren), tel. 021 261 00, www.bjornoab.se. Verhuur van allerlei kano's en toebehoren; Canadees of 1-persoonskajak 300 SEK/dag. Ook hutten vanaf 380 SEK/dag.

Uitgaan

In de hoogte – **Sky Bar:** Hotel Aros, Kopparbergsvägen 16, tel. 021 10 10 99. Vanaf de 24e verdieping van het hotel heeft u onder het genot van een cocktail uitzicht over stad en meer.
Concerten – **Västerås Konserthuset:** Kopparbergsvägen 1, tel. 021 40 36 00, www.vmu.nu. Gerenommeerd, modern concertgebouw met twee zalen.

Info en evenementen

Toeristische informatie
Västerås Turistbyrå: Kopparbergsvägen 3, 722 13 Västerås, tel. 021 39 01 00, www.vasterasmalarstaden.se.

Evenementen
Power Big Meet (3 dagen begin juli): Amerikaanse sleeën – tot wel 10.000 oldtimers; www.bigmeet.com.

Vervoer
Trein: naar Stockholm, Örebro, Eskilstuna, Norrköping.
Bus: via Enköping naar Uppsala en Stockholm, via Köping naar Arboga,
Boot: zie Actief en creatief

Omgeving van Västerås

Skultuna Messingsbruk ▶ F 8
Bruksgatan 8, Skultuna, www.skultuna.se, dag. 10-18 uur, rondleidingen midden juni-midden aug. 11, 14 uur
Sinds 1607 wordt 13 km ten noorden van Västerås in Skultuna messing geproduceerd en verwerkt; hier ontstond ook de kroonluchter in de kathedraal van Västerås. Tot het fabriekscomplex behoren, behalve een museum, ook een café en een fabriekswinkel, de Skultuna Fabriksbutiker, waar naast Skultunaproducten andere designproducten worden verkocht: onder meer textiel en keukengerei.

Anundshög ▶ F 8
Anundshög (5 km ten oosten van Västerås bij Badelunda) is een van de grootste prehistorische bezienswaardigheden van Zweden. Rondom een reusachtige grafheuvel, die vermoedelijk uit de 6e eeuw stamt, liggen twee kleinere grafvelden, twee grote *skeppssättningar* (staande stenen in de vorm

van schepen) en een bijzondere runensteen uit het midden van de 11e eeuw.

Engsö slott ▶ G 8

www.engso.se, mei-3e week sept za./zo., feestd., juli-3e week aug. di.-vr. 12-17 uur, 60 SEK

Rond 1740 werd op het schiereiland Ängsö, ongeveer 25 km ten zuidoosten van Västerås, dit door Carl Hårleman ontworpen rococopaleis met een vierkante omtrek gebouwd. Allerlei spookverhalen doen over Engsö de ronde – tijdens een rondleiding hoort u daar meer over. Een 18e-eeuws park met mooie oude bomen omgeeft het kasteel.

Tidö slott ▶ F 8

www.tidoslott.se, apr.-eind aug. di.-zo. 11-17 uur, speelgoedmuseum 90 SEK, rondleiding mei-sept. za./zo. 14 uur, 90 SEK

De wijzers van de klok boven de hoofdingang staan stil sinds 1632 – naar men zegt sinds het moment dat koning Gustav II Adolf in de Slag bij Lützen sneuvelde. Axel Oxenstierna, de machtige rijkskanselier, liet het kasteel 5 km ten zuiden van Västerås aan Mälaren vanaf 1625 bouwen, voor een deel naar ontwerp van Nicodemus Tessin de Oudere. Het schitterende interieur met kostbaar inlegwerk is grotendeels in oorspronkelijke staat bewaard gebleven (alleen tijdens rondleidingen te zien). Bovendien herbergt het kasteel een groot speelgoedmuseum met ongeveer 30.000 voorwerpen, waaronder speelgoed van de huidige koning.

Strömsholms slott ▶ F 8

www.kungahuset.se, midden-eind mei za./zo., feestd. 12-16, juni, aug. tgl. 12-16, juli 12-17 uur, 80 SEK

Gustav Vasa stichtte rond 1560 op Strömsholms slott een stoeterij en legde daarmee de basis voor een traditie die tot op de dag van vandaag voortduurt.

Nog steeds raadselachtig: de skeppssättningar bij de grafheuvel Anundshög

Jaarlijks vindt hier met Pinksteren de Swedish Grand National plaats. De koning liet het kasteel aan de monding van het Strömsholms kanal in Mälaren als vesting bouwen. Zijn weduwe, Katarina Stenbock, leefde hier tot haar dood in 1621. Rond 1670 liet Karel X Gustav de vesting door Nicodemus Tessin de Oudere in barokstijl voor zijn echtgenote Hedvig Eleonora verbouwen. Het slot, waarvan het interieur voornamelijk uit de tijd van Gustav III stamt, huisvest een grote verzameling schilderijen van David Klöcker Ehrenstrahl, onder meer talrijke paardenportetten.

Overnachten

Bij het slot – **Västerås Camping Ängsö**: tel. 0171 44 10 43, www.vasterascamping.se, standplaats 200-240 SEK, hutten 400 SEK/dag. Zo'n 10 km van Engsö slott aan het meer gelegen, golfbaan en jachthaven in de buurt, badstranden, kanoverhuur.

Strängnäs ▶ G 8

De stad, waar Gustav Vasa in 1523 tot koning werd gekozen, was al in de 12e eeuw een belangrijk geestelijk centrum. Op de heuvel met de kathedraal, die zijn huidige uiterlijk in grote trekken tegen het einde van de 15e eeuw kreeg, strekt zich de pittoreske oude binnenstad uit. De voor zo'n kleine stad (31 000 inwoners) wat overgedimensioneerd tonende kathedraal herbergt naast een opmerkelijk interieur de stoffelijke resten van koning Karel IX.

In de directe omgeving ligt de naar bisschop Kort Rogge vernoemde, voormalige, rond 1480 gebouwde residentie Roggeborgen; het was van 1626 tot de jaren 30 van de vorige eeuw een gymnasium. Op een andere heuvel aan de

oever van Mälaren staat het tweede gebouw dat het silhouet van Strängnäs kenmerkt: een indrukwekkende windmolen, vanwaar u kunt genieten van een prachtig uitzicht.

Info

Toeristische informatie

Strängnäs Turistbyrå: Västerviken, Storgatan 38, 645 80 Strängnäs, tel. 0152 296 94, www.strangnas.se/turism; geopend midden mei-midden sept.

Vervoer

Trein/bus: naar Stockholm via Södertälje en Eskilstuna/Örebro.

Mariefred ▶ G 8

Het mooie stadje met de idyllische houten huizen is een excursiebestemming voor Stockholmers, sinds de eerste stoomboot in 1903 over Mälaren zijn weg vond naar de steiger. Een wandeling langs het water en over de houten brug naar het kasteel is als een droom op een mooie zomerse dag. Of u wandelt door de steegjes en drinkt een kop koffie in een café, voordat de fluit van de stoomboot de terugreis aankondigt.

Gripsholm slott

www.kungahuset.se, midden mei-midden sept. dag. 10-16, verder za./zo. 12-15 uur, 100 SEK.

De oudste delen van Gripsholm slott op een eiland in Mälaren werden in 1380 gebouwd door Bo Jonsson Grip. Eind van de 15e eeuw werd het geschonken aan het kartuizerklooster Pax Mariae. Gustav Vasa liet het klooster in de 16e eeuw in typische Vasastijl verbouwen. Sinds 1822 huisvest het de grote collectie portretschilderijen van de Zweedse staat. Het in 1782 op initiatief van ko-

Een parel langs Mälaren: Gripsholm slott in Mariefred

ning Gustav III (zie blz. 54) gebouwde slottheater beschikt over een slimme toneeltechniek en is nog steeds bespeelbaar.

Grafikens Hus

www.grafikenshus.se, mei-sept. dag. 11-17, verder do.-zo. 12-16 uur, tentoonstellingen 85 SEK

De galerie in een rood houten huis schuin tegenover Gripsholm slott toont wisselende exposities van hedendaagse grafische kunst. U kunt een kijkje nemen in het atelier en originele afdrukken zijn tegen betaalbare prijzen te verkrijgen.

Overnachten en eten

Topgastronomie – **Gripsholms Värdshus:** Kyrkogatan 1, tel. 0159 347 50, www. gripsholms-vardshus.se. Een klassiek hotel (1145 SEK/pers. in 2-pk) en restaurant, trainingskeuken voor het nationale Zweedse koksteam. Topkeuken, hoofdgerechten ca. 200-250 SEK.

Uitzicht op slot en stad – **Mariefreds Camping:** tel. 0159 135 30, www.camping.se/D01, mei-midden sept., standplaats 170 SEK, hutten vanaf 750 SEK.

2 km ten oosten van de stad, badstrand en steiger, fraaie ligging aan het meer.

Eten en drinken

In het groen – **Gripsholms slottspaviljong:** Lottenlund, tel. 0159 100 23, www. slottspaviljongen.se, mei-sept., lunch ca. 100 SEK. Restaurant in een fraai houten paviljoen met uitzicht op het meer, zelfbediening.

Info

Toeristische informatie

Mariefreds Turistbyrå: Rådhuset, 647 30 Mariefred, tel. 0159 296 99, www. strangnas.se/turism; geopend midden mei-midden sept.

Vervoer

Bus: naar Läggesta ('s zomers ook met de museumspoorlijn), vandaar met de **trein** naar Stockholm en Eskilstuna/ Örebro. Busverbindingen met Strängnäs en Eskilstuna. 's Zomers vaart het historische stoomschip 'Mariefred' op en neer naar Stockholm, info: www.oslj. net. ▷ blz. 270

Een parel in de Oostzee – het eiland Gotland met Visby en Fårö

Het eiland Gotland vormt een eigen provincie. Dit grote kalksteenplateau, circa 100 km van de Zweedse zuid-oostkust verwijderd, rijst steil uit zee op. Met 125 km lengte en 55 km breedte is Gotland (57.000 inw.) het grootste eiland van Zweden. Een bijzonder verschijnsel aan de kust zijn de *raukar*, grillige rotspilaren, die gevormd zijn door erosie in een tijd dat het zeeniveau veel hoger lag. Op de heidevelden bij Lojsta leven de half-wilde gotlandpony's, die *russ* worden genoemd.

Kaart: ▶ H/J 10-12

Info: Turistbyrån på Gotland, Skeppsbron 4-6, S-621 57 Visby, tel. 0498-20 17 00, fax 0498-20 17 17, www.gotland.info.

Boot: Nynäshamn-Visby en Oskarshamn-Visby. De veerboten naar Gotland hebben een vaartijd van ca. 3 uur. Reserveren van harte aanbevolen: 0771-223300, www.destinationgotland.se. **Vliegtuig:** Visby (Gotland) is per vliegtuig bereikbaar vanuit Stockholm en verschillende andere Zweedse en Noord-Europese steden. Info: www.swedavia.se/visby.

Reeds in de steentijd was het eiland bewoond. Er zijn talrijke graven teruggevonden. Van de bronstijd is niet veel bekend, maar uit vondsten uit de ijzertijd (goud, munten en wapens) blijkt dat de bevolking toen reeds bij de handel was betrokken. Merkwaardig zijn de bewerkte stenen uit de vroege vikingperiode, de *bildsten*. Deze stenen geven als een stripverhaal een beeld van het leven en de cultuur uit die tijden. Ze werden geplaatst bij graven of langs wegen en hebben soms ook een runeninscriptie. De mooiste staan in **Gotlands Fornsal** in Visby, in het museum van Bunge en in het Historiska Museum in Stockholm.

Van de vele handelsplaatsen langs de kust ontwikkelde **Visby** zich in de 11e tot de 14e eeuw tot de belangrijkste. Gotland werd een vitale schakel tussen oost en west, vooral toen Visby als lid van de Hanze het centrum werd van het Baltische handelsgebied. In die tijd werden de 3600 m lange stadsmuur van Visby (een van de best bewaarde van Europa) en de vele kerken gebouwd. Gotland bezit bijna honderd kerken van vóór het jaar 1350. De kerken van Visby zijn op één na – de **Domkyrkan Sankta Maria** – verwoest en vervallen tot ruïnes. De stad heeft namelijk méér dan de rest van het eiland te lijden gehad van plundering en bezetting door de Denen (1361, onder Valdemar Atterdag) en de Duitsers (1525, bezetting door Lübeck).

Visby

De hoofdstad van Gotland was eertijds een machtige en welvarende stad. De stadsmuur dateert van de 13e eeuw en laat zien hoe groot de stad in de middeleeuwen was. Visby telde toen – net als nu – 20.000 inwoners, wat voor die tijd zeer veel was. Visby sloot zich bij het Hanzeverbond aan, maar door de concurrentie van Lübeck en andere Noord-Duitse steden ging de handel echter spoedig achteruit.

De vele kerkruïnes (Visby had destijds 17 kerken) zijn het gevolg van de achteruitgang van het inwonertal, waardoor de ze in onbruik raakten en vervielen. Pas in de 20e eeuw is Visby uit zijn 'Doornroosjeslaap' gewekt, toen de toeristen het stadje ontdekten. Nu is het een belangrijk toeristisch centrum geworden. Het aanzien van de stad zoals ze destijds door de eerste toeristen werd aangetroffen – met de ruïnes, overwoekerd door een weelderige plantengroei – is bewaard gebleven. De naam 'rozenstad' dankt Visby aan de vele verwilderde rozenstruiken, die overal tussen de ruïnes zijn opgeschoten. De stad binnen de muren staat in haar geheel op de Werelderfgoedlijst van de UNESCO, hetgeen in de eerste week van oktober met de *Wisbydag* gevierd wordt.

Omgeving van Visby

Als u de **Norderport** uitgaat, komt u even buiten de stadsmuur bij de ruïne van de **Sankt Göran**, waarin kerkdiensten gehouden werden voor lepralijders. Deze ruïne ligt aan de voet van de Galgberg, die een van de mooiste uitzichten biedt op Visby met zijn rode daken en de kust. Zuidelijk van Visby ligt aan de kust **Kneippbyn**, een vakantiecentrum met onder meer een automuseum, camping, restaurant, speelterrein, ponypark en de filmversie van Villa Vilekulla van Pippi Langkous. Iets zuidelijker ziet u de **Högklint**, een hoge, massieve kaap, waar u kunt genieten van een fraai uitzicht. Aan de voet van de Högklint bevindt zich de **Getsvältangrot**.

Fårö

Het eiland, gescheiden van het hoofdeiland door een nauwe zee-engte, kent fraaie *raukar* aan de westkust, de stenige stranden zijn rijk aan fossielen. Het landschap van dit eiland behoort tot de fraaiste van Zweden. Ingmar Bergman woonde tot zijn dood op het eiland.

Uppsala

Bezienswaardigheden
1. Uppsala domkyrka
2. Gustavianum
3. Universitetsbibliotek
4. Uppsala slott
5. Upplandsmuseet
6. Bror Hjorths hus
7. Gamla Uppsala
8. Linnémuseet
9. Linnéträdgården

Overnachten
1. Grand Hotell Hörnan
2. Sunnersta Herrgård
3. Fyrishov Stugby & Camping

Eten en drinken
1. Hambergs Fisk
2. Domtrappkällaren
3. Saluhallen

Winkelen
1. Öster om ån
2. Uppsala handkraft
3. Ulva Kvarn

Aktief en creatief
1. Vertrek stoomtrein
2. Startpunt boottochten
3. Ski Total Cykel

Uitgaan
1. Katalin
2. Flustret

Uppsala ✳ ▶ G 7

Uppsala heeft die speciale sfeer van geest en levenlust, onbekommerdheid en doelloosheid, die eigen is aan universiteitssteden. De in 1477 opgerichte universiteit is de oudste academische instelling in Scandinavië.

De rivier Fyrisån verdeelt Uppsala historisch in twee helften. Aan de oostelijke zijde, waar in de 11e eeuw een handelspost ontstond, vindt u ook nu nog een aantal goed gevulde winkels en aan de andere zijde van het station aan Vaksala torg het moderne concert- en congresgebouw. Het architectonisch interessantere centrum met de grootste kathedraal van Noord-Europa, de universiteit en het kasteel, ligt aan de westelijke zijde van de rivier.

Binnenstad

Uppsala domkyrka 1

www.uppsaladomkyrka.se, mei-sept. dag. 8-18, verder zo.-vr. 8-18, za. 10-18 uur

De machtige domkerk werd na een bouwtijd van meer dan 175 jaar in 1435 ingewijd. Zijn huidige uiterlijk dankt hij aan verschillende omvangrijke renoveringen, onder meer door Helgo Zettervall in de periode 1885-1893 en door Ragnar Östberg, de architect van het Stadshuset in Stockholm, in de jaren 30 van de vorige eeuw. Het interieur is heel harmonisch – de kerk is 118,7 meter lang en net zo hoog. Een rondleiding door de zijkapellen van de kathedraal, die vroeger ook kroningskerk was, voert langs de graven van een aantal belangrijke figuren uit de Zweedse geschiedenis: Gustav Vasa, twee van zijn vrouwen en Johan III zijn begraven in de kathedraal. In zijkapellen bevinden zich de graven van de botanicus Carl Linnaeus en de naturalist en theosoof Emanuel Swedenborg. De **schatkamer** (mei-sept. ma.-za. 10-17, zo. 12.30-17 okt.-apr. ma.-za. 10-16, zo. 12.30-16 uur, 40 SEK) toont het gouden gewaad van koningin Margareta en gewaden van de middeleeuwse bisschoppen.

Gustavianum 2

www.gustavianum.uu.se, juni-aug. di.-zo. 10-16, sonst 11-16 uur, 50 SEK

Het gebouw tegenover de kathedraal, het Gustavianum, voorheen zetel van de aartsbisschop, kwam rond 1620 dank zij Gustav II Adolf in het bezit van de uni-

versiteit. Hier vindt u het curiositeiten-
kabinet *Augsburgska konstskåpet*, dat de
Zweedse koning in 1632 na de inname
van de stad Augsburg in bezit kreeg. Op
de bovenste verdieping ligt onder de
ronde koepel het door de plantkunde-
en anatomieprofessor Olof Rudbeck
ontworpen anatomische theater, waar
hij in de late 17e eeuw lijken ontleedde
voor anatomiestudenten.

Universitetsbibliotek

www.ub.uu.se, juni-midden aug. ma.-
vr. 9-17, za. 10-17, zo. 11-16, verder ma.-
vr. 9-20, za. 10-17 uur

Tot de grootste schatten van de univer-
siteitsbibliotheek Carolina Rediviva, die
een exemplaar bezit van elk in Zweden
gedrukt boek, is de Zilverbijbel (*Codex
argenteus*) uit de 6e eeuw, een afschrift
van de bijbelvertaling van de Gotische
bisschop Wulfilas, dat werd geschreven
met zilverhoudende inkt. Tot de waardevolle stukken behoort ook een we-
reldkaart van Olaus Magnus uit 1539.

Uppsala slott

Gustav Vasa legde in 1549 de eerste steen
voor het slot, vanwege de betere verde-
digingsmogelijkheden op ▷ blz. 275

De natuur in met Carl Linnaeus

De botanicus Carl Linnaeus bracht orde in de natuur: hij ontwikkelde het systeem van wetenschappelijke namen voor de planten en dieren dat nu nog steeds wordt gebruikt. Hij heeft vooral in de universiteitsstad Uppsala talrijke sporen nagelaten.

Info: Linnémuseet, www.linnaeus. uu.se, huis mei-sept. di.-zo. 11-17, tuin mei-sept. dag. 11-20 uur; 60 SEK, Linnés Sävja, www.hembygd.se/uppland/ danmark, mei-sept. za./zo. 11/12-17 uur; Linnés Hammarby, www.ham marby.uu.se, mei-sept. di.-zo. 11-17 uur, 60 SEK.

Wandeling: Parkeren bij de haven, Lilla Djurgården, Sävja kyrka, Danmarks kyrka, Linnés Hammarby. Per bus terug naar het centrum vanaf Sävja kyrka en Kuggebro. Let op: Biljetten zijn niet tegen contante betaling te koop bij de chauffeur, wel met creditcard. Naar Danmarks kyrka bus 102 (Uppsala Centralen-Knivsta).

Carl Linnaeus, in 1707 in Råshult in Småland geboren (zie blz. 158), kwam in 1728 bijna berooid aan in Uppsala om geneeskunde te studeren, maar dankzij zijn ambitie en het vermogen om begunstigers te vinden, maakte hij snel carrière. Hij werkte als huisleraar voor Olof Rudbeck, die hij als professor in de plantkunde en anatomie wilde opvolgen. Linnaeus promoveerde in 1735 in Harderwijk, hij reisde veel, onder andere naar Parijs en Oxford. In 1741 was hij professor in de geneeskunde in Uppsala, waar hij tot aan zijn dood in 1778 in de Svartbäcksgatan woonde, in de buurt van de toenmalige botanische tuinen. Tegenwoordig zijn in zijn als Linnémuseet **8** ingerichte woonhuis persoonlijke voorwerpen verzameld, zijn bureau en talrijke vitrines met in de natuur verzamelde stukken, maar ook souvenirs van zijn reizen zoals de trommel van een sjamaan, die hij meebracht van zijn reis naar Lapland. Daarheen reisde hij in opdracht van de regering al in 1732. Latere reizen door verschillende Zweedse provincies hadden tot doel inheemse alternatieven te vinden voor dure, geïmporteerde geneeskundige kruiden – Linnaeus was tenslotte arts.

Simpel en toch revolutionair

De tuin met de oranjerie, **Linnéträdgården 9**, werd oorspronkelijk in 1655 aangelegd door Linnaeus' leraar Olof Rudbeck de Oudere. Vanaf 1741 werd hij onder leiding van Carl Linnaeus uitgebreid tot de eerste botanische tuin van de universiteit, destijds een zeldzaamheid in Europa. De bordjes bij de planten tonen de door Linnaeus gegeven tweeledige namen, die iedere soort onverwisselbaar en eenduidig kenmerken: De eerste staat voor het geslacht, de tweede beschrijft de soort met een aanduiding van een eigenschap: *Viola tricolor* is 'het driekleurige viooltje'.

Linnaeus publiceerde in 1735 in *Systema Naturae* voor het eerst zijn nu nog gebruikte binaire nomenclatuur, die een einde maakte aan de regionale en tamelijk willekeurige wirwar aan namen. Het in 1753 verschenen werk *Species plantarum* bevatte meer dan 8000 plantennamen. Een soortgelijke indeling maakte Linnaeus ook voor dieren en mineralen.

In het spoor van Linnaeus

In de haven van Uppsala begint een met blauwe bordjes bewegwijzerde wandelroute, waarmee u de 15 km lange tocht **Danmarksvandringen** of *Herbatio Danensis*, zoals hij in de tijd van Linnaeus in het Latijn heette, kunt volbrengen. Langs ongeveer deze route verliepen de excursies in de natuur, die professor Linnaeus 's zomers met zijn studenten ondernam.

De route komt langs twee natuurreservaten: in de uiterwaarden van de Fyrisån ligt het drasland **Kungsängen**, dat in mei bezaaid is bloeiende kievitsbloemen (*kungsängsliljorna*). De Latijnse naam van dit bolgewas met de schaakbordachtig gevlekte bloem, *Fritillaria meleagris*, komt natuurlijk ook van Linnaeus, zoals de 'L' achter de naam in de determinatiegids aantoont, en betekent 'gevlekte kubusbloem'.

Verder gaat het naar een vogelkijkhut bij de beek Sävjaån en in oostelijke richting naar **Lilla Djurgården**. Ten zuiden daarvan bereikt u het bos **Nåntuna lund**, waarvan de bodem in de lente bedekt is met bloemen.

In Sävja kunt u een kijkje nemen in het huis naast de kerk, dat door Linnaeus was gekocht, **Linnés Sävja**. Er zijn een tentoonstelling over medicinale planten en een kruidentuin. Hier kunt u de wandeling na 7 km beëindigen om met de bus terug te keren naar het centrum van Uppsala. Regionale bussen rijden van daar naar het dorp

Danmark, waarvan de rode bakstenen kerk aan de overkant van de snelweg E4 van verre zichtbaar is: **Danmarks kyrka**. Vanaf de kerk is het nog ongeveer 3 km lopen – over de weg die Carl Linnaeus en zijn gezin elke zondag naar de kerk namen.

De zorgen van een verzamelaar

In 1758 kocht Linnaeus een boerderij in de buurt van het dorp Danmark, tegenwoordig **Linnés Hammarby** genoemd. Het diende als zijn buitenverblijf, maar hier nam hij ook zijn studenten en collega-onderzoekers mee naartoe voor lezingen en botanische excursies. In 1769 liet Linnaeus een stenen gebouw op het heuveltje boven het houten huis bouwen om zijn collectie van 19.000 herbariumbladen, insecten en stenen onder te brengen. Het huis had geen open haard, omdat Linnaeus was bang dat zijn collectie hetzelfde lot zou treffen als die van Olof Rudbeck, die in 1702 tijdens de grote brand van Uppsala aan de vlammen ten prooi was gevallen.

Linnés Hammarby is tegenwoordig te bezoeken – de slaapkamer van de professor ziet er nog precies zo uit als toen hij hem gebruikte: de muren zijn behangen met drukvellen van zijn plantenboeken. Een wandelpad loopt door het park en de omliggende weilanden en graslanden, die met schapen en paarden nog steeds volgens de traditionele methoden onderhouden worden.

Werkkamer in Linnaeus' woonhuis in Uppsala, nu het Linnémuseet

een heuvel boven de stad. Hier werd Gustav II Adolf gekroond en hier deed op 6 juni 1654 zijn dochter Kristina afstand van de troon. Ze had zich bekeerd tot het katholicisme en moest daarom het land verlaten. In de grote brand van 1702 werd het interieur van het kasteel grotendeels verwoest; nu is het de zetel van de provinciale overheid.

Op het **terras** voor het Vasaslot staat de Gunillaklockan, een klok, die dagelijks om 6 en 18 uur wordt geluid. Vanaf hier hebt u een weids uitzicht over de stad. In een vleugel van het slot is het **Kunstmuseum** (www.uppsala.se/konstmuseum, di.-vr. 12-16, za./zo. 11-17, eerste wo. in de maand 12-20 uur, 30 SEK) ondergebracht met werken uit de verzameling van de universiteit en eigentijdse kunst. In het slot bevindt zich ook **Fredens Hus** (www.fredsmuseum.se, mi.-vr. 15-18, za./zo. 12-16 uur, toegang gratis) met tentoonstellingen over thema geweld, ter nagedachtenis aan de Nobelprijswinnaar Dag Hammarskjöld. De VN-secretaris-generaal kwam tijdens een vredesmissie in Congo in 1961 bij een vliegtuigongeluk om het leven.

Upplandsmuseet 5

www.upplandsmuseet.se, di.-zo. 12-17 uur, toegang gratis

Het museum aan de Fyrisån toont regionale geschiedenis. De watermolen behoorde ooit tot de universiteit en zou de wetenschappelijke onafhankelijkheid moeten garanderen.

Buiten het centrum

Bror Hjorths hus 6

Norbyvägen 26, www.brorhjorthshus.se, midden juni-midden aug. di.-zo. 12-16, verder do.-zo. 12-16 uur, 40 SEK, vr. toegang gratis

Kunstliefhebbers moeten zeker een bezoek brengen aan het voormalige woonhuis van Bror Hjorth (1894-1968). Hij maakte schilderijen en beeldhouwwerken, geïnspireerd op het kubisme, het expressionisme en de 'primitieve' kunst en die in hun rauwheid en kleurenpracht uniek zijn voor de Zweedse kunst – veel van zijn werken en schetsen zijn hier te bekijken.

Gamla Uppsala 7

Ten noorden van Uppsala ligt een van de belangrijkste prehistorische vindplaatsen in Zweden: Gamla Uppsala met de oude kerk en de reeks grafheuvels, waaronder volgens een legende rond 500 de Sveaheersers Aun, Egil en Adil begraven liggen. Het is zeker dat hier in het verleden het spirituele en politieke centrum van het Zweedse Rijk was. Adam van Bremen maakte in de 11e eeuw (niet uit eigen ervaring) melding van een heidense tempel, waar de goden Odin, Thor en Frey werden aanbeden. Elke negen jaar werden er offers gebracht aan de goden. Vanaf de 11e eeuw bestonden het christen- en heidendom naast elkaar, totdat Uppland als een van de laatste streken in het midden van de 12de eeuw ook volledig werd gekerstend. Vanaf 1164 was het de residentie van de eerste aartsbisschop van Zweden. Van de vanaf 1050 naast de voormalige heidense tempel gebouwde kathedraal, **Gamla Uppsala kyrka** (dag. 9-16, apr.-aug. 10-18 uur), zijn tegenwoordig alleen het schip, het koor en de apsis over. In een grote brand in 1245 werden grote delen van de kathedraal vernietigd en in 1273 trok de bisschop naar het huidige Uppsala. Daar was in de 11e eeuw een nieuw handelscentrum gesticht – de haven van Gamla Uppsala slibde namelijk dicht door het stijgen van het land.

Bij een rondleiding door het **Gamla Uppsala Museum** (www.raa.se/gamlauppsala, mei-aug. dag. 11-17, sept.-midden dec., jan.-apr. ma., wo., za./zo. 12-15 uur, 60 SEK) wordt verteld over mythen en feiten uit de fascinerende prehistorie van het land en over de grafheuvels van het 'oude' Uppsala. Een goed gemaakte tentoonstelling is gewijd aan de vikingtijd.

Het nabijgelegen openluchtmuseum **Disagården** (midden mei-begin sept. dag. 10-17 uur) toont het boerenleven in het Uppland van de 19e eeuw.

Overnachten

Stijlvol – **Grand Hotell Hörnan** ■: Bangårdsgatan 1, tel. 018 13 93 80, www. grandhotellhornan.se, vanaf 895 SEK/1-pk, vanaf 1295 SEK/2-pk. In een statig hoekpand uit het begin van de vorige eeuw met grote, smaakvol ingerichte kamers is het goed toeven; grandioos ontbijt met uitzicht op de rivier.

Landgoed aan het meer – **Sunnersta Herrgård** ■: Sunnerstavägen 24, tel. 018 32 42 20, www.sunnerstaherrgard. se, in het landhuis vanaf 700 SEK/2-pk incl. ontbijt, in het vandrarhem vanaf 225 SEK/bed zonder ontbijt en beddengoed. Conferentiehotel op een historisch landgoed, fraaie ligging aan een meer, 6 km van het centrum.

Met waterparadijs – **Fyrishov Stugby & Camping** ■: tel. 018 727 49 60, www. fyrishov.se, standplaats vanaf 180 SEK. Het hele jaar geopend vakantiepark met camping bij het gelijknamige zwembad, hutten vanaf 695 SEK.

Eten en drinken

Gerenommeerd – **Hambergs Fisk** ■: Fyristorg 8, tel. 018 71 00 50, di.-za. 11.30-22 uur, ca. 100-250 SEK. Heerlijke vis en schaaldieren kunnen worden gekocht bij deze beroemde viswinkel, maar u kunt ze ook ter plekke eten.

Lokale kost – **Domtrappkällaren** ■: Sankt Eriksgränd 15, tel. 018 13 09 55,

ma.-vr. 11-14.30, 17-23, za. 13-23, zo. 13-20 uur. In een muurrestant uit de 13e eeuw, lunch ca.110 SEK.

Snel en goed – **Saluhallen** ■: ma.-do. 11- 18, vr. 11-19, za. 10-16 uur. Diverse restaurants in de markthal.

Winkelen

Kunstnijverheidsgalerie – **Öster om ån** ■: Svartbäcksgatan 18, www.os teroman.com. Objecten van hout, klei en zilver.

Regionaal en origineel – **Uppsala handcraft** ■: Sysslomansgatan 6. Kunstnijverheid, vooral textiel.

Aan het water van de Fyriså – **Ulva Kvarn** ■: **ca. 8 km noordelijk**, www. ulvakvarn.se. Verkoop en productie van handwerk in een prachtig gelegen molen: glas, hout en textiel; café.

Aktief en creatief

Met de stoomtrein – **Lennakatten** ■ rijdt juni-midden sept. vanaf Östra Station naar Länna en Fjällnora, tel. 018 13 05 00, www.lennakatten.se.

Met de boot – **Boottocht** ■: Met het historische schip 'M/S Linea af Upsala' dagtochten naar Skokloster slott (zie blz. 279). Info: turistbyrå of www. mslinnea.se.

Fietsverhuur – **Ski Total Cykel** ■: Dragarbrunnsgatan 46A, www.skito tal.se. De sportwinkel verhuurt stevige 3-versnellingsfietsen, 250 SEK/dag.

Uitgaan

Als studentenstad heeft Uppsala een uitbundig nachtleven.

Muziek – **Katalin** ■: Godsmagasinet, Östra Station, tel. 018 14 06 60. Voor het programma, zie www.katalin.com. Mu-

Imposante Tempel der Wetenschap: de universiteit van Uppsala

ziekcentrum in de voormalige bedrijfs-hal van het goederenstation, goede live jazz.

Theater aan de rivier – **Flustret** **2**: Svandammen, tel. 018 13 01 14, www.flustret.com. Befaamd etablissement; dans, shows en variëté.

Info en evenementen

Toeristische informatie

Uppsala Turistinformation: Fyristorg 8, 753 10 Uppsala, tel. 018 727 48 00, www.uppsala.to.

Evenementen

Vikingarännet (midden feb.): Schaats-wedstrijden over het bevroren Mäla-ren naar Stockholm; www.vikingaran net.com.

Valborgsmässoafton: De nacht van 30 april is in de universiteitsstad een spe-ciale reden om feest te vieren: die dag krijgen studenten hun 'studentmössa' (pet), wat wordt gevierd met koorzang en saluutschoten.

Linnévecka (1e week aug.): Concerten en rondleidingen in de Linnéträdgår-den en andere evenementen ter ere van Carl Linnaeus.

Vervoer

Trein: naar Stockholm, Borlänge, Falun, Mora, Östersund en Sundsvall.
Bus: naar Stockholm, Enköping, Sala.
Vliegtuig: internationale luchthaven Arlanda (25 km zuidelijker).

Favoriet

Tant Bruns kaffestuga – genieten van Zweedse gezelligheid

Alle Zweden kennen ze: de drie tantes Tant Grön, Tant Brun en Tant Gredelin. Ze werden bedacht door de Zweedse kinderboekenschrijfster en illustratrice Elsa Beskow (1874-1953). Voorbeelden waren de in Sigtuna wonende tantes van de schrijfster, bij wie ze na de dood van haar vader opgroeide. Of de jonge Elsa het stadje op dat moment ook als een idylle beleefde, zoals bezoekers nu? Hoe dan ook is Kaffestuga Tant Bruns de belichaming van het gezellige, ouderwetse, warme koffiehuis, zoals dat alleen kan in een oud Zweedse bruin houten huis met scheve muren en lage balkenplafonds of 's zomers op de gezellige binnenplaats. Het café serveert heerlijk, zelfgemaakt gebak bij koffie of thee en is het hele jaar geopend (Laurentiigränd 3, www.tantbrun-sigtuna.se).

Stadsvervoer: Voor tijdtabellen en routes, zie www.ul.se. Kaartjes en info in het kantoor bij het treinstation, de buschauffeur accepteert geen contant geld!

Sigtuna ▶ G 8

Vandaag de dag ziet men het niet af aan het schilderachtige, kleine, slaperige stadje dat het ooit een van de belangrijkste steden in Zweden was. Sigtuna werd rond 970 gesticht en is daarmee de oudste stad van Zweden. In 995 werden hier de eerste munten geslagen. Van de vroegere rijkdom van Sigtuna getuigen de ruïnes van de romaanse stenen kerken **Sankt Nikolai, Sankt Lars, Sankt Olof** en **Sankt Per** die na hun verwoesting onder meer als steengroeve werden gebruikt. De **Maria kyrka** (13e eeuw) is het enige restant van een dominicaner klooster, dat na de Reformatie werd verwoest. Populair foto-onderwerp is het kleine stadhuis (juni-aug. dag. 12-16 uur) uit 1744.

Een wandeling door de 'hoofdstraat', Stora Gatan, naar verluidt de oudste winkelstraat van Zweden, met mooie oude houten gebouwen, voert langs leuke winkeltjes. Het **Sigtuna Museum** (Stora Gatan 55, www.sigtunamuseum.se, juni-aug. dag. 12-16, sept.-mei di.-zo. 12-16 uur, 20 SEK) toont middeleeuwse vondsten uit de stad en de omgeving.

Eten en drinken

Tant Brun: zie Favoriet, blz. 278.

Info

Toeristische informatie

Sigtuna Turistbyrå: Drakegården, Stora Gatan 33, Box 117, 193 23 Sigtuna, tel. 0859 48 06 50, www.sigtunaturism.se.

Vervoer

Bus: naar Märsta (daar treinverbinding met Stockholm) en Uppsala.

Omgeving van Sigtuna

Steninge slott ▶ G 8

www.steningeslott.com, slot wegens renovatie gesloten; cultuurcentrum apr.-dec. ma.-vr. 11-19, za./zo. 10-17 uur
Het fraaie kasteel in Märsta werd in de 18e eeuw ontworpen door Nicodemus Tessin de Jongere, de architect van Drottningholm slott. In de voormalige stallen is een cultureel centrum gehuisvest, met glasblazerij, verkoop van kunstnijverheid en tentoonstellingen.

Skokloster slott ▶ G 8

www.skoklossersslott.se, rondleidingen ieder uur, ook in het Engels; Pasen, mei-midden juni en sept. za./zo. 12-16, mei di.-zo. 11.30-16.30, midden juni-aug. dag. 11-17 uur, 70 SEK, Rondleidingen 110 SEK
Op het landschappelijk aantrekkelijke schiereiland in Mälaren bevond zich tot de Reformatie een cisterciënzer nonnenklooster. In 1611 kwam het aan de Baltische edelman Herman Wrangel, die het landgoed in 1643 naliet aan zijn zoon, Carl Gustav. Die werd rijkelijk beloond voor zijn verdiensten in de Dertigjarige Oorlog en liet door architecten als Nicodemus Tessin de Oudere. en Jean de la Vallée een prachtig barok paleis bouwen, waarvan de symmetrische soberheid wordt verzacht door de afgeronde hoektorens. Tot het grotendeels oorspronkelijke interieur uit de 17e eeuw behoort ook de buit die Carl Gustav Wrangel meebracht van zijn campagnes in Europa tijdens de Dertigjarige Oorlog. De bouw van het kasteel werd na zijn dood nooit voltooid, waardoor het nog zijn originele 17e-eeuwse interieur heeft.

Toeristische woordenlijst

Uitspraakregels

Ook als beginner kunt u het Zweeds vrij goed verstaan, overigens wijkt de uitspraak in het zuiden van het land wel wat af. Afwijkingen van de Nederlandse uitspraak:

a als lange klinker vrij gesloten uitgesproken: **ao**, kort als in het Nederlands

ä als **e**, bijv. vänster (wènster) – links

o als **oe**, bijv. stor (stoe:r) – groot, of bord (boe:d) – tafel, als **o**, bijv. tolv – twaalf

ö als **eu**, bijv. höger (heuger) – rechts

u wordt als **uu** uitgesproken, bijv. ursäkta (uu:schekta)– excuses

å wordt uitgesproken als lange **oo** (ool) – paling, of als korte **o**: gård (go:d) – tuin

dj, hj worden als **j** uitgesproken, en **lj** bijv. Djurgården (juu:rgodn)

rs wordt als **schj** uitgesproken

sk en **k** worden voor ä, ö, e, i als **schj** uitgesproken, bijv. köpa (schjeupa) – kopen

kj, sj, stj worden als **schj** uitgesproken, en **tj** bijv. sjö (schjeu) – meer, tjugo (schjuugoe) – twintig

g als **j** voor ä, ö, e, i en na l en r op het einde van lettergreep, bijv. berg (be:j) – berg

y wordt als **uu** uitgesproken

Algemeen

goedendag	hej, hejsan, god dag
goedenavond	god kväll, god afton
goede nacht	god natt
tot ziens	hej då
ja/nee	ja/nej
alstublieft/bedankt	varsågod/tack
dank u wel	tack så mycket
hoe heet u?	vad heter du?
mijn naam is ...	jag heter ...

Onderweg

halte	hållplats
bus	buss
auto	bil
uitrit	utfart
rechtsaf	till höger
linksaf	till vänster

rechtdoor	rakt fram
informatie	information
(mobiele) telefoon	(mobil)telefon
postkantoor	postkontor
station	station
vliegveld	flygplats
haven	hamn
plattegrond	stadskarta
ingang	ingång
uitgang	utgång
geopend	öppet
gesloten	stängd/stängt
kerk	kyrka
strand	strand
brug	bro
steiger (bad-/aanleg-)	brygga

Tijd

uur	timme
dag	dag
week	vecka
maand	månad
jaar	år
vandaag	idag
morgen	imorgon
gisteren	igår
maandag	måndag
dinsdag	tisdag
woensdag	onsdag
donderdag	torsdag
vrijdag	fredag
zaterdag	lördag
zondag	söndag

Winkelen

winkelcentrum	köpcenter
winkel	affär, butik
markt	marknad
geld	pengar
creditcard	kreditkort
(kranten)kiosk	Pressbyrån

Eten en drinken

tafel	bord
reserveren	boka
mes	kniv

vork	gaffel	apotheek	apotek
lepel	sked	ziekenhuis	sjukhus
fles	flaska	ambulance	ambulans
glas	glas	ongeluk	olycka
drank	drycker		
vegetarisch	vegetarisk		

Tellen

Overnachten

		1	en
pension	pensionat	2	två
hotel	hotell	3	tre
kamer	rum	4	fyra
eenpersoonskamer	enkelrum	5	fem
tweepersoonskamer	dubbelrum	6	sex
beddengoed	sänglinne	7	sju
toilet	toalett	8	åtta
douche	dusch	9	nio
bagage	bagage	10	tio
rekening	kvitto, notan	11	elva
		12	tolv

Noodgevallen

help!	hjälp!
politie	polis
arts	läkare
tandarts	tandläkare, tandvård

13	tretton	100	ett hundra
14	fjorton	150	etthundra och femtio
15	femton		
16	sexton	1000	tusen
17	sjutton		
18	arton		
19	nitton		
20	tjugo		
25	tjugofem		
30	trettio		
40	fyrtio		
50	femtio		
60	sextio		
70	sjuttio		
80	åttio		
90	nittio		

De belangrijkste zinnen

Algemeen

Neem me niet kwalijk	Förlåt, ursäkta
Ik begrijp het niet.	Jag förstår inte.
Ik spreek geen Zweeds.	Jag pratar inte svenska.
Spreekt u Duits/Engels?	Pratar du tyska/engelska?

In het restaurant

Is deze plaats vrij?	Är det ledigt?
Eet smakelijk!/Proost!	Smaklig måltid/skål!
De kaart, alstublieft!	Menyn, tack.
Ik wil graag ...	Jag vill gärna ...
Hoeveel kost ...	Vad kostar ...?
Afrekenen, graag!	Notan, tack
Waar zijn de toiletten?	Var finns toaletterna?

Op straat

Ik wil naar ...	Jag ska till ...
Waar kan ik ... kopen?	Var kan jag köpa ... ?
Is hier ergens een apotheek?	Finns det ett apotek här någonstans?
Welke bus gaat naar ...?	Vilken buss går till ...?

In het hotel

Heeft u een kamer voor mij?	Har du ett rum ledigt?
Ik heb een kamer geboekt.	Jag har bokat ett rum.
Hoeveel kost een kamer per dag per week?	Vad kostar rummet per dygn/ per vecka?

Culinaire woordenlijst

Algemeen

Eet smakelijk!	Smaklig måltid!
Proost!	Skål!
Afrekenen, graag	Notan, tack
ontbijt	frukost
lunch	lunch
diner	middag
cafetaria	gatukök
herberg	gästgiveri, wärdshus
restaurant	restaurang
menukaart	meny/matsedel
voorgerechten	förrätter
hoofdgerechten	huvudrätter
nagerechten	efterrätter

Bereiding

gryta	eenpansgerecht
halstrad	gegrild
rökt	gerookt
söt	zoet
stekt	gebraden

Kruiden en toebehoren

ättika	azijn
kryddor	kruiden
olja	olie
peppar	peper
pepparrot	mierikswortel
persilja	peterselie
salt	zout
senap	mosterd
smör	boter
socker	suiker
vitlök	knoflook

Brood en gebak

bröd	brood
fralla	broodje
havre	haver
kanelbulle	kaneelbroodje
lussekatter	saffraanbroodje
macka	belegd broodje
munkar	donuts
råg	rogge
smörgås	boterham
tunnbröd	dun knäckebröd

wienerbröd	bladerdeeggebak
vete	tarwe

Eier-, melk- en beslaggerechten

ägg	ei
filmjölk	dikke melk
glass	ijs
grädde	room
ost	kaas
pannkakor	pannenkoeken
vispgrädde	slagroom

Vis en zeevruchten

ål	paling
fisk	vis
gös	snoekbaars
gädda	snoek
hälleflundra	heilbot
kräftor	rivierkreeften
lax	zalm
löjrom	(houting)kaviaar
musslor	mosselen
öring	(zee-)forel
ostron	oester
räkor	garnalen
röding	forel
rödspätta	schol
rom	kaviaar
sill	haring
skaldjur	schaaldieren
strömming	Oostzeeharing
sik	houting
torsk	kabeljauw

Vlees

älg	eland
anka	eend
gås	gans
fläsk	varkensvlees
kalkon	kalkoen
kalops	goelasch
kött	rundvlees
köttfärs	gehakt
korv	worst
kyckling	kip
lamm	lam

nötkött	rundvlees	mos	(aardappel)puree
oxfilé	runderfilet	palsternacka	pastinaak
pannbiff	bieflap	päron	peren
renkött	rendiervlees	plommon	pruimen
skinka	ham	potatis	aardappels
		purjolök	lente-ui

Groenten, fruit

		rödbetor	rode bietjes
äpple	appels	sallad	salade
ärter	erwten	sparris	asperges
blåbär	bosbessen	svamp	paddenstoelen
böner	bonen	sylt	jam
fänkål	venkel	vindruvor	druiven
fläderbär	vlierbessen		
frukt	fruit		

Dranken

grönsaker	groenten	glögg	glühwein
gurka	komkommer	kaffe	koffie
hallon	frambozen	läsk	frisdrank
hjortron	steenbramen	mineralvatten	mineraalwater
jordgubbar	aardbeien	mjölk	melk
kantareller	cantharellen	öl	bier
körsbär	kersen	rödvin	rode wijn
lingon	rode bosbessen	te	thee (vaak Earl Grey)
lök	uien	vatten	(kraan)water
morötter	worteltjes	vitvin	witte wijn

Typische gerechten

Ärtsoppa – de dikke soep van gele erwten is het tradtionele eten op donderdag

Biff à la Rydberg – in reepjes gesneden rundvlees, dat kort gebakken en met gebakken aardappeljes, uien en rauwe eidooier geserveerd wordt

Biff Lindström – tartaar; in het gehakt worden ook fijngehakte rode biet en uien verwerkt

Dillkött – kalfsvleesfricassee in een lichte, zoetzure dille saus

Gravad lax – gecureerde, koud gegaarde zalm (recept zie blz. 27), de zalm wordt in zeer dunne plakken gesneden en met zoetzure mosterdsaus (hovmästarsås) vaak als voorgerecht geserveerd

Lövbiff – mager, in dunne schijven gsneden, kort aangebraden rundvlees

Planka – op een houten plank geserveerd gerecht, vaak een steak, maar ook wel vis met aardappelpuree

Pytt i panna – het klassieke restjesgerecht: in de pan geroosterde blokjes vlees, aardappel, ui, biet en augurk, erbovenop wordt een gebakken ei gelegd.

Räksallad – mayonnaise vermengd met klein gehakt garnalenvlees en stukjes champignons en asperges

Strömmingsflundror – gepaneerde, gebraden filet van oostzeeharing, gevuld met dille en kaviaar

Wallenbergare – fijne tartaartjes van kalfsvleesgehakt, room en eierdooiers

Register

ABBA 66
actieve vakantie 29
Åhus 20, 143
cacohol 34
Ales stenar 136, 138
allemansrecht 29, 34
Älmhult 159
Ålö 253, 255
Alsen 212
Alvastra 7, 204
Alvesta 21
ambassades 34
Anderson, Stig 'Stikkan' 67
Andrée, Salomon August 203
Anundshög 264
apotheken 34
Arboga 260
Arfwedson, Johan August 253
Årjäng 193
Arvika 196
Åsens by 202
Askersund 18, 210, 212
Asplund, Gunnar 234
Åstol 118
Astrid Lindgrens Värld 60, 156, 165, 166
Badelunda 264
baden 121
Baldersnäs herrgård 192
Båstad 94
bed & breakfast 26
Bengtsfors 19, 191, 193
Bergdala 62, 163
Bergh, Richard 64
Bergman, Ingmar 68, 69, 269
Bergslagen 43
Bergs slussar 216
Bernadotte, Jean-Baptiste 44
Beskow, Elsa 278
Birger Jarl 226
Birka 18, 42, 52, 254
Bjärehalvön 94
Blekinge 6, 20, 42, 128
Bohus fästning 115
Bohuslän 6, 42, 102
Bolmen 20, 157, 158
boottochten 120, 121, 147, 160, 190, 193, 194, 218, 264
Boren 212, 213
Borensberg 214, 215
Borghamn 204
Borgholm 172
Bosjökloster 146
Bovallstrand 122, 123

Brahehus 203, 204
Brahe, Tycho 84, 87
Brömsebro 43
Bullaren 19
Bullerbyn 167
Byfjord 121
Byxelkrok 173
camping 26
Carl XVI Gustaf 40, 45, 67, 183
Christian II 43
Dahlberg, Erik 152, 153
Dalälven 258
Dalsland 6, 19, 178, 180, 189
Dalslands kanal 19, 190, 191, 192
Dals Långed 19, 191
Derkert, Siri 237
design 61, 62, 63
Djurgården 65
douane 22
draisinetochten 143, 193
Dramaten 69
Drottningholms slott 18, 54, 228, 279
– Kina slott 244
– Theatermuseum 244
Dyrön 118
Ebbamåla 149
Eketorps fornborg 52, 175
Eksjö 165
elanden 164, 182
Emmaboda 33, 163, 164
Engelbrektsson, Engelbrekt 43, 260
Engsö slott 265
Erik XIV 43, 263
Eriksbergs Viltreservat 150
Eriksson, Magnus 42
Eskilstuna 18, 262
Eugen (prins) 65, 227, 240
evenementen 32, 33
Falkängen 187
Falkenberg 98
Falsterbo 82
Fårö 69, 268, 269
feestdagen 32, 34
fietsen 29, 140, 149, 165, 171, 177, 186, 214
Finspång 220
Fjällbacka 19, 125
fooien 34
Forshem 186, 188
Foteviken 52, 82
Frostavallen 146

Fryken 194
Gamla Uppsala 42, 258
Gate, Simon 62, 163
geld 35
gezondheidszorg 35
Gibberyd 167
Glafsfjorden 196
Glänås 206
Glaskogen 196
Glasriket (Glasrijk) 62 156, 161
Glimmingehus 141
Gnosjö 158
golf 29, 97, 98, 140, 177
Götakanal 20, 30, 198, 204, 212, 213, 214, 215, 216, 218
Götaland 42, 258
Göteborg 6, 18, 19, 21, 33, 62, 64, 65, 68, 75, 102, 105, 213, 215, 245
– Avenyn 109
– Christinae kyrka 109
– Göteborgpakket 111
– Konstmuseum 109
– Kronhuset 109
– Liseberg 110
– Maritima Centrum 105
– Opera 105
– Palmhuset 109
– Röhsska museet 110
– Stadsmuseum 105
– Trädgårdsföreningens park 109
– Universeum 110
– Utkiken 105
– Världskulturmuseet 110
Gotland 46, 168, 268
Granhult 161
Gränna 20, 202, 204
Grebbestad 19, 126
Grip, Bo Jonsson 266
Gripsholm slott 18, 40, 54 266
Grönåsens Älgpark 164
Grönklitts Björnpark 50
Gryt 200
Gunnebo slott 115
Gustafsberg 121
Gustaf VI Adolf 245
Gustav I Eriksson Vasa 40, 43, 75, 160, 183, 210, 221, 232, 261, 265, 266, 270
Gustav II Adolf 43, 105, 143, 239, 265, 270, 275

Gustav III 40, 44, 54, 227, 228, 229, 244, 266, 267
Gustav V 94
Halland 6, 29, 30, 42
Hallands Väderö 95
Halleberg 180, 183
Hällekis 187
Hällevik 147
Hallström, Lasse 69
Halmstad 97
Halmstadgruppen 98
Hammarskjöld, Dag 45
Hanö Bukt 20
Hansson, Per Albin 45
Hårleman, Carl 168, 228, 234, 244, 265
Hässleholm 21
Håverud 19, 188, 190, 191
Hazelius, Artur 239, 242
Helsingborg 20, 21, 84, 86, 245
Herrljunga 21
High Chaparral 156, 158
Hindens rev 46
Hjalmar Branting 45
Hjälmare kanal 261
Hjälmaren 258, 259
Hjortens udde 46
Höganäs 91
Höllviken 82
honden 35
Höör 50
Hornborgasjö 188
Hovs hallar 48, 94, 95
Hultsfred 33
Hunneberg 18, 180, 182, 183
Hunnebostrand 122
Husaby 42, 180, 186
Huskvarna 202
Hydman-Vallien, Ulrica 163, 175
invoerbeperkingen 22
Ismantorps borg 175
jeugdherbergen 26
Johan III 172, 217, 270
Jönköping 20, 201
Jonstorp 94
Julita gård 261
Källa 172
Kålland 18, 180, 185
Kalmar 20, 21, 40, 42, 43, 156, 169
Kalmarsund 156, 175

kanovaren 29, 119, 156, 193, 196, 249
Karlsborg 204
Karlshamn 148
Karlskoga 18, 197
Karlskrona 20, 152
Karlstad 18, 193
Karl IX 261, 266
Karl X Gustav 43, 75, 148, 266
Karl XI 44, 152, 153
Karl XII 40, 44, 172, 234
Karl XIV Johan 44, 259
Kåseberga 19, 136
Katrineholm 21
Kebnekaise 48
kerstmis 33
kinderen 35
Kinnekulle 18, 180, 184
Kinnekulleleden 31, 186
Kivik 33, 42, 141
Klädesholmen 51
Klarälven 180
Klässbol 62, 63, 196
kleding en uitrusting 17
Kolmårdens Djurpark 50, 219
Konserthuset 56
Kopenhagen 21
Kosta 163
Kosta-Boda 62
Kostereilanden 50, 127
Kräftskiva 32
Krapperups slott 90
Kreuger, Nils 64
Kristianstad 48, 143
Kristina (koningin) 43, 228, 275
Kristinehamn 197
Kronan 159
Kullaberg 91
Kulltorp 158
Kungsbacka 115
Läckö slott 185
Lagerlöf, Selma 18, 86, 180, 185, 194
Läggesta 267
Laholm 96
Landskrona 84, 86
Lapland 48
Larsson, Carl 63, 64, 228, 235, 240
Larsson, Karin 63, 64
Laxå 21
Leestips 15
Lenhovda 161

Lessebo 164
Lidköping 18, 21, 184
Liljefors, Bruno 65
Lindesnäs 121
Lindgren, Astrid 8, 57, 59, 60, 156, 165, 166, 239
Linköping 20, 21, 200, 216
Linnaeus, Carl 159, 182, 223, 270, 272
Litsleby 125
Ljung 215
Ljungby 157
Ljungsbro 215
Ljungs slott 215
Loftahammar 200
Luciafest 32
Lund 82
Lysekil 119
Madesjö 161
Mälardal 7, 18, 21, 256, 258
Mälaren 18, 20, 42, 48, 244, 254, 258, 262, 266
Malmö 19, 20, 21, 33, 52, 68, 75
– Fiskehoddorna 77
– Form/Design Center 75
– Kockska huset 75
– Malmöhus 76
– Moderna Museet 76
– Rådhuset 75
– Residenset 75
– Sankt Petri kyrka 76
– Slottsmöllan 77
– Teknikens och sjöfartens hus 77
– Thottska huset 76
– Turning Torso 78
– Västra Hamnen 78
Malmökortet 82
Malmsten, Carl 62, 245
Mankell, Henning 15, 131, 132
Mårbacka 194
Mariefred 18, 266
Marstrand 114
Mathsson, Bruno 62
Medevi brunn 212
Mellan Fryken 197
Mellbystrand 31
Mellerud 18, 188
middernachtszon 17
midzomer 32
Milles, Carl 194, 216, 245, 263
Mjällby 98
Moberg, Vilhelm 149, 160, 165

Möckelsnäs 159
Mölle 90
Moodysson, Lukas 69
Mörrum 149
Motala 20, 200, 212
muggen 17
Närke 258
Nässjö 21
NP Blå Jungfrun 169
NP Kosterhavets 50, 127
NP Söderåsen 146
NP Stenshuvud 141
NP Tiveden 18, 208, 212
naturisme 36
Natuurreservat Stendörren 222
Nobel, Alfred 56, 197
noodgevallen 36
Nordens Ark 49, 123
Nordqvist, Sven 262
Nordström, Karl 64
Norra Kvills Nationalpark 167
Norrköping 7, 20, 21, 200, 217, 218
Norrvikens Trädgårdar 94
Nosabyviken 48
Notke, Bernt 229
Nybro 20, 21, 161, 163
Nyköping 7, 222
Nynäshamn 268
Öbolandet 223
Odense 21
Ödeshög 204
Öland 7, 20, 21, 29, 46, 52, 154, 156, 171
Omberg 204
Onsala 115
openingstijden 36
Örebro 18, 40, 44, 258, 259
Öresund 9, 23, 45, 74, 75, 84, 86, 87, 89
Öresundsbron 22
Orrefors 62, 163
Orsa 50
Orust 19, 115, 118
Oscar II 65, 240
Oskarshamn 168, 268
Östergötland 19, 20, 204, 212, 217, 218
Österlen 137, 142
overnachten 25
paardrijden 30
Palme, Olof 45

pasen 32
Persson, Sigurd 163
Petersson, Axel 169
Pilo, Carl Gustaf 54
Platen, Baltzar von 212
politie 36
post 36
prijsniveau 37
Pukeberg 62
Råå 86
Råshult 159
Reinfeldt, Fredrik 45
reisseizoen 16
reizen met een handicap 37
Reuterswärd, Carl Fredrik 237
Right Livelihood Award 57
Risinge 220, 221
Rødby Havn 21
roken 37
rondvaarten 168, 191
Rönnäng 118, 119
Ronneby 31, 150
Roslin, Alexander 54
rotstekeningen 42, 125, 191
Roxen 213, 216
Runensteen 53, 187, 263, 265
Säffle 18
Saltsjöbaden 255
Sandhammaren 136
Sandhamn 255
Sankt Anna 200
Sankt Annas Skärgård 20
schiereiland Kullen 90
schiereiland Listerland 147
schiereiland Sotenäs 122
Sergel, Johan Tobias 54, 233, 245
Sevedstorp 167
Sigtuna 42, 278, 279
Sigurdsristning 262, 263
Simrishamn 137
Skåne 6, 20, 42, 48, 128
Skånes Djurpark 50, 146
Skara 42, 187
Skärhamn 118, 119
Skokloster slott 279
Skultuna 264
Skummelövsstrand 31
Skuruhatt 165
Småland 7, 19, 20, 29, 41, 60, 62, 154
Smögen 122
Smygehuk 130
Söderåsen 146

Söderköping 31, 200, 212, 217
Södermanland 200, 222
Södertälje 20, 254
Sofiero slott 89
Solliden slott 33, 172
Sölvesborg 147
Sörmland 7, 198, 200, 222
Sotenkanalen 122
souvenirs 37
Sparlösasten 187
Spiken 18
sport 29
stedentrips 25
Stegeborg 218
Steninge slott 279
Stenungsund 19, 119
Stjärnsund slott 211
Stockholm 7, 18, 19, 20, 21, 33, 42, 43, 48, 52, 56, 60, 61, 62, 65, 68, 69, 75, 213, 215, 224, 226, 258
– af Chapman 238
– Arkitekturmuseet 235
– Badstranden 244
– Birger Jarls torn 232
– Djurgården 238
– Dramaten 238
– Drottninggatan 234
– Fotografiska 243
– Gamla Stan 227
– Globen/SkyView 245
– Gröna Lund 239
– Hagapark 244
– Hallwylska museet 234
– Helgeandsholmen 226, 227, 232
– Historiska Museet 238
– Hötorget 234
– Hötorgshallen 234
– Junibacken 239
– Kaknästornet 238
– Karl XII:s torg 234
– Katarina kyrka 243
– Konserthuset 234
– Kulturhuset 233
– Kungliga slottet 228
– Kungsholmen 227
– Kungsträdgården 234
– Långholmen 226
– Lidingö 245
– Mälaren 226
– Medeltidsmuseum 232
– Millesgården 245
– Moderna Museet 235

– Monteliusvägen 242
– Mosebacke 243
– Nationalmuseum 235
– Nobelmuseet 229, 232
– Nordiska Museet 239
– Norrmalm-City 233
– Östermalm 238
– Östermalmshallen 238
– Prins Eugens
  Waldemarsudde 240, 242
– Riddarholmen 227, 232
– Riddarholmskyrkan 232
– Riddarhuset 232
– Riksdagshuset 232
– Sergels torg 233
– Skansen 242
– Skeppsholmen 235
– Södermalm 242
– SoFo 243
– Stadsbibliotek 234
– Stadsholmen 227, 228
– Stadsmuseum 232, 242
– Stadshuset 227
– Stockholm à la Carte 239
– Stockholmskortet 239
– Storkyrkan 229
– Stortorget 229
– Strindbergsmuseet 234
– Tunnelbana 236
– Tyska kyrkan 232
– Ulriksdals slott 244
– Vasamuseet 239
Stora Alvaret 172, 173
Store Mosse 156, 158
Strängnäs 266
Strindberg, August 185, 234, 255
Strömsholms slott 265
Strömstad 31, 126
Sture de Oudere, Sten 229
Sundbyholms slott 262
Sunne 18
Suttner, Bertha von 56
Svaneholm slott 136
Svealand 42
Sverigeleden 30
Swedenborg, Emanuel 270
Tage Erlander 45
Tåkern 206
Tanum 124
Tanumshede 19, 104, 125
Taxås 159
teken 35
telefoneren 37

Tengbom, Ivar 234
Tessin de Jongere, Nicodemus 152, 244, 279
Tessin de Oudere, Nicodemus 172, 244, 245, 265, 266, 279
Tidö slott 265
Tisselskog 189, 191
Tiveden 18, 31, 208
Tjärö 150
Tjolöholm slott 115
Tjörn 19, 51, 115, 118
Tjörnehuvud 117
Torekov 95
Törnquist, Marit 239
Transjö Hytta 62, 163
Trelleborg 19, 130
Trolle-Ljungby slott 146
Trollhättan 18, 68, 180, 181
Trollhätte kanal 213
Trollywood 68
Trosa 20, 222, 223
Tyresö 65
Uddevalla 121
Uexkull, Jakob von 57, 59
Umeå 68
Uppgränna 203
Uppland 7, 256, 258
Uppsala 21, 68, 69, 270
– Bror Hjorths hus 275
– Danmarks kyrka 274
– Danmarksvandringen 273
– Gamla Uppsala 275
– Gustavianum 270
– Kungsängen 273
– Lilla Djurgården 273
  Linnémuseet 273
– Linnés Hammarby 274
– Linnés Sävja 273
– Linnéträdgården 273
– Universitetsbibliotek 271
– Upplandsmuseet 275
– Uppsala domkyrka 270
– Uppsala slott 271
Utö 252, 255
Vadstena 7, 20, 40, 204, 207
Valdemarsudde 65
Valdemarsvik 200
Vallåkra 89
Vallée, Jean de la 232, 245, 279
Vallien, Bertil 62, 160, 163, 175, 184
Valsgärde 42
Vänern 6, 18, 46, 48, 178, 180, 213

Vänersborg 182
Varberg 20, 21, 64, 99
varjagen 42, 53, 258
Värmland 6, 18, 49, 50, 63, 178, 180, 193
Värnamo 62, 156, 158
Varnhem kloster 188
Västerås 33, 263, 264
Västergötland 21
Västervik 156, 167, 200
Västra Götaland 180
Vattenriket 48, 146
Vättern 7, 18, 33, 48, 180, 198, 212, 213, 258
Vaxholm 255
Växjö 21, 159, 163
veerdiensten 22
veiligheid 37
Ven 84, 86
Vendel 42
verkeersbureaus 15
vervoer 23
Vetlanda 165
Victoria 40, 45
Vigeland, Gustav 194
Viken 213
Vikingen 42, 52, 82, 187, 254
Vimmerby 156, 165
Vingboons, Justus 232
Visby 268, 269
Visingsö 20, 204
vissen 29, 97, 99, 119, 121, 158, 160
Vitlycke 125
vogels kijken 146, 188, 206
Vreta kloster 216
Wanås slott 145
wandelen 31, 141, 149, 118, 222, 159, 183, 206
wandelkaarten 31
watersport 31
wellness 29, 31, 124
wintersport 31
Ystad 19, 68, 131
zeekajaktochten 119, 150, 153
Zorn, Anders 64, 110, 240
zwemmen 29, 208

Fotoverantwoording en colofon

Omslag: Het drogen van vis (Shutterstock)
Binnenzijde voor: Calendula (gouds-
bloemen) op een Zweedse boerderij

akg-images, Berlijn: blz. 55 (E. Lessing), 65
Bildagentur Huber, Garmisch-Partenkirchen:
blz. 214, 267, blz. 170/171 (S. Damm), blz. 190,
206 (Gräfenhain), blz. 9 r. (Spiegelhalter)
Bilderberg, Hamburg: blz. 265 (M. Engler)
DuMont Bildarchiv, Ostfildern: blz. 198 l.,
198 r., 205, 217, 232/233, 254/255, 256 l.,
256 r., 260, 277 (Michael Riehle)
f1-online, Frankfurt a. M.: blz. 11 r.o., 148, 278
(Johner), blz. 49 (P. Lilja), blz. 144 (R. Magnusson), blz. 30, 250/251 (Tiofoto)
Getty Images, München: blz. 10 l.o., 92/93,
182 (Altrendo), blz. 11 l. o., 52, 138/139
(A. Blomqvist), blz. 155 l., 176 (U. H. Nils-
son), blz. 23 (M. Olsson), blz. 48 (H. Strand),
blz. 224 l., 235 (D. Sundberg), blz. 157
(S. Walstrom), blz. 47 (J. Wikstrom)
Stig Hammarstedt/imagebank.sweden.se:
blz. 268
Interfoto, München: blz. 132 (M. Horn)
Petra Juling, Lissendorf: blz. 10 r. b., 10 l. o.,
10 r. o., 102 l., 116/117, 120, 128 r., 129 l., 137,
151, 179 l., 186/187, 189, 199 l., 208/209, 247,
257 l., 272

Hans J. Kürtz, Kiel: blz. 108
laif, Köln: blz. 12/13, 38/39, 70/71, 72 l., 96
(M. Amme), blz. 73 l., 78/79, 128 l., 140
(M. Galli), blz. 51 (J. Grossmann), blz. 61
(hemis), blz. 72 r., 100/101 (A. Hub),
blz. 102 r., 122/123 (H. Krinitz), blz. 154 r.,
173 (J. Meier), blz. 11 l. o., 63, 125, 178 l., 192,
220, 224 r., 240/241 (M. Riehle), blz. 252
(E. Rodtmann), blz. 80 (Spierenburg)
Linnémuseet, Uppsala: blz. 274 (Olle Norling)
Look, München: blz. 88 (age fotostock), blz. 43,
103 l., 112/113, 154 l., 166, 178 r., 195 (H.
Dressler), blz. 225 l., 229 (J. Greune),
blz. 236 (B. Merz), 80 (Spierenburg)
Ger Meesters: blz. 8
dpa/picture alliance, Frankfurt a. M.: blz. 50
(Okapia/Delpho), blz. 68 (J. Forsell), blz. 57
(J. Henriksson), blz. 152 (B. Lallo), blz. 66
(O. Lindeborg), blz. 56 (Montgomery),
blz. 11 r. b., 174 (Olsson), blz. 60 (Schwieder),
blz. 58
StockFood, München: blz. 202 (J. Scherer)
Tycho-Brahe-Museum, Ven: blz. 84
Visum, Hamburg: blz. 162 (M. Cristofori),
blz. 211 (J. A. Fischer), blz. 213 (H. Specht),
blz. 243 (M. Steinmetz)
Hanna Wagner, Wörth: blz. 134

Hulp gevraagd!
De informatie in deze reisgids is aan verandering onderhevig. Het kan dus wel eens
gebeuren dat u ter plaatse een andere situatie
aantreft dan de auteur. Is de tekst niet meer
helemaal correct, laat ons dat dan even
weten.

Ons adres is:
ANWB Media
Uitgeverij reisboeken
Postbus 93200
2509 BA Den Haag
anwbmedia@anwb.nl

Productie: ANWB Media
Uitgever: Marlies Ellenbroek
Coördinatie: Els Andriesse en
Geert van Leeuwen
Tekst: Petra Juling, Jutta WestMeyer
Vertaling: Ger Meesters, Haarlem
Eindredactie: Marcel Marchand, Amsterdam
Opmaak: Hubert Bredt, Amsterdam
Ontwerp binnenwerk: Jan Brand, Diemen
Ontwerp omslag: Yu Zhao Design, Den Haag
Concept: DuMont Reiseverlag, Ostfildern
Grafisch concept: Groschwitz/Blachnierek,
Hamburg
Cartografie: DuMont Reisekartografie,
Fürstenfeldbruck
© 2012 DuMont Reiseverlag, Ostfildern

© 2013 ANWB bv, Den Haag
Eerste druk
ISBN: 978-90-18-03684-3